CARMEN POSADAS

Cinco moscas azules

punto de lectura

CARMEN POSADAS

Cinco moscas azules

© 1996, Carmen Posadas
© 1996, de la edición de Santillana, S. A.
© De esta edición:
    junio 2000, Suma de letras, S. L.

ISBN: 84-95501-54-6
Depósito legal: B-22453-2000
Impreso en España – Printed in Spain

Portada: BRUMA
Diseño de colección: Ignacio Ballesteros

Impreso por Litografía Rosés, S. A.

A mi hermano Gervasio,
y también a la memoria de Ana Wickham

Índice

Morir como tú, Horacio, en tus cabales,
y así como en tus cuentos, no está mal;
un rayo a tiempo y se acabó la feria...
Allá dirán.
(...)
"No hiere cada hora —queda escrito—,
nos mata la final."
Unos minutos menos... ¿quién te acusa?
Allá dirán.

Más pudre el miedo, Horacio, que la muerte
que a las espaldas va.
Bebiste bien, que luego sonreías...
Allá dirán.
(...)

A Horacio Quiroga, Alfonsina Storni.

Parte I:

Londres

Un almuerzo en Drones

Le habían dado una mesa arrinconada junto a la escalera, entre una profusión de plantas. Una rama de kentia le acariciaba el cogote si se inclinaba hacia la izquierda y por el hueco de la escalera de caracol ascendían entreverados aromas de chile con carne, ñoquis a los cuatro quesos y *soufflé* de mandarina, pero por lo menos no lo habían condenado a las regiones árticas, al comedor de abajo o, en otras palabras, a las tinieblas donde los *maîtres* suelen acomodar a los parias.

Molinet se recostó en la silla; había llegado diez minutos antes de la hora de la cita según su costumbre, y dejó que la vista vagara por el restaurante con la esperanza de descubrir una cara conocida. No había ninguna. Hacía años que no almorzaba en Drones pero le agradó ver lo poco que había cambiado el lugar. El mismo suelo de baldosas blancas y negras, las sillas rojas, incluso el *maître* le pareció familiar, un antiguo camarero tal vez, al que la veteranía había aupado al privilegio de ir y venir repartiendo menús con una gran sonrisa. También las paredes eran las mismas, lo cual no dejaba de ser una suerte pues en ellas reside el mayor encanto de Drones. Años atrás, cuando David Niven Jr. se quedó con el restaurante, había decidido decorarlas con una curiosa colección de fotos. Aparentemente se trataba de niños anónimos, pero los camareros pronto se encargaban de explicar a los clientes que detrás de aquellas caras infantiles se escondían actores de teatro, *starlets*, personajillos de moda y muchos de los colegas del viejo Niven en Hollywood. Había fotos grandes, pequeñas, en color, en blanco y negro, conspicuas o no, en las que los novatos se entretenían en descubrir quién era quién, o aprovechaban tan socorrido tema cuando flaqueaba la conversación. Suavemente Molinet desplegó su servilleta. Él nunca había caído en esa tentación, ni siquiera estando en compañía de personas muy aburridas. Se consideraba un buen conversador y, en último término, jamás se hubiera permitido utilizar un recurso tan tópico.

Ahora era distinto, estaba solo y decidió echar un vistazo a las fotos que tenía más próximas. Pasó rápidamente la vista por las más modernas sin detenerse: le interesaban las antiguas en blanco y negro. ¿De quién serían? No resultaba fácil identificar ninguna, hasta que por fin creyó distinguir... ¿a Sofía Loren en traje de primera comunión? Sí, tal vez fuera ella, una niña feúcha cuyos bellos ojos no lograban desviar la atención de una boca desmesurada. A los otros niños no llegó a reconocerlos aunque, junto a su plato de pan, estaba la foto de un jovencito con un corte de pelo criminal que posiblemente fuera Warren Beatty, no, no, con mayor seguridad se trataba de Alan Ladd antes de que Sidy Wollock le oxigenara el pelo.

"Siete años. Siete larguísimos años fuera de este mundo", pensó Molinet, y en seguida se dijo que había sido demasiado tiempo para estar alejado de todo. Aun así, resultaba un alivio comprobar que las cosas mundanas seguían más o menos iguales, pocos cambios en los placeres. Precisamente eso era lo que admiraba de Londres: siempre podía confiarse en una ciudad en la que cinco, diez, quince años más tarde, continúa de moda un mismo restaurante; tan distinta de otras poblaciones trepidantes en las que, si uno desaparece una temporada, a la vuelta resulta imposible reconocer nada: donde antes había un local de moda ahora hay una peluquería de perros, cuando no una hamburguesería, o un solar raso lleno de basura: tal es la tremolina de lo que *es* y un segundo después ya *no es* nada. Fue sólo un momento de divagación. Molinet inmediatamente decidió descartar esa línea de pensamiento. Los últimos años de su vida habían sido un paréntesis, un agujero negro al que no pensaba dedicar ni cinco minutos de su almuerzo; estaba de vuelta en el mundo de los vivos, incluso había organizado un viajecito para celebrar el regreso y ahora sólo deseaba que Fernanda no se retrasara demasiado: era la una y media en punto y empezaba a sentir hambre.

Entonces cayó en la cuenta de que debía de hacer al menos veinte años que no tenía noticias de su sobrina, por eso le había sorprendido tanto recibir su llamada. ¿Sería ésta la primera vez que Fernanda viajaba a Londres en todo ese tiempo? Probablemente no; pero sí, quizá, la primera que lo hacía sin su marido y de ahí que hubiera recurrido a su viejo tío. "Es curioso ver cómo para ciertas mujeres viajar solas empieza con un repaso a la agenda", pensó, "un vuelo chárter..., un hotel barato... y un vistazo a las últimas páginas del dietario, que es donde suelen guardarse antiguas direcciones". Molinet conocía el sistema; allí, anotado para una eventualidad, suele pervivir un tesoro añejo: direcciones, números de teléfono de Florencia, de París o de Londres —una amiga del colegio, un compañero de antiguas farras, también un viejo tío segundo al que hace un siglo que no se ve, coordenadas pretéritas, extintas en muchos casos, pero que igualmente se copian año tras año, de agenda en agenda, por si alguna vez pueden ser útiles. Como en esta ocasión.

Molinet se dijo que lo más probable era que ni siquiera recordara la cara de su sobrina. Pertenecía a un pasado difuso y geográficamente lejano al que él solía referirse como "mis parientes de Madrid". Una parentela a la que lo unía un afecto más romántico que real y que, mientras vivió su madre, se tradujo en algún *christmas* por Navidad y una correspondencia escasa, la indispensable para mantenerse al tanto de defunciones, bodas y algún escándalo, siempre que fuera lo suficientemente cercano e imperdonable. "Mis parientes de Madrid" englobaban a una ahijada de su madre, Teresa Rojas (la madre de Fernanda), y a su marido, ¿cómo se llamaba? José... Jaime, sí, posiblemente Jaime, seguido de una retahíla de apellidos tan ilustres como apolillados, mucho Sanz de Castellón por aquí, un poco de Suárez de Tejada por allá adosado a Espinosa o Giménez o algo así...; el tipo de nombre, en fin, que tal vez hubiera servido hace treinta años para reservar una buena mesa en el Club 31.

Molinet hizo una señal al *maître* pero éste miró a través de él con esa ceguera selectiva que es propia del oficio. Por fin, al cabo de un rato, logró llamar la atención de un camarero joven que pasaba por su lado haciendo equilibrios con una bandeja llena de platos y tazas en las que tintineaban multitud de cucharitas, y entonces pidió un jerez. "Me gustaría taaaanto verte", le había dicho Fernanda por teléfono, y él, cauteloso, había preferido esquivar la posibilidad de que se autoinvitara a su casa: "Tesoro, cómo me encantaría que te quedaras conmigo en Tooting Bec, pero las cosas ya no son como cuando vivía mamá. Además, esto queda lejísimos del centro de Londres, y yo salgo de viaje mañana mismo. A Marruecos, ¿sabes?, unas pequeñas vacaciones". No creyó necesario explicarle más: que había dedicado siete largos años a cuidar de su madre noche y día, por ejemplo. Que al morir ella había pasado mes y medio en un infierno llamado Los Cedros del Líbano Medical Center, un infierno carísimo además. Que ahora vivía en dos cuartuchos alquilados en una zona del extrarradio y que, lejos de pensar en cómo iba a organizarse la vida de ahí en adelante, lo primero que hizo fue reservar habitación en un hotel de Marruecos durante dos semanas: más tarde Dios proveería. Pero ¿para qué explicar todo esto?, seguramente su sobrina ya sabría al menos la mitad de su historia, el internamiento, la depresión...; las noticias sórdidas son las que más rápido viajan.

"No te preocuuupes en lo más mínimo", le había dicho Fernanda por teléfono y a continuación había añadido que de ninguna manera, que ella venía a Londres por cuestiones de trabajo y que no tenía intención de alojarse en su casa pero que le haría "tanta ilusión vernos aunque sea sólo para comer. ¿Sabes?, en realidad lo normal sería que hubiera venido con Álvaro-marido pero me falló en el último momento, como siempre, y no... no te preocupes, de veras, estoy fenomenal en el hotel, un sitio monísimo y tan céntrico...".

Entonces habían acordado encontrarse el viernes. Fernanda explicó que sobre las doce y media terminaba su compromiso de trabajo y que luego podía tomar el metro para estar en Pont Street más o menos a la una, una y media. "Sí, sí, me viene colosal que quedemos directamente en el restaurante, es que he venido para la exposición del Hogar Ideal, ¿sabes?, no te puedes imaginar lo que me aburre, hace dos días que no hablo más que de cacerolas, pero qué le vamos a hacer, chico, así es mi vida, desde que me dedico a esto de ser empleada de hogar..."

No le había resultado fácil a Molinet entender ciertas ironías de Fernanda. Él visitaba España muy rara vez, de hecho hacía años que no iba, y los veraneos infantiles en San Sebastián en casa de sus parientes maternos eran un recuerdo remoto no sólo en el tiempo, también en los afectos. Por otro lado, no se consideraba ni español como su madre, ni rioplatense como su padre (tampoco de ninguna otra parte, inconveniente de haber vivido aquí y allá), y por eso hablaba castellano con el despego de los apátridas, aquellos que al haber aprendido diversos idiomas picotean en todos robando frases, adaptando otras hasta inventar un esperanto propio. "Tanto más rico como forma de expresión", se conformaba pensando, porque de todas maneras el dominio de una lengua, si se vive lejos, es causa perdida, los idiomas —como las ciudades, maldita sea— tenían la dudosa virtud de cambiar espectacularmente en poco tiempo. De este modo, los desarraigados como él, aquellos que han aprendido a hablar en el seno de la familia y no en la calle, el trabajo o la escuela, acaban expresándose en una lengua trasnochada, usando giros ya caducos e ignorando otros de nuevo cuño. En resumidas cuentas, cuando hablaba castellano con alguien que no fuera tan apátrida como él, Molinet tenía la sensación ridícula de hablar como un judío errante separado de Sefarad por siglos de exilio.

Aun así, no había tenido mayor dificultad en adivinar, tras la conversación telefónica con su sobrina, que Fernanda pertenecía como él a la ilustre cofradía de los Nuevos Pobres; por lo poco que ella dijo pudo deducir que redondeaba un escuálido presupuesto familiar ("Álvaro-marido es arquitecto paisajista, o sea, ya te puedes hacer una idea de cómo nos está sentando esto de la crisis...") con la ayuda de una empresita de *catering*. ("Hablando en plata, corazón, soy lo que se dice una chacha de lujo", le había dicho ella a modo de explicación. "Lo mismo te organizo un cóctel para doscientos que una merienda de señoras con sandwichitos de pepino y té de mango, o sea, figúrate qué plan.")

Cuando finalmente le trajeron su copa de jerez, Molinet pensaba ya en otras cosas. Pasaban quince minutos de la hora convenida para el encuentro, y aunque estaba acostumbrado a los retrasos femeninos, lo cierto es que los sufría con la poca indulgencia de los hombres a los que no interesa gran cosa el sexo opuesto. Un nuevo sorbo de Dry Sack lo llevó a palparse el bolsillo interior izquierdo para comprobar que seguía allí el billete de avión que recogiera justo antes de venir a Drones. Sí, había sido una idea espléndida hacerse ese regalo, "relax", decía el anuncio que lo había atrapado como una tela de araña, "relax, silencio y lujo, lujo, lujo". En realidad se trataba de unas vacaciones muy por encima de sus posibilidades, pero pasar dos semanas en Marruecos, precisamente en L'Hirondelle D'Or, un hotel fantástico según descripción de la revista *Tatler*, no iba a arruinarlo mucho más de lo que ya estaba. Además, aquel edén carísimo se le antojaba el lugar perfecto para visitar después de siete años de reclusión (casi) voluntaria.

De pronto, este último pensamiento le recordó que no debía beber una gota más de alcohol si no deseaba contrariar las recomendaciones —las órdenes— de su loquero. Con esa palabra, "loquero", era con la que Molinet solía referirse al doctor Pertini, aunque este último, que había estudiado en Chicago y también formaba parte del grupo de los apátridas latinos, insistía en que lo llamara *shrink*. Así llama Woody Allen al suyo, y así también todos los ricos de Nueva York, que, burlándose del hecho de tener psiquiatra, han inventado ese término que significa "reductor" (de cabezas, naturalmente).

Como un niño al que van a privar de un capricho, Molinet tomó un largo sorbo de jerez antes de apartarlo de sí. Y fue entonces, a través de la copa, cuando su ojo tropezó con su sobrina Fernanda.

Desde el primer momento, y aun a través del cristal y del líquido dorado, no tuvo ninguna duda de que era ella. En realidad lo supo, más que por algún parecido familiar, simplemente por la forma de vestir.

Dejó la copa en la mesa, se irguió un poquito para fingir una estatura que estaba lejos de tener y la miró con el aire de quien sabe que es imposible haberse equivocado. En los largos años de noche oscura cuidando a su madre, y también en el último mes y medio, Rafael Molinet Rojas, inquilino de una sedante habitación en Los Cedros del Líbano M. C., había desarrollado un talento especial para distinguir de un vistazo la nacionalidad de ciertas personas por su forma de vestir. Detalles insignificantes, pataratas al ojo de un observador poco minucioso pero sin duda reveladores para alguien como él, con tantas horas que matar. En todo ese tiempo y asomado únicamente al balcón de las revistas ilustradas que solía comprar —*Match*, *¡Hola!*, a menudo *Tatler* y también *Der Spiegel*, si alguna vez caía en sus manos— Molinet había afilado un don peculiar que le permitía reconocer no a las personas famosas que todos conocían, eso para él era pasatiempo de porteras, sino el origen de otros personajes secundarios que aparecen en las fotografías de modo tangencial. Con ojo experto y también alerta se dedicaba a estudiar el perfil de las gentes retratadas junto a la figura central —a veces detrás de Agnelli en una regata, otras riendo junto a Schwarzenegger en un Hotel de Gstaad— y casi nunca fallaba. Se fijaba en el color de los pañuelos que asomaban de los bolsillos superiores de las chaquetas masculinas, y en la forma de recogerse el pelo las señoras, en la longitud de sus faldas y en tantas otras cosas nimias. Luego, tenía por costumbre tapar el pie de foto para ponerse a prueba y ¡bingo! sus apellidos, desconocidos excepto para iniciados, confirmaban siempre sus pronósticos: éste es un armador griego criado en Inglaterra, aquélla una actriz de Texas sin talento jugando a mujer de mundo, más allá un banquero milanés...; su forma de vestir los delataba siempre.

Fue precisamente gracias a esta habilidad que Molinet consiguió reconocer a su sobrina al primer vistazo y se puso en pie para recibirla como al hijo pródigo:

—Fernanda, tesoro, eres tú..., estoy aquí..., aquí me tienes, ¡pero qué ilusión verte!

Y ella, a la que una mañana lluviosa típica del octubre londinense había disfrazado de dama inglesa con gabardina y pañuelo de cachemir sobre un hombro (aunque eso sí, sosteniendo con el otro un bolso de Loewe algo deformado por el uso), nunca imaginó cómo se las había ingeniado su tío para improvisar la llamada de la sangre.

¿Te gustaría oír la historia de una asesina?

Molinet y su sobrina iban a dedicar todo el primer plato a hablar de temas familiares. De viejos parientes. De muertos. De niños. Y en el último cuarto de hora, agotado el tema de los allegados, Fernanda comenzaría a probar suerte estirando en lo posible una descripción de cacerolas, batidoras térmicas y otros adelantos que acababa de descubrir en su visita al Salón del Hogar Ideal 1996.

"Buena chica", pensó él al ver sus intentos por resultar sociable pero, aun así, decidió no hacer el menor esfuerzo para avivar la conversación. No era de los que creían imprescindible mantener un bla, bla contra viento y marea. Además, una conversación de trámite contaba con una ventaja interesante, le permitía divagar y hacer cábalas, fijarse en otras cosas: en ella, por ejemplo.

Lo primero que se le ocurrió fue que sin duda se encontraba ante una de esas personas cuyo carácter resulta más fácil de describir por lo que *no* son: estaba seguro de que cuando comenzara a conocerla mejor, la personalidad de su sobrina iría desvelándose, no por lo que era, sino por exclusión. "Fernanda no pertenece al tipo de persona que haría tal cosa o tal otra", se diría, "tampoco al grupo de los que son así o asá". Hay gente cuyo carácter resulta tan imprevisible que al final se la acaba definiendo siempre por eliminación, y Molinet apostó a que su sobrina era una de ellas. Pero, como hasta entonces carecía de datos (sólo uno era evidente:

Fernanda *sí* debía pertenecer al grupo de los maniáticos de la vida sana, así lo atestiguaba la comida que había elegido —muchos yuyos, escarolas, berros y cosas así, y también una colección de píldoras que muy pronto alineó sobre el mantel—; pero hoy en día son tantos los adictos a los potingues naturales que la observación no era muy significativa) y a la espera de nuevas pistas, Molinet decidió dar un repaso a su aspecto externo que, ciertamente, resultaba mucho más fácil de catalogar.

Fernanda tenía treinta y cinco años y el aire adolescente de esas personas a las que siempre se les calcula menos edad de la que tienen. Era de cara ancha, ojos alerta y una boca tan presta a la risa que, a menudo, dejaba al descubierto una hilera de dientes demasiado separados. Ni uno de sus rasgos podía considerarse perfecto, pero al conjunto no le faltaba atractivo. Un observador menos minucioso que Molinet tal vez hubiera atribuido el mérito de esa juventud exagerada al tipo de comida que había pedido o —aún más ingenuamente— a las píldoras con las que su sobrina jugueteaba sobre el mantel, ¿qué podían ser?, tenían aspecto de ácidos grasos, extractos de pescado de los mares fríos, todo el repertorio de pócimas milagreras que describen las revistas femeninas a las que Molinet dedicaba tanto tiempo en su retiro forzoso. Bobadas. Para él, el aspecto infantil de su sobrina se debía a otro milagro mucho más traicionero que sólo resulta claro a los ojos de quien es, en verdad, un buen observador. "La suya", se dijo Molinet mirándola con más intensidad de la que permite la simple cortesía, "es, no cabe duda, una de esas caras aniñadas cuyo único problema reside precisamente en esa especie de eterna adolescencia".

Él había conocido otras caras así, las había observado mil veces, no sólo en la vida sino también en las revistas que es donde el paso de los años se cristaliza con más crudeza. Siempre le recordaban a Mickey Rooney o a Joselito pues eran rostros masculinos o femeninos de adorables mofletes, de narices respingadas y suaves hoyuelos hasta bien entrada la treintena sobre los que, muy poco a poco, comenzaban a tejerse las arrugas sin que el tiempo se tomara antes la molestia de borrar las facciones infantiles. Más tarde, esas caras inevitablemente se volvían contradictorias "como una joven ciruela pasa", pensó, "hasta que un día, un espejo poco amable les devuelve, pobres diablos, la imagen de lo que van camino de convertirse: un personajillo algo feérico, un gnomo, un elfo arrugado con ojos de niño".

Sin embargo, Fernanda aún no había empezado a pagar tan abusivo precio por su falsa juventud eterna. Además de su aire infantil parecía mantener cierta predisposición a verlo todo como si fuera un chiste. Y fue con ese tono de despego de los que prefieren reírse de sí mismos, con el que había comenzado hacía ya un buen rato a poner a su tío al corriente de los pormenores de su vida en el mejor estilo de los parientes que se ven muy de vez en cuando. Ahora hablaban de situaciones antiguas que eran ya tópicas en la familia: "... ¿Sabes?, mis padres siempre se acuerdan del día que te conocieron en París en el 49", explicaba Fernanda. "Mamá cuenta que tenías los ojos muy abiertos como si estuvieras esperando ver algún fenómeno, ¿o tal vez mirabas así por puro aburrimiento?", rió ella, y Molinet volvió a abrir los ojos tanto como entonces, pues lo cierto era que justamente de aquellos lejanos tiempos databa su primera sensación de que los reencuentros familiares tenían algo de absurdo malentendido. Son como un estúpido *déjà vu*, se dijo, y aquí estamos otra vez, siempre es igual: uno cuenta lo que cree que el otro desea saber de la familia. El segundo escucha haciendo los comentarios amables que supone espera oír el primero, y así, los dos nos aburrimos sin remedio.

Por eso cuando Fernanda creyó llegado el momento de ponerlo en antecedentes de su vida actual, Molinet pensaba ya en otras cosas, en el viaje que iba a emprender al día siguiente, por ejemplo, y sólo pudo registrar trozos de la conversación de su sobrina. Escuchó vagamente algo sobre que los hijos de Fernanda, tres muchachotes de edades que tampoco lograba recordar, tenían muchísimas clases. "No te puedes hacer una idea, clases de piano y de judo, de tenis, de equitación y de kárate con lo costosísimo que eso resulta, un horror", y de ahí, sin escalas, su sobrina había creído necesario hablar otro poco de la Exposición del Hogar Ideal que la trajo a Londres con la intención de comprar utensilios para su empresa de *catering* que se llamaba Paprika y Eneldo, ¿o era Cayena y Eneldo?, cualquiera sabe, pues en ese preciso momento, ella se había inclinado hacia su tío cambiando el tono para decirle de pronto con un aire compinche y sin previo aviso:

"Oye, Rafamolinet (así todo junto como si fuera un trabalenguas), ¿te gustaría oír la historia de una asesina?" Él, por un momento, se sobresaltó, pero inmediatamente creyó adivinar a qué podía deberse el comentario. Había achinado los ojos para fijarse bien y luego se tanteó el bolsillo hasta encontrar las gafas de ver de lejos. Claro, ahí estaba la explicación, en las fotos de artistas que colgaban de la pared. Como un guiño macabro alguien había decidido intercalar entre los retratos infantiles uno de Bette Davis adulta pero vestida de niña asesina, tal como aparece en la película *Baby Jane*. "Vaya forma melodramática de animar una conversación que tiene esta chica", pensó con un punto de desagrado. Era verdad que él estaba poco al día en lo referente a ritos mundanos, chácharas banales para pasar el rato pero, a su modo de ver, la reunión aún no había decaído como para tener que recurrir al tema tan poco imaginativo de las fotos de los famosos.

Además, según Molinet, las conversaciones, como los ritos, debían cumplir con ciertas cadencias. Incluso aquellas conversaciones con familiares a los que hace siglos que no se ve y por ende soportan la doble maldición de tener que parecer íntimas cuando, en realidad, el único territorio común son un montón de parientes muertos.

"Tesoro, sinceramente prefiero que me cuentes algo más sobre tus hijos", iba a replicar para reconducir la charla, pero entonces se dio cuenta de que la mirada de Fernanda no había seguido el camino de las fotos sino un poco más a la izquierda, por entre los barrotes de la escalera, como si estuviera espiando a alguien situado en el piso inferior.

—¿Has oído lo que he dicho, Rafamolinet? —repitió y debía de ser una costumbre habitual en ella esa de coser nombre y apellido con fuerte puntada fonética pues el próximo nombre también lo pronunció todo junto.

—Mírala allí, es Isabellalaínez —dijo y luego, echándose hacia atrás para permitir que su tío siguiera la dirección de su mirada, señaló con la barbilla un punto indefinido—. Si giras un poco a la derecha podrás verla, allá abajo, tonto, en el comedor donde aparcan a los don nadie, en Siberia. No quiero ni pensar en lo furiosa que se pondría si llega a enterarse de que estoy aquí para ver cómo la han sentado.

Molinet había mirado con total escepticismo hacia el punto que Fernanda señalaba. No tenía un buen ángulo de visión, ni siquiera uno medianamente aceptable. La planta que, de cuando en cuando, le acariciaba el cogote crecía hasta cubrir buena parte del espacio entre los barrotes de la escalera y le molestó tener que hacer un esfuerzo por seguir las instrucciones de su sobrina, a pesar de lo que ésta había dicho, ¿una asesina? (vamos, vamos, las historias truculentas no suelen contarse así). El caso es que si consintió en mirar hacia el piso inferior, fue más por cortesía que por verdadero interés, pues según su experiencia semejantes esfuerzos gimnásticos rara vez merecían la pena: abajo, en una mesa solitaria, podía verse a un matrimonio de edades desiguales compartiendo en silencio su almuerzo.

—¿Quiénes son?

—Chico, creí que en tu retiro espiritual te dedicabas a devorar revistas de chismes.

—En mi vida los he visto. Son matrimonio a pesar de la diferencia de edad, ¿no?

—Sí, con la solera de ocho años de bostezos mutuos. Pero ¿quieres o no quieres que te cuente la historia? —dijo ella haciendo un gesto vago para que el camarero le retirara el plato de ensalada que apenas había probado—. No conozco a nadie tan insensible a un cotilleo mundano como tú, Rafamolinet.

Molinet no se molestó en explicarle que era perro viejo, que lejos de ser insensible desconfiaba de las historias efectistas que los conversadores hábiles anuncian para rellenar una charla que lleva camino de morir de aburrimiento. "Fulana es una asesina", dicen y luego (risas) acaban explicando, al cabo de hora y media de cháchara inútil, cómo la buena señora es aficionada a cazar perdices o a usar abrigos de martas cibelinas o de alguna otra especie protegida e imperdonablemente amenazada. "Charlas de café", pensó poniendo cara de conocer la treta. "Parece mentira, casi se me había olvidado este truco tan viejo, aunque... una chica inteligente como Fernanda quizá no lo haga mal del todo. Hay que admitir, además, que las exageraciones funcionan muy bien o, al menos, añaden *zest* a la conversación", se dijo y luego perdió un par de segundos más en preguntarse cómo se traduciría *zest* al español, pero resultaba muy difícil y no encontró ninguna solución.

—Bueno, ¿qué me dices?

Molinet se encogió de hombros sin decir nada. Acababan de traerle el segundo plato, un *soufflé* de queso que, aunque figuraba en la carta como entrada, él había aprendido a pedirlo como plato fuerte pues era abundante y también barato. Entonces se dio cuenta de que a su sobrina y a él les restaban muchísimos minutos por rellenar decorosamente —con charlas de café o con cualquier otra cosa—. Quedaba todo el segundo plato, y el postre, y los cafés: demasiado tiempo como para no hacer concesiones en los temas de conversación. "La historia de una asesina", había dicho Fernanda con esa actitud compinche que se adopta justo antes de despellejar vivo a alguien. Miró hacia abajo. La mujer le pareció entonces lo bastante atractiva como para interesarle al menos durante unos diez minutos. "Quizá incluso durante media hora", concedió, "tiene algo de contradictorio, parece una niña buena".

Molinet se detuvo un segundo más a mirar al marido antes de volver a ella y rendirse definitivamente. "Lástima que no tenga ni idea de quiénes son estas personas", se dijo, "nunca es lo mismo oír una historia, por muy curiosa que sea, si los protagonistas son dos ilustres desconocidos". Luego dio un sorbo distraído a la copa de jerez que un camarero imprudente había olvidado retirar y añadió: "ojalá pueda decir dentro de un rato que Fernanda *no* pertenece al insufrible grupo de personas que se eternizan contando una historia que al final resulta completamente estúpida".

Cosas horribles que sólo les pasan a otros

El primer relato que Fernanda hizo de la muerte de un tal Jaime Valdés fue en un cuchicheo apresurado en el que mezclaba risas, la confusa historia de dos amigas, también algo sobre un tipo que escuchaba canciones de Silvio Rodríguez y dos o tres anécdotas más que Molinet ni siquiera logró entender bien. Quedaba claro que su sobrina *no* pertenecía al tipo de personas que pueden hablar y comer al mismo tiempo. Para enojo de su tío, acababa de tragar una de las dos pequeñas píldoras puestas en hilera junto a su plato mientras permitía que se enfriara el mero a la plancha que tenía delante. Y, con ser absurda la elección, eso no era todo, pues, al mismo tiempo que hablaba, parecía disfrutar enormemente dibujando arabescos con el tenedor en la salsa del desdeñado pez, ahora arriba ahora abajo, con más o menos énfasis según la intensidad de lo que decía. Una vez hecha la somera confidencia volvió a sentarse muy erguida esperando alguna reacción.

—Fernanda, tesoro, no he entendido ni una palabra de lo que has dicho.

Ella volvió a inclinarse hacia su tío. El tenedor apuntaba ya hacia la salsa amenazando con nuevos dibujos, pero él la detuvo con un gesto de la mano que escenificaba "alto".

—Te aseguro —dijo contundente— que tenemos todo el tiempo del mundo para que me cuentes la historia de esa amiga tuya del comedor de abajo. Ade-

33

más —Molinet entonces desplegó sus dedos hasta enseñar unas uñas que no parecían tan pulcras como el resto de su aspecto y fue enumerándolos empezando por el meñique— piensa, querida: primero, que ella no puede oírte de ninguna manera. Segundo, que, por lo que veo, no hay por aquí cerca personas que puedan interrumpirnos y tercero, que ni mis oídos ni mi dominio del español permiten... *des chuchoteries*, tesoro, así que empieza otra vez y cuéntame esa... terrible historia con el mismo detalle con el que me has hablado de nuestros parientes muertos. Mejor aún, procura hacerlo con sosiego —dijo, e inmediatamente se admiró de haber utilizado dicha palabra. Sosiego sonaba bien, ni siquiera pensaba que estuviera incluida en su escaso castellano de andar por casa.

—Bueno, allá va, pero luego no digas que hablo mucho, porque una vez que empiece... ¿has pensado alguna vez cómo las chicas malas tienen siempre mejor suerte en la vida que nosotras las santas?, pues la historia trata de eso.

Molinet supo aguantar sin impacientarse las divagaciones que anteceden a cualquier cotilleo frívolo y aprovechó para echar otro vistazo a los comensales de la única mesa ocupada en el piso de abajo. Drones se había ido vaciando poco a poco. Unos italianos ruidosos charlaban en una mesa cercana a la de ellos y en el piso inferior tan sólo se veía a la pareja de la que Fernanda hablaba y que ahora, en aburrido silencio, sorbía sendas tazas de café o miraba al infinito con ese aspecto de muñecos de ventrílocuo abandonados en un rincón que adquieren los matrimonios mal avenidos cuando piensan que nadie los está observando. Él era un hombre de unos sesenta y pocos años, de corta estatura, que, curiosamente, de vez en cuando, daba un respingo: como si estuviera a punto de quedarse dormido, pero en el último segundo un mecanismo largamente experimentado se encargara de llamarlo al orden. Funcionaba del siguiente modo: cabeceo... leve inclinación del cuello... desmadejamiento... respingo. Y esta vez, como si aterrizara de un planeta muy lejano, el hombre, al enderezarse, tomó un largo sorbo de café antes de dejar que la mirada se detuviera en la pared de enfrente, como quien otea o espera.

"Aparte de este detalle, y de unos ojos inusitadamente alertas, no tiene nada de particular", pensó Molinet; "quizá se trate de un tipo aburrido aunque se diría que tiene un aire..., ¿cuál será la definición exacta?, desenvuelto. Sí, eso es, un aire desenvuelto como el que se adquiere sujetando infinitas copas de *champagne* en fiestas benéficas de las que, por lo general, le tocaría ser el pagano", añadió, mientras se inclinaba para tener mejor ángulo de visión y escrutar su corbata y pañuelo, por si estos le aportaban algún dato adicional.

Luego, casi de inmediato, dejó deslizar la vista hacia ella, que era al menos veinticinco años menor que el marido y, aun a esa distancia, le impresionó lo anguloso de su rostro, distinto según se mostrara de frente o de perfil, cambiante como lo son ciertas caras magiares de altos pómulos y cejas muy oscuras. El pelo, en cambio, era tan claro —otra incongruencia— y su melena de largo intermedio estaba recogida suavemente en la nuca para dejar al descubierto las orejas, pequeñas y perfectas.

—Pensarás que soy una clásica (oyó decir a Fernanda) pero voy a empezar esta historia contándote lo que opina Álvaro-marido de nuestra amiga Isabella.

Por un momento Molinet estuvo tentado de preguntar el porqué de ese modo de referirse a su esposo, pero decidió dejarlo para otro momento. En realidad sospechaba la respuesta: Álvaro-marido se llamaría así para diferenciarse de Álvaro-suegro y de

Álvaro-hijo y seguramente también de Álvaro-primo y Álvaro-tío..., siempre le había sorprendido la escasa variedad antroponímica de las familias que presumen de antiguas; pero, claro, la falta de imaginación es una carencia que suele considerarse de lo más elegante.

—Y ¿qué dice entonces tu Álvaro-marido, tesoro?

—Pues piensa que Isabella es una bruja. Bueno, si quieres que te diga la verdad, lo pensaba, y así lo mantuvo hasta que un día le tocó dar clase de golf a su lado en Puerta de Hierro. Entonces bastaron dos "¡Huy Álvaro!" y un "¡Ay! perdona, soy malíííisima, nunca aprenderé a manejar el *wedge*", para que cambiara radicalmente de opinión. Pero ya sabes lo frágiles que son los juicios morales que los hombres hacen sobre las mujeres guapas, Rafamolinet, se vienen abajo con un simple aleteo de pestañas.

Fernanda rió y él se dijo que las pestañas de su sobrina tampoco debían de ser precisamente paralíticas.

—Creo que con esto que acabo de decirte ya te sitúo un poco el personaje, ¿no? De todas maneras y bromas aparte, lo cierto es que Isabellalaínez, mírala bien, ha estado a punto de meterse en un buen lío gracias a sus encantos personales. ¿Por dónde quieres que empiece la historia, por el principio o vamos directos al meollo del asunto?

—Empieza por el principio —suplicó Molinet viendo que el relato podía quedarse en una aburrida lista de consideraciones morales—. Si es que no resulta demasiado largo.

—En absoluto, es la historia más vieja del mundo así que puedo contártela en dos palabras. Sólo que no pienso hacerlo. Me divierte mucho más explicarte primero cómo son los personajes. Las historias de cuernos resultan aburridísimas si no se las adorna un poco. Incluso ésta que acabó en La Almudena.

—¿En dónde dices?

—En el cementerio, querido. Perdona, se me olvida tooodo el tiempo lo extranjero que eres —señaló Fernanda. Y al decir tooodo a Molinet le pareció que lo subrayaba sobre la mesa con una de las píldoras de colores que aún no había corrido la misma suerte que sus hermanas, pero no podía asegurarlo, se había dejado puestas las gafas de ver de lejos (maldito trajín de aquellos que necesitan dos pares de gafas, al final lo ven todo borroso)—. Ella —continuó Fernanda señalando ahora con la cabeza en la dirección donde estaba el matrimonio— se llama Isabella Laínez, *née* Isabel Álvarez. El "la" italianizante y el Laínez menos vulgar los adquirió en un primer matrimonio. Supongo que habrás oído hablar de lo práctica que resulta la cuestión de los apellidos en España; las mujeres pueden elegirlos casi a la carta: unas prefieren mantener el propio, algunas astutas consiguen seguir usando durante muchísimo tiempo el de un cónyuge desaparecido, y otras optan por acoplarse el de un nuevo marido, todo según convenga para el pedigrí.

—¿Y el hombre que la acompaña? —preguntó Molinet—, no parece español.

—Es judío, de Tánger creo, mucho dinero, pero nadie sabe muy bien a qué se dedica. Ya te imaginas el modelo: casa en La Moraleja llena de Boteros y Warhols, perro doberman que atiende por el nombre de *Káiser* y montones, montones de dinero..., el suficiente para redimir su pasado ignoto y disimular el de Isabella que, como es de Madrid, aún conserva incómodos parientes en Ventas, ¿o será en Embajadores? En fin, algo por el estilo.

Molinet sonrió. Decididamente le gustaba mucho más esta faceta venenosa de Fernanda. "Cada persona tiene una, sólo es cuestión de buscarla", se dijo, y pensó que ya no le importaría prolongar la comida todo lo que hiciera falta. "Además, piensa, Molinet", añadió, "así va a ser todo el mundo cuando llegues a tu hotel de Marruecos, todos divinamente superficiales".

—La cuestión —iba diciendo Fernanda— es que hace ocho o nueve años nuestra amiga Isabella Laínez irrumpió en la escena madrileña llegada nadie sabe de dónde, como una paracaidista. Incluso antes de casarse con Steine (él se llama Steine para que no haya duda sobre los orígenes, Jean Jacques Steine), la chica ya pululaba por ahí y no se perdía festejo. La pasearon todos los solteros de la ciudad, pero ella necesitaba volverse a casar y no estaba dispuesta a malgastar su tiempo con solteros profesionales. Nada de escándalos. Nada de cama (o al menos tenía una manera muy sabia y discreta de administrarla para que siempre pareciera una excepción). Con estas tácticas consiguió cultivarse una atractiva fama de estrecha y, lo creas o no, esto, unido a una cara guapa, aún obra milagros; un buen día apareció casada con Steine e hizo muy bien, fue su peldaño perfecto. Te diré —continuó Fernanda casi sin tomar aliento— que Steine tenía fama de ser un plomo de primera, pero le gustaba presumir de mujer guapa y estar en la pomada. Belleza y dinero no son mal cóctel, además Isabella es muy sociable, en seguida empezó a brujulear para moverse entre eso que llaman —me encanta la expresión— la "gente conocida". Al principio no le resultó nada fácil como te imaginarás, pero, después de unos cuantos portazos en las narices y otros fiascos, nuestra amiga decidió utilizar una estratagema infalible para abrirse las puertas más selectas: el viejo sistema del espulgabueyes.

—¿...?

—Vamos, Rafamolinet, cualquiera pensaría que llevas siglos en vez de años alejado del mundanal ruido.

Se trata de un truco muy viejo para medrar en sociedad. No sé cómo se dice espulgabueyes en francés o en inglés, pero el sistema lo conoces, seguro: si uno quiere ser aceptado por *La Manada*, lo mejor es acoplarse, pegarse, como hacen esos pajarracos blancos, al más grande, al más gordo de los bueyes sagrados y seguirlo a todas partes: son las leyes del reino animal, funcionan siempre, sólo hay que tener astucia, un poquito de paciencia amén de unas tragaderas grandes como un desagüe. Y lo cierto es que Isabella tiene todas estas virtudes. Además, justo es reconocer que supo elegir muy bien a su buey —o a su vaca sagrada en este caso—: Marta Suárez es su nombre. Tal vez el dato no te diga nada, pero si añado dos o tres pinceladas más, seguro que la imaginas divinamente: cincuenta y tantos años, asidua de comités, también de asociaciones benéficas... En fin, uno de esos pilares de la sociedad que poseen la rara virtud de que cualquier cosa que digan, por muy estúpida que sea, se menciona luego en todas las conversaciones. ¿Te has fijado alguna vez en tan raro fenómeno? Suele traducirse en un... "Como dice Marta" o... "Marta me aseguró que..." y también "chico, ayer hablé con Marta...". Sí, es prerrogativa de las vacas sagradas que se las cite como al Santo Evangelio; además, supongo que no se te habrá escapado otro dato: cuando a una persona se la menciona sólo por su nombre de pila, puedes estar segurísimo de que se trata de alguien muy importante, sólo las superfiguras carecen de apellido cuando se habla de ellas, en eso se diferencian de los simples mortales y tú no eres na-die si ignoras quién es Tita a secas o Marisa o Ana... En fin, sea como sea —continuó Fernanda creyendo innecesario explicarle a su tío costumbres sociales tan evidentes—, el caso es que estaba muy bien elegida como vaca sagrada porque a Maaaaarta —dijo Fernanda alargando ahora un poco más las "aes" en tributo a tan gran dama—... a Maaaarta le chifla lanzar a la estratosfera nuevas estrellas sociales, y da la casualidad de que Isabella podía considerarse como la perfecta alumna: es guapa, lista, aparentemente sumisa y con marido dispuesto a pagar el lanzamiento, ¿qué más se puede pedir?

Fernanda interrumpió por un momento la explicación y tuvo que hacerse a un lado para que un camarero retirara los platos y recogiera con gesto veloz las migas de pan de la mesa antes de servir el postre. Ya con un helado de coco —que prometía volver a la cocina tan derretido como virgen— continuó:

—Bueno, aquí tenemos a Isabella camino del estrellato, pero antes, para que veas el trabajo de metamorfosis tan meritorio que hubo de hacer la vaca sagrada, voy a contarte una conversación que oí en los meses previos a que Marta Suárez sometiera a Isabella a pupilaje, así te harás una idea de dónde partíamos. Sucedió en una boda, no recuerdo quién se casaba, pero debió de ser una fiesta de lo más tra, la, lá, porque había gente de Londres, de Roma, yo qué sé... En un momento dado, dio la casualidad de que Álvaro y yo pasamos cerca de los Steine, coincidimos justo detrás de ellos. Isabella estaba estupenda, todo hay que decirlo, y Álvaro se la quedó mirando. ¡Ah no!, no creas que eso me molestó, ¡qué va! De no ser así, nunca hubiéramos oído esta perla inolvidable:

—"J. J. —le estaba diciendo ella a Steine en ese preciso instante—. Mira, J. J. ¿no son aquéllos de ahí los Remy-Davrai? Venga, cariño, haz algo para que nos los presenten, por favor, por favor, cariño, ¡me han dicho que tienen un *gâteau* colosal cerca de *la Loire*!"

—Bueno, pues no me vas a creer —continuó Fernanda después de haber dado tiempo para la risa cómplice y aún unos segundos más ya que había decidido que su helado regresaría a la cocina derretido pero no del todo virgen—. No me vas a creer, pero tres o cuatro meses más tarde Marta Suárez había hecho el milagro. Gran transformación: eliminó de un golpe todos los "cariño", "bonita", "J. J." y otras palabrejas de medio pelo. Nada. Nada en la forma de hablar de su alumna hacía suponer que Isabella no había ido, como mínimo, a las Irlandesas. Desde entonces, naturalmente, la chica ha tenido tiempo de aprender muchas otras sutilezas indispensables, giros, entonaciones, y también algunos gazapos en los que suelen caer los arribistas más incautos: ahora no pierde ocasión de hacernos ver a todos que ella sabe, por ejemplo, que las señoras ociosas jamás se entretienen en hacer labor de *petits pois*, qué horror, *quelle gaffe*, en todo caso se los comen con el *roast beef*; que los abogados no tienen *buffets*, no, no, por Dios, tienen bu-fe-tes, y que nadie, nadie llama a las pizzas "pichas" porque suena fatal. En suma, que en un tiempo récord la bella Isabella ha logrado aprender todas las particularidades del hablar mundano como ya había aprendido antes sus gustos (es lo más fácil) a la hora de vestir. Con estas enseñanzas y un dedo indesmayable, siempre presto a llamar mil, dos mil, las veces que haga falta, por teléfono ("¿Cómo estás, tesoro?, ¿un poco mejor?, me han dicho que tienes una gripe bru-taaal...") y con una piel de hipopótamo para aguantar los desaires femeninos al tiempo que con un modo adorable de dosificar encantos con los hombres, Isabella Álvarez-Laínez-Steine, o como quieras llamarla, ha logrado abrirse todas las puertas de Madrid, incluso las consideradas infranqueables. Y ya sabes cómo funcionan esas cosas, Rafamolinet, una vez que estás arriba todos te adoooran, te adoptan, igual, igual que si hubieran compartido contigo toldo en la playa de Zarauz durante la infancia o algo así. Bueno..., la verdad es que te adoptan y te adoooran hasta que vienen mal dadas, pero ésa es otra historia.

—Todo listo entonces —intervino Molinet.

—¿Cómo dices?

—Para la irrupción del amante me refiero, por lo poco que entendí de tu primera explicación la cosa va por ahí, y si hubo un asesinato me imagino que el difunto...

—Eres muy impaciente, Rafamolinet, las cosas no son tan sencillas, ¿quieres que te destripe la historia y vaya directamente al final?

En ese momento un viejo instinto social apenas entumecido se le puso en marcha. Y, aun antes de que Fernanda empezara a hacer señas más o menos disimuladas para que callara, Molinet supo que el matrimonio Steine estaba a punto de pasar por delante de ellos. Se lo dijo un leve cosquilleo en la nuca. También un perfume muy agradable que se elevaba por la escalera de caracol y que fue haciéndose más y más patente hasta que se materializó en Isabella Steine y su marido que emergían de los peldaños. Ella miró. Hizo un gesto amistoso hacia Fernanda, quien a su vez dijo: "Hooola, guapísima, pero qué típico coincidir aquí cuando en Madrid no nos vemos nunca". E Isabella a modo de respuesta: "Ay sí, y mañana, seguro que volvemos a coincidir en Portobello, no falla; siempre se encuentra uno ahí con todos los españoles que hay en Londres, ¿verdad?".

Fue un momento brevísimo en el que no hubo tiempo para hacer las presentaciones pero, en cambio, Molinet sí pudo admirar una vez más a aquella mujer que era alta y llevaba los hombros hacia atrás como hacen las que se saben muy guapas. Sólo un detalle lo desconcertó: la sonrisa que hacía deslumbrante aquel rostro, al apagarse, descubría unos labios demasiado finos que un hábil perfilado por encima de la línea natural no lograba disimular. "Labios griegos", pensó Molinet y cuando quiso darse cuenta, el matrimonio Steine ya había desaparecido entre las mesas y Fernanda se disponía a retomar el hilo de su historia, como si la fugaz presencia no hubiera hecho más que corroborar que todos sus comentarios sobre Isabella eran acertadísimos.

—Con todo lo antes dicho —anunció Fernanda— llegamos ahora al...

—¿Al amante?

—Haz el favor de no querer abreviar: vamos por partes, de momento ya tenemos a Isabella en todos los festolines de Madrid asediada por éste y aquél, diciéndole lo guapísima que es, dándole mil razones para descubrir que su marido, el pobre Steine, es un plomo de primera, que no está a su altura —pecado de inexperiencia casarse con el primer fulano más o menos presentable que una conoce, cuando ella se merece algo mucho mejor—. Y de pronto, abracadabra, apareció algo mejor: se llamaba Jaime Valdés y era, *of course*, el marido de una amiga.

—Típico.

—Sí, sí, pero déjame hacerte la descripción del nuevo personaje. Es una pena que no pudieras conocerlo, porque Jaimevaldés fue uno de esos hombres que a ti te hubiera rechiflado diseccionar, no era guapo pero gustaba un montón a las señoras. Tendría... cuarenta y siete años, calculo yo, estuvo en el Colegio del Pilar con mi hermano Miguel. No es que nosotros lo conociéramos mucho, pero era un tío bastante... completo: además de ser muy *lady's* pertenecía al grupo de los exitosos, tú ya me entiendes, de los que aprovechan un buen punto de partida para situarse entre el grupo de los elegidos y estar en todas partes... Chico —suspiró Fernanda—, verdaderamente yo no me explico qué es lo que les fascina tanto a algunos de estar en la pomada, a mí me parece una trabajera espantosa: es indispensable pelarse de frío en cincuenta cacerías al año, por ejemplo. Luego hay que jugar al golf. Y destrozarse los meniscos en las pistas de paddle. Ser ííííntimos de Tal y de Cual aunque te resulten más soporíferos que un valium. Cuando alguien "olvida" invitarte a su cena debes llamar casualmente para interesarte por su salud. ¿Qué más?, ah, sí: escuchar ópera a todas horas (¡incluso Wagner!) y jurar que te arrebata. En fin, toda la conocida gimnasia social... pero, aparte de estas debilidades y volviendo a nuestro nuevo héroe que las tenía todas, te diré que Jaimevaldés era un hombre inteligente. Inteligente y fatalmente mujeriego y coqueto, diría yo...

Los italianos de la mesa de al lado pidieron la cuenta y el *maître* se la trajo haciéndola planear por encima de Fernanda y Molinet de un modo que no dejaba lugar a dudas sobre su mensaje.

—Más vale que no te extiendas mucho, querida, en los restaurantes ingleses no suelen tener mucha paciencia con las largas sobremesas latinas.

—Una pena —suspiró Fernanda—, tendré que contarte la versión oficial, que es más corta.

—¿Es que hay dos?

—La verdadera y la del tam-tam de la selva, como siempre.

—Prefiero la verdadera.

—Tú te lo pierdes, no tiene ni la mitad de gracia, te lo advierto, y además cambia toda la historia, pero si hay que abreviar...

—Exactamente.

—Como quieras, pero déjame que al menos termine la descripción del difunto: Valdés estaba casado con una amiga de Isabella... y mía también. Ella se llama Mercedes Algorta... Es de Bilbao, de Bilbao de

44

toda la vida —subrayó Fernanda como si aquello fuera un grado y luego—: ¡huy!, de mi amiga Mercedes podría contarte montones de cosas. Pero mejor te explico lo que ocurrió el día fatídico en dos palabras, o nos echarán del restaurante.

Molinet miró su reloj. Faltaban aún unos veinte minutos para las cuatro y aprovechó para pedir la cuenta y suplicar a Fernanda que fuera breve.

—Breve, tesoro, significa no perderse por las ramas —pero Fernanda *tampoco* debía pertenecer al tipo de persona a la que se le puede pedir que cuente una historia de forma resumida.

—Cuando recuerdo al pobre Valdés, que en paz descanse —dijo tal vez con un poquito más de premura—, me lo imagino exactamente así: una chaqueta blandita de esas de "Bel" color caqui y camisa clara; la corbata no sé, tal vez verde pistacho con dibujo de focas o de teteras o algo así, siempre estaba a la última. Los pantalones grises, sí, grises... Posiblemente estuviera vestido de este modo el día de autos, ¿por qué no?, es un atuendo muy apropiado para un viernes por la tarde, y la gente nunca espera que la muerte vaya a visitarla sin previo aviso. En fin —continuó, sospechando que a su tío la explicación empezaba a parecerle innecesariamente larga—, como comprenderás, lo que voy a contarte ahora es la parte central del relato, ¿de verdad que no quieres conocer la explicación que he oído a través de la *maid connection?* Es mucho más apasionante e introduce unas variantes que...

—¿Qué demonios es la *maid connection?*

—Querido, es la mejor manera de saber todas las indiscreciones, los secretos más espantosos. A través de lo que cuenta el servicio, naturalmente, ésa es la M. *connection*. Mi *maid* se lo cuenta a tu *maid*, que se lo dice a la *maid* de...

—Nada de chismes de cocineras —dijo Molinet sin notar cómo se le activaba de pronto un pudibundo y algo oxidado instinto masculino—. Siempre me han horrorizado las habladurías del servicio.

—Me arruinas la historia...

—Quiero los hechos, llevamos aquí lo menos dos horas.

—Está bien, pero te advierto que no tiene ni la mitad de gracia —dijo secamente y su tono de voz cambió. Por unos instantes, hasta que el calor de la historia logró envolverla de nuevo, Fernanda parecía narrar aquello como quien repite la lista de los reyes godos: escenario (dos puntos): una propiedad que los Valdés acaban de comprarse en La Adrada, a unos cien kilómetros de Madrid (punto y coma); una casa de campo agradable, nada de Boteros y horribles Warhols por las paredes como en la de los Steine.

—Fernanda, ¿son necesarios estos detalles? ¿No podríamos saltarnos la descripción a lo *House & Garden*?

—Los detalles, querido, son para que te des cuenta de lo anormal que era la amistad que se había iniciado entre Mercedes e Isabella. Se trata de dos personas que no tienen na-da-que-ver pero, ya sabes, es una de las reglas de oro de la condición humana que cuando una mujer (o un hombre) pretende pisarle la pareja a otro —a otra en este caso— lo primero que hace es convertirse en inseparable, en ín-timo confidente, en amigo del alma del futuro o futura cornuda, si me permites la expresión. Isabella le tenía echado el ojo a Valdés, y de pronto los dos matrimonios empiezan a verse a todas horas, ellas hacen planes juntas, se hacen confidencias, yo te invito, luego tú me invitas... y ese fin de semana —continuó Fernanda— resulta que nuestros cuatro protagonistas deciden pasarlo en agradable compañía mutua. Hasta ahí todo perfecto. Pero hete aquí que aquel viernes el pobre Valdés se siente mal. No tanto como para cancelar el viaje, al contrario, pensó que un cambio de aires (un cambio de aires, ¡escucha bien esto, Rafamolinet!) le vendría bien. Su mujer no podía acompañarlo hasta el día siguiente, así es que Valdés invita a Steine e Isabella a adelantarse: los tres saldrían hacia las ocho mientras que Mercedes, a la que le quedaban un par de asuntos por resolver en Madrid, llegaría el sábado por la mañana. ¿Hasta ahí todo claro?

—Todo claro, no veo la dificultad...

—Pues escucha bien, porque si te saltas un detalle ya la historia no cuadra y te tendré que contar la de la *maid connection*.

—Fernanda, ¡te lo ruego!

—Llegaron al campo después de cenar y en la casa estaba sólo una criada marroquí llamada Habibi, por cierto muy amiga de la mía, que habla muchísimo, muchísimo... (toses imperiosas por parte de Molinet y Fernanda continúa). Si Valdés no estaba muy católico aquel día era porque le sentaba fatal la primavera, las alergias, los estornudos y todo eso. Y ahora viene lo interesante.

—Por fin —dijo Molinet sin poder evitarlo.

—Es que el pobre, que en paz descanse, sufría de asma, hasta ahí todo normal, pero ¿qué crees que pasa a continuación?

—No tengo la más remota idea.

—Que estábamos en primavera.

—¿Es necesaria esta continua puntualización de días, de estaciones del año, Fernanda, ¡por fa-vor!

—Es muy necesaria, ya verás por qué. Ser un poco asmático —suspiró ella como si de pronto también la aquejase ese mal— es de lo más distinguido;

a los que lo padecen, cuando llega la primavera, se les desarrolla un aire lánguido y hablan con un jadeo muy, ¿cómo te diría?, muy don Corleone, así, entre amenazador y sensual, pero resulta una lata. Por lo visto, dado lo asqueroso que está el ambiente, el aire que respiramos se encuentra lleno de miasmas nuevos y peligrosísimos (que se lo digan si no al pobre Valdés), miasmas rusos, Rafamolinet, peligrosísimos.

—Nunca había oído tal disparate.

—¿No lees los periódicos?

—De cabo a rabo y nunca he visto nada de eso.

—Pues dicen que están por todos lados y yo me lo creo; vamos, que estoy segura.

—¿Por eso tomas píldoras de tantos colores, querida?

—No seas antiguo, Rafamolinet, pastillas de melatonina o antioxidantes o "selenium" los toma todo dios para mantenerse joven, no tiene nada que ver con los miasmas rusos. Eso afecta sólo a los asmáticos, tanto, que se les recomienda tener mucho cuidado con los cambios de ambiente y llevar consigo un aparato especial bastante engorroso para pulverizarse la garganta, si se sienten enfermos. Nadie lo hace, claro, y menos en circunstancias como las de nuestro amigo Valdés, porque ¿te imaginas una cita romántica con inhalador, Rafamolinet?

—¿Cómo que romántica?, ¿romántica con quién?

—Con Isabella, con quién va a ser.

—Esta historia no tiene ni pies ni cabeza, antes has dicho que la mujer del muerto no había podido acompañarlo pero que sí estaba presente el marido de la tal Isabella.

—Un marido mayor que se queda dormido en los sofás en mitad de las conversaciones y que esa noche se va a la cama nada más llegar de viaje.

—Ah, bueno, parece que ya vamos entrando en materia, hubo entonces una aventura romántica entre Isabella y Valdés.

—Que en paz descanse.

—Que en paz descanse, sí, ya lo has dicho antes.

—Y más que lo repetiré, suena de pueblo, no hace falta que me lo jures, pero no hay que tentar nunca a los espíritus. Es una precaución indispensable según mi echadora de cartas, sobre todo cuando uno se dispone a contar ciertas cosas de los muertos...

—Fernanda, por amor del cielo...

—Está bien, está bien, ya termino. La cuestión es que Steine se va tan tranquilo a dormir, son las once o las once y media, Valdés e Isabella, que dicen no tener sueño, se quedan solos en el salón tomando una copa. Arriesgados, dirás tú, por aprovechar una ocasión tan peligrosa si lo que tenían *in mente* era un revolcón, hablando mal y pronto: un polvo; mucho más cómodo quedar otro día en un hotel, ¡dónde va a parar!, pero es que la suya, escucha bien, era una relación incipiente. Estaban en esa fase tan romántica en la que uno y otro hacen creer que: ¡Oh! todo puede ser. Busquemos una excusa para estar a solas. "... ¿Nos quedamos un rato tomando una copa?, claro y te voy a poner un disco que te va a encantar. ¿Conoces a Silvio Rodríguez?" "¿Silvio Rodríguez?, ¡huy!, no sé, por favor cuéntame quién es, creo que jamás he oído una canción suya...". Mentira podrida, claro, pero, razonable o estúpida, cualquier excusa es buena en los comienzos de un romance para juntar poco a poco los cuerpos, primero las cabezas, todo muy medido, sólo nos acercamos para comentar la letra de las canciones: "mira, mira, lee aquí, ¿qué será eso de 'tú eres mi unicornio azul'. ¡Huy!, qué interesante...", hasta que, ¡oh, sorpresa!, la pasión se levanta de pronto con un roce fortuito por supuesto...; en fin, para qué voy a contarte el archiconocido ritual, tan deliciosamente lento, pues lo perfecto es que estos primeros acercamientos consuman su tiempo (es tanto más emocionante así). "... ¿Quieres otra copa?... ¿Tienes hambre?... Por aquí no hay nada de comer, sólo veo unas almendritas, ¿te importa?" "...No, no, claro que no...", y luego... yo te hablo de mis ilusiones, tú me cuentas un poco de ti...; los dos nos reímos, con la coartada, además, de que todo parece tan normal. Y ése debía de ser más o menos el clima, pero como estas cosas llevan su tiempo supongamos que se ha hecho tarde, supongamos que es ya la una de la mañana y que Steine hace rato que ronca plácidamente en el bungalow de invitados que hay en el jardín, cuando Habibi, la cocinera, que era la única que estaba en la casa, de pronto, oye ruidos en el salón. El señor ya le había advertido expresamente que *no* bajara pues él mismo se iba a ocupar de su invitada. Por eso la buena mujer dudó en acercarse hasta que la música cesó de forma brusca y a continuación pudo oír muy claro un estruendo, como de algo que se rompe, un mueble por ejemplo, seguido de "... un jadeo continuado y ronco, muy horrible, como de un animal enfermo" según palabras de la propia Habibi. Así es que, algo asustada, decidió bajar por fin y, al llegar al vestíbulo, dice que alcanzó a oír la voz de una mujer y también cómo se abría la puerta del jardín. Alguien se marchaba. Entonces corrió al salón y al entrar le pareció que no había nadie pues todas las luces estaban apagadas. Encendió una lámpara y vio la mesa volcada (y junto a la mesa otra cosa, otra cosa muy interesante de la que me he enterado por la *maid connection*, ¿de veras no quieres que...?), está bien, está bien, sólo los hechos estrictos y comprobados entonces, y los hechos son que encuentra al señor caído en el suelo, pero no se atreve a moverlo...

—Porque sangraba, naturalmente...

—¿Sangre?, qué tonterías dices, ¿por qué va a haber sangre?

—El golpe... con la mesa o con lo que fuera...

—... nada de golpes, no se atrevió a moverlo porque parecía muy enfermo, respiraba como si se estuviera ahogando y entonces, cuando la pobre mujer estaba ya de-ses-pe-ra-da, en ese mismo momento, se abre la puerta y aparece...

—Isabella, que ha ido a buscar ayuda.

—Eso sería lo normal, ¿verdad? Pues no, la que aparece es la mujer de Valdés, a la que nadie esperaba hasta el día siguiente, ¡llegada del cielo!, y detrás de ella, sólo que diez minutos más tarde, Isabella y Steine, los dos en bata como si acabaran de caerse juntos de la cama, o algo así. Y entonces Habibi se tranquiliza, ya está aquí la señora para hacerse cargo de todo y la mujer respira aliviada (no así Valdés, que tenía una expresión azul muy horrible según todos los presentes.) Entonces Mercedes pidió, escucha bien, que se fuera todo el mundo, que la dejaran sola con su marido, quería llamar al Samur, una de esas ambulancias que tiene de todo, ¿sabes?, como una UVI para resucitar muertos... Pero no sirvió de nada; por desgracia, el pobre Valdés murió mucho antes de que llegara cualquier ayuda.

—Ya lo entiendo, como el tipo era muy mujeriego, tú crees que estaba haciendo el amor con Isabella cuando le dio un ataque, y que por eso ella desapareció en el momento más comprometido, verdaderamente *c'est très typique*.

—No, no, no fue así, calla un momento y luego podrás sacar tus conclusiones: cuando lo encontraron, Valdés estaba perfectamente vestido, tenía incluso la chaqueta puesta (éste es un detalle un poco cursi, no me digas que no) y ahora te voy a decir lo que sucedió: no lo que opinan las malas lenguas, sino la verdad, tal como me la contó la propia Mercedes, sólo que con algunas conclusiones mías porque Mercedes es de Bilbao.

—¿Y qué importa eso, por amor del cielo?

—Pues mucho, tonto, ellos son muy parcos, no cuentan nada, no adornan las anécdotas lo suficiente y hay que adornarlas un poco porque la Verdad, así con mayúsculas, suele ser aburridísima, ¿no te parece?

—Fernanda, dejémoslo...

—Espera a oír el final, te va a gustar a pesar de todo, al parecer esto es lo que realmente ocurrió: Valdés e Isabella estaban oyendo música y picando algo, todo tan casto, cuando a Valdés, bla, bla, en pleno despliegue de encantos, la cola de pavo real bien extendida..., ¿qué creerás que le pasa?

—Cualquier estupidez.

—La peor de todas: ¡Se atraganta! No se puede decir ternuras y tragar almendras todo al mismo tiempo, Rafamolinet, es in-com-pa-ti-ble, especialmente si uno es asmático, por cualquier susto se le cierran a uno los bronquios, algo bes-tial.

—Fernanda, por caridad cristiana...

—Te digo que eso fue lo que ocurrió: al pobre Valdés se le fue una almendrita por el otro lado y a continuación, con los nervios, se le cierran además los bronquios —Fernanda tosió, coff, coff, y luego se llevó una mano a la garganta para dar más realismo al relato—. Imagínate la escena: to-do-un-cú-mu-lo-de-es-tú-pi-das-des-gra-cias: una amante que se asusta y lo deja a su suerte, los miasmas rusos, y Valdés, que por pura coquetería ni siquiera tiene el inhalador especial consigo. Y es que es lógico, Rafamolinet, nadie piensa que le puedan pasar este tipo de cosas horribles, sobre todo las horriblemente ridículas, "eso sólo le ocurre a otros", dices, lo lees en los periódicos y luego comentas: "hay que ver qué cosas pasan"... pero resulta que un día eres tú el que se encuentra en una situación ridícula y horrible, como en el caso de Valdés, imagínatelo, casi puedo oírle: "esto no es nada", piensa el pobre hombre, "¿cómo puede ser?, acabo de expulsar un trocito de almendra, o sea que ya estoy bien, nada, no es nada", el tío espera un poco más a ver si respira mejor, una... dos... tres veces, y entonces: "oye, que no se me pasa, tengo la garganta como cerrada..., ¡huy!, pero que va en serio", se suelta un poco la corbata color pistacho, intenta respirar: "uh, uh, uh, ¿cómo es posible?, estoy malísimo, por Dios, que alguien me ayude", pero Isabella hace tiempo que ha desaparecido y no en busca de ayuda precisamente, sino para volver más tarde a la escena de la mano de papá Steine.

—Querida, lo único que puedo decir es que tienes una imaginación digna de mejor causa, ¿por qué iba a hacer una estupidez así?

—Pues simplemente porque es una frívola y se asustó, déjame que te diga que serías un pésimo policía, Rafamolinet.

Fernanda, que se había echado hacia atrás en la silla para ver el efecto de su revelación, tuvo que volver a incorporarse para decir:

—¿Cómo es posible que no te des cuenta, al menos, de la ironía de lo que te estoy contando?... Aquella noche todo fue ri-dí-cu-lo..., la muerte tiene un raro sentido del humor, ¿no crees? —añadió Fernanda, y luego, al ver que su tío no le seguía el razonamiento filosófico, prefirió concluir cambiando el tono por otro más ligero—: Bueno, ya está, ahora que sabes la funesta historia de Isabella Laínez supongo que podemos irnos, debe de ser tardísimo.

Se había puesto en pie y Molinet la imitó:

—¿Es *eso* todo?

—Es todo.

Durante unos minutos continuaron en silencio. Un camarero vestido de paisano les franqueó la puerta con una sonrisa profesional a pesar de que eran las cuatro y media de la tarde. Hacía mucho frío en la calle, y seguía lloviznando. Molinet tomó a su sobrina por el brazo y sin decir palabra encaminó sus pasos hacia la cercana plaza de Sloane para esperar el autobús.

—Es el chismorreo menos interesante que he oído en toda mi vida —dijo de pronto, cuando se detuvieron antes de cruzar el minúsculo puente que lleva hacia Knightsbridge—: no hubo sexo, no hubo misterio, ni siquiera había dinero de por medio. En cambio, ¿qué tenemos?, un tipo conquistador y coqueto que se ahoga con una almendrita de cóctel, es deplorable.

—Pues en Madrid no se habla de otra cosa. Estamos todos fascinados. ¿De veras que te parece una historia tan tonta?

—Absolutamente.

—¿Y no crees que si la frívola de Isabella en lugar de ir a buscar a su marido en el momento más desesperado hubiera hecho algo por ayudarlo, Valdés a lo mejor estaría vivo?, ¿qué te parece *ese* dato?

—La gente hace cosas irracionales en momentos difíciles, Fernanda.

—Isabella tiene de irracional lo que yo de monja, querido.

—Ya veo, así fue como se te ocurrió empezar la historia catalogando a la pobre chica de asesina. ¡Asesina! A las mujeres os encanta adornar *une petite histoire* para que suene lo más escandalosa posible. Desde el principio me imaginé que se trataría de una explicación, ¿traída por los pelos se dice?; en fin, de una exageración imponente.

Fernanda, que se había envuelto en su gabardina, se colgó aún más del brazo de su tío, y reía enseñando sus dientes tan separados.

—Claro que es una exageración, pero ¿qué esperabas?, Rafamolinet, ¿que nos pasáramos toda la comida hablando de parientes muertos? Reconoce que, al menos, te he mantenido en suspense un buen rato.

—Tramposa.

—No tanto, tío Rafa —dijo ella, llamándolo así por primera vez en todo el día—. Además, en mi historia hay muchos detalles curiosos para un alma inquisitiva como la tuya.

—Ya, como el detalle de los miasmas rusos, ¿no?

—Ésa es mi aportación personal, inquietante, ¿no crees?, aunque por el momento no tiene muchos adeptos. Si quieres que te diga la verdad, la mayoría de la gente piensa que hay una única culpable de la muerte de Valdés: I-sa-be-lla.

—¡La historia de una asesina!, así es como se cuentan las cosas...

—Lo que pasa, tío, es que te has empeñado en que te contara estrictamente la versión oficial. Ha sido un error estúpido por mi parte, ahora lo sé para una próxima vez: nunca hay que contar las cosas como sus protagonistas juran que ocurrieron, las verdades oficiales no se las cree nadie. Aunque sean ciertas.

—Alergias misteriosas, tipos que se atoran con una almendrita, ¿de veras te parece una historia tan extraordinaria, querida?

—Es tu culpa, tío, tenías tanta prisa que no me has dado tiempo a contarte lo que opinan otros. Hay interpretaciones de lo más imaginativas, te lo aseguro...

—No, por Dios, déjalo. No podría hablar un segundo más de tonterías.

Molinet soltó el brazo de su sobrina y señaló a través de la plaza. A lo lejos, por el lado opuesto hacían su entrada dos o tres autobuses al mismo tiempo.

—Mira, uno de esos tiene que ser el 137 —apuntó Molinet—. Te llevará directamente hasta Park Lane. Si cruzamos pronto, tal vez lo alcancemos.

—Me queda aún un detalle...

—Tesoro, empieza a llover en serio, no querrás esperar otra media hora a la intemperie hasta que pase el próximo autobús, supongo.

Fernanda, de mala gana, apretó el paso.

—Como quieras —dijo— pero... hay un detalle que conozco a través de la *maid connection* que te fascinaría, tiene que ver con una pulsera...; está bien, está bien, sólo te diré una cosa más para dejarte intrigado en tu viaje a Marruecos: ¿sabes que la tonta de Isabella, creyendo que no iba a trascender que ella estaba delante cuando ocurrió todo, se presentó en el funeral como si nada...? Y, claro, como la iglesia estaba llena de fotógrafos (sólo los don nadie tienen hoy en día funerales sin *paparazzi*) desde entonces a mi amiga Mercedes la llaman a todas horas de las revistas para que cuente su triste historia. Yo soy una san-ta relatándote la versión más inofensiva, por ahí circulan dos o tres hipótesis mucho más interesantes: en unas la mala de la película es Isabella, naturalmente, pero ¡en otras la mala es la viuda! Porque dime tú —añadió Fernanda con una sonrisita de lo más conejil—, ¿no te choca muchísimo que la mujer apareciera de improviso en plena madrugada? Un poco raro, ¿no?...

—Tesoro, eso sólo prueba que se fiaba de su amiga menos que de un áspid venenoso.

—...Tantos dimes y diretes —insiste Fernanda—, tantas interpretaciones contradictorias, en fin —se encoge de hombros—, supongo que es el precio de ser rico y despertar morbo, por lo menos *yo* nunca tendré esos problemas, pobre Mercedes Algorta...

—¿Quién demonios es Mercedes Algorta?

—La viuda, Rafamolinet, cualquiera diría que no has prestado la más mínima atención a lo que te he contado. ¿Es éste mi autobús? ¿Seguro que va hacia Park Lane?

Se despidieron con un beso apresurado. Las últimas frases estuvieron dedicadas a los parientes y a mandarles abrazos a todos. Pero el autobús de dos pisos iba lleno y Fernanda tuvo que aguardar en la plataforma trasera mientras un revisor paquistaní hacía señas a otros pasajeros para que fueran pasando hacia el interior. El vehículo todavía no se ponía en marcha. Estuvieron uno frente al otro una eternidad, tanto como duran las despedidas que se prolongan accidentalmente. "Adiós, recuerdos, cuídate..."

Fernanda se encontraba tan cerca de Molinet que éste podía tocarla con sólo estirar un brazo. "Si vuelvo por aquí te llamaré sin falta..."

"Sí, sí, no dejes de hacerlo..." y se miraban con una sonrisa helada, más helada por la situación que por la temperatura reinante. Sin embargo, él creyó descortés alejarse, hasta que, por fin, los pasajeros comenzaron a moverse hacia el interior y el autobús pudo arrancar. Fue precisamente entonces cuando Fernanda pareció inclinarse hacia su tío para decirle algo; de pie entre la gente, agarrada a la barra, parecía una colegiala con su gabardina azul y sus dientes tan separados.

—¿Sabes una cosa, Rafamolinet? La curiosidad es virtud de sabios —dijo justo en el último momento, y tal vez añadiera algo más pero los ruidos de la ciudad se habían cerrado ya sobre Molinet. Eran casi las cinco.

Corn Flakes de Kellogg's

Molinet aún no había terminado de recorrer el tramo que separa la parada del autobús de la entrada al metro de Sloane Square, cuando ya toda la historia de Fernanda había desaparecido de su cabeza empujada por otros pensamientos de corte más doméstico. Estaba oscuro: la lluvia le recordó entonces que había dejado tendidos unos calcetines fuera de la ventana del cuarto de baño, y de pronto notó cómo el frío se hacía especialmente cruel en sus pies mal protegidos por los zapatos italianos de tafilete que solía reservar para las ocasiones. Fue casi en la boca del metro cuando decidió echarles un vistazo y, primero, tuvo que hacerse a un lado para dejar paso a un grupo de colegiales vestidos con pantalones color ciruela y anoraks azules. Probó a detenerse en una esquina, en un recodo de la escalera principal: peligrosísimo ejercicio, pues no era nada fácil mirarse los pies y al mismo tiempo evitar ser arrastrado por la marea de cabezas saltarinas, arriba, abajo, rubias, negras, con trenzas rasta, con gorras de béisbol o sombreros. La nube habitual que a esas horas se desparrama desde las escaleras hasta perderse en las primeras plataformas y desde allí hacia los túneles más profundos.

A pesar de ello, Molinet aventuró la vista hacia sus pies teniendo la precaución de ir pegando el cuerpo a la pared y, en efecto, pudo comprobar que tanto el bajo del pantalón como sus zapatos presentaban un aspecto deplorable. Habría pisado, sin darse cuenta, algún charco durante el final de su conversación con Fernanda, pero no recordaba el momento; los zapatos, en cambio, acusaban en todo su contorno una línea parda, húmeda e inequívoca que amenazaba con volverse blanca si no se secaba inmediatamente. Molinet probó a restregarlos con fuerza contra la pernera del pantalón antes de someterlos a un segundo examen: sí, ahora estaban un poco mejor, y echó a andar, pero no tendría más remedio que darles betún del caro en cuanto llegara a casa si deseaba que quedaran perfectos para su viaje a Marruecos al día siguiente; tal vez no fuera, pensó, el calzado idóneo para el criminal clima de Londres y para un almuerzo absurdo en Drones con su sobrina, pero sin duda eran ideales para usar por la noche en Fez con el traje oscuro, nadie adivinaría que tenían más de diez años.

Entonces, y por asociación de ideas, se palpó de nuevo el bolsillo. Allí continuaba el pasaje de avión que había recogido esa misma mañana en una agencia de viajes: 10 de octubre a las 20.30 horas, vuelo chárter Londres-Rabat con vuelta dos semanas más tarde, 120 libras más la tasa de aeropuerto; quién sabe, a lo mejor no necesitaría usar el billete de regreso, pero resultaba mucho más barato comprar un ida y vuelta que una ida en vuelo regular, misterios del moderno márketing... y de la economía de aquellos que malviven con poco dinero.

"Mañana todo será distinto", se dijo entonces y luego, "bienvenido al mundo de los vivos", así, en voz alta y en español, una costumbre que había adquirido desde que vivía solo, y que ahora se le escapaba a veces, incluso en lugares públicos. Pero daba igual. A nadie le importaba un pito quién era él, pasaría por un chiflado más de los que hablan solos en el metro.

Al retirar su billete de la máquina de control volvió a coincidir con la banda de colegiales de pantalón color ciruela y dos de ellos se volvieron para observar al viejo señor que se disponía a acceder a las escaleras del metro con un aire de grandeza; él, en cambio, ni los vio. Y es que había un anuncio de Corn Flakes de Kellogg's enmarcado en un sucio cristal sobre las escaleras mecánicas. Era enorme. Estaba colocado con tal estrategia, que todo el que bajara por ellas se veía reflejado en él durante el largo descenso. Molinet se llevó una mano al pelo. Siempre procuraba elegir los espejos misericordes, los cristales más sucios, las lunas opacas que borran arrugas y suavizan las líneas para que éstos le devolvieran la imagen de lo que, en un tiempo lejano, había sido considerado un cuerpo bello. Tuvo que atusarse un mechón levantisco, crespo y aún milagrosamente negro sin que se debiera a ningún artificio, pero, en cambio, apenas se molestó en pasar revista a su cara. Jamás lo hacía a menos que fuera indispensable, pues, incluso en los espejos equívocos como aquel anuncio, podía adivinarse cómo el tiempo había tenido el mal gusto de desfigurar sus facciones hasta hacer que se pareciera muchísimo a su padre. En vida de éste no habían existido dos personas más opuestas, pero los años pasaron, muchos años, y de pronto, he aquí que ésa iba a ser otra de las pesadas bromas que le reservara la vejez: descubrir cómo conviven en un mismo cuerpo todos los rasgos familiares, todos, tanto los paternos como los maternos, encubriéndose unos a otros del modo más torticero. Al principio de aquel prodigio no podía evitar mirarse incrédulo en todos los espejos sólo para comprobar cómo se repetía el fenómeno: un leve descolgamiento de los músculos o tal vez la forma en la que las arrugas se asentaban ahora alrededor de sus labios debían de ser los artífices de que, al cabo de tantos años, se reprodujera en su cara otro rostro que él creía enterrado mucho tiempo atrás con un cadáver por el que nunca sintió necesidad de llorar.

Molinet logró desviar unos segundos la vista del improvisado espejo mientras continuaba descendiendo hacia los túneles, pero el anuncio era tan grande que cuando volvió a mirarlo la imagen aún estaba allí. Vio de nuevo su cara, cetrina como lo había sido siempre, con desconcertantes ojos, tan claros, que, durante muchos años, habían logrado disimular el peso de una herencia paterna un tanto prieta. Mas con el paso del tiempo, esos mismos ojos ya viejos, parecían haberse dado por vencidos, y eran ahora otros rasgos, los más odiosos, los que lo miraban desde el cristal haciéndole burla.

Pasó entonces a inspeccionar nuevas partes de su cuerpo menos enojosas: el cuello, por ejemplo, luego los hombros que tenían el buen gusto de mantenerse erguidos, más abajo los brazos, hasta que llegó por fin a sus manos. Y, si en ese momento volvió a pensar en Fernanda por unos segundos, no fue, ciertamente, para recordar ningún pasaje de la confusa historia que le había contado su sobrina en Drones, sino para decirse que ambos tenían las manos muy parecidas y congratularse de que las suyas no hubieran experimentado ningún cambio desagradable pues —a la vista estaba— continuaban siendo tan hermosas como las de todos en la familia de su madre.

Ya se olía la proximidad de los túneles y una bocanada de aire espeso lo obligó a terminar la inspección con menos detalle. Vio, en los últimos segundos de recorrido, cómo el resto de su figura resultaba tranquilizadoramente igual a otros tiempos más felices. Durante un trecho, el cartel todavía le devolvió la imagen de su porte firme e incluso un somero apunte del aspecto que presentaba su abrigo gris; estaba algo raído en las puntas, era cierto, pero el cuello de astracán conservaba toda la apostura de un paletó de entreguerras.

Las escaleras mecánicas descendían hasta hundirse en el asfalto y él, justo antes de perder de vista el cartel amigo, aprovechó para pasear una última mano distraída por sus solapas. Fue sólo un segundo pues inmediatamente un clac metálico se encargó de hacerle saber que ya habían aterrizado sobre la última plataforma, la más concurrida, en la que convergían varios vomitorios indicando direcciones tan remotas como baratas y periféricas: Brixton, Tooting Bec, Streatham...

"Mañana todo será distinto, Rafael Molinet", se dijo una vez más y en voz alta. Luego, apremiado por el ruido de los trenes que se adivinaban cercanos, tuvo que abrirse camino a codazos: unos segundos más tarde ya se lo había tragado la marea de cabezas saltarinas, arriba, abajo, apresuradas, negras, rubias, con sombreros o con trenzas rasta, todas con prisas, que se dirigían al unísono hacia los túneles más profundos.

Los restos del naufragio

Hizo girar dos veces la llave en la cerradura antes de respirar hondo y sus pasos se hundieron en un retazo de linóleo gris. Luego, atravesó un largo pasillo comunal y la cristalera antiincendios, dos tramos más a toda prisa, y, por fin allá al fondo estaba la puerta de su apartamento. Entró conteniendo la respiración y se dirigió veloz hacia el cuarto de estar sin molestarse en encender la luz. Conocía de memoria la posición de los muebles y sorteó con facilidad el viejo sillón de cuero, también la mesita auxiliar, y aún no había soltado el aliento, cuando su mano encontró la lámpara de bronce, tan sólida, tan de toda la vida, para accionar el interruptor. Entonces sí respiró tranquilo, pues el peligro estaba conjurado: un día más había conseguido atravesar con éxito la barrera de los perfumes más infames del vecindario.

Desde mucho antes de instalarse en aquellas dos habitaciones de una casa tristona del sur de Londres, Rafael Molinet ya intuía el nefasto influjo de los portales misérrimos, pero fue el doctor Pertini quien le dio forma a sus reparos: "lo peor de la pobreza", le había dicho su loquero en una de las últimas sesiones en Los Cedros del Líbano, "lo más repugnante de la pobreza, es que huele fatal". Fue para él como una revelación, y desde entonces mil veces se lo había repetido por las noches recordando algunos episodios de su vida en los últimos años. Cada casa de pobre, descubrió a continuación con la fuerza de la memoria, tiene su tufo particular y la suya actual parecía enorgullecerse de una contumaz mezcla de aromas a repollo hervido con Mr. Proper frescor azul y meada de gato que se le clavaba en la pituitaria con la saña de las verdades más crueles para repetir: estás arruinado, eres un don nadie, no eres más que un pobre tipo.

Pero ahora, desde su salida del hospital unas semanas atrás, ya no había vuelto a permitir que el pasillo le chillara nada desagradable pues aprendió a sortear su influjo con un método muy simple: se tapaba la nariz y diez, quince, veinte segundos después de franquear el portal ya estaba a cubierto, la puerta cerrada y él a salvo en el refugio de aquellas dos habitaciones que tenía alquiladas en medio de Tooting Bec, un oasis, un santuario en tierra de infieles, que no olía a nada o —en ocasiones señaladas— a ambientador de Floris proveniente de un frasquito que Molinet había logrado sustraer de Harrod's y que ahora guardaba en un cajón de la mesilla de noche. A veces solía añadirle un poco de agua para estirar más su uso; otras, cuando se encontraba especialmente bajo de forma, lo despilfarraba para que su apartamento adquiriera durante unos minutos el ambiente grato de la opulencia entre "los restos del naufragio". Y es que así llamaba él a aquellas dos habitaciones en las que ahora vivía y en las que se apretujaban todos los recuerdos que logró mantener tras la muerte de su madre. Algunas tardes, cuando usaba más liberalmente el frasquito de Floris, fantaseaba con la idea de sentarse en su sillón junto a una taza de té y ensayar un juego. Se preguntaba qué ocurriría si ahora, que según el doctor Pertini estaba curado, se atreviera a pasear la vista por cada uno de los enseres de su casa y detenerse en éste o aquél por si los muebles que habían corrido en la vida la misma suerte que él —esplendor, estupor, decadencia y desastre— pudieran transportarlo amablemente a tiempos más felices.

Un día más descartó la idea. Eran casi las siete y tenía que terminar el equipaje que dejara a medio hacer para almorzar con Fernanda. Además, cualquier desviación en los pensamientos de índole práctica podía ser peligrosa. Ayer mismo, por ejemplo, minutos después de que su sobrina llamara para concretar la cita en Drones, un tropiezo inocente que tuvo con una de sus piezas favoritas, el escabel que fue el preferido de su madre, lo había devuelto dolorosamente a los últimos días en que ella agonizaba. Ocurrió por pura casualidad, Molinet no estaba pensando en nada triste, había cruzado el cuarto de estar en busca de un salero con el que sazonar un plato de macarrones al queso que se disponía a comer frente a la televisión. Se había levantado sin separar la vista de un ruidoso concurso de nombre Tabú y fue al cruzar hacia el aparador cuando se quedó mirando aquella banquetita verde y amarilla que se interponía entre él y el salero como una montaña de recuerdos amargos. Y escaparon algunos: el del contorno de la cabeza de su madre, por ejemplo, su quebradizo cuello hundido sobre la almohada y el entredós tan blanco, como blancas eran también las sábanas que él se encargaba de cambiar todos los días lavándolas por las noches, teniéndolas listas por la mañana, con el mismo esmero con que hacía toda la habitación de ella. Porque *ése*, y no otro, había sido el fin de trayecto para su vida tan azarosa. Contaba por aquel entonces cincuenta años y sólo a su madre por compañía —vivían en una vieja casona cerca de Holland Park que Molinet se vio obligado a llenar de detestables huéspedes para poder mantenerla—. Los cuadros, los muebles del comedor, también muchos del salón, todo había ido desapareciendo camino de almonedas y tiendas de segunda mano. Los huéspedes se quejaban a menudo de lo incómodo del alojamiento, del frío que hacía en las habitaciones despojadas hasta de las cortinas, de las cucarachas, de mil precariedades, pero en el cuarto de su madre todo continuaba igual, para que cuando ella abriera los ojos blanqueados por los calmantes aquéllos pudieran ver exactamente lo que siempre habían visto en las distintas casas en las que les había tocado vivir: la cómoda rubia que tan bien se mezclaba con la madera de Indias del lecho matrimonial comprado en La Habana, sobre ésta un espejo de mano con mango de plata, a su derecha el reloj que ya no daba las horas pero, no porque estuviera roto, sino porque ella decidió un día que iba a marcar siempre las cinco menos diez, y un poco más allá las fotos. Y es que muy cerca, casi al alcance de la mano, estaba la mesita en la que su madre había reunido una colección de marcos de plata con fotos alineadas en un orden cronológico más bien caprichoso. En realidad se trataba de una suerte de recorrido por su vida que comenzaba con un retrato de adolescente, grande, magnífico, firmado por el mismísimo Cartier Bresson y tomado en alguna fiesta en Biarritz. A continuación venía un conjunto de pequeños marcos que formaban la serie rioplatense: la casa del Prado en la que había nacido su marido, un picnic en el que todos vestían de blanco, ella de novia a la puerta de la casa, sola, erguida, bella. Amarilleaban estas últimas ante otras más modernas en las que podía verse a sobrinos, parientes españoles como lo era Fernanda, muchos de los cuales la madre no había conocido más que por las fotos que todos los años intercambiaba con su ahijada por Navidad. Había también otros dos marcos grandes, el más cercano a la cama mostraba a Molinet muy joven en traje de dril y sombrero panamá en la cubierta de un barco, y estaba expuesto a cambios periódicos de posición, no por alguna virtud o demérito propio, sino porque su ubicación en la mesa servía de pantalla para otro marco sometido a destino variable según el estado de ánimo de la enferma. "Rafael, hoy quiero ver a tu padre", decía ella contadas veces, y entonces Molinet adivinaba en qué estaba pensando, y se apresuraba a voltear la única foto condenada a mirar habitualmente a la pared.

Todo esto había recordado Molinet la noche anterior por un descuido, por un encontronazo torpe con el escabel de *petit point*, y a punto estuvo de llamar al doctor Pertini para contárselo; pero tenía que aprender a prescindir de él. "A partir de ahora, cuando le dé la vena nostálgica, querido Molinet, escriba usted a un amigo, desahóguese en un papel, es un método mucho más barato que la terapia kleiniana", le había dicho Pertini el día en que lo despidió (despedir no es lo mismo que dar de alta pero el resultado era el mismo, estaba a su suerte, sin blanca y aún con las mismas pesadillas que lo llevaron a Los Cedros del Líbano), luego el doctor se había entretenido en escribir tres o cuatro recetas en un elegante talonario rojo antes de acompañarlo hasta la puerta, tan ceremonioso, con su bata blanca hecha, seguramente, a medida: "aquí tiene usted, un relajante muscular, unas vitaminas y estos somníferos, pero no abuse, pueden provocarle nuevas pesadillas; piense, amigo mío, que está curado, se acabó la depresión, no hay nada más que la ciencia pueda hacer por usted".

La ciencia, Molinet lo sabía de sobra, poco puede hacer por alguien que no tiene con qué pagar las facturas pero, aun así, Pertini lo había escoltado hasta la salida con toda profesionalidad. "Si necesita algo ya sabe dónde nos tiene", explicó utilizando la fórmula ritual de despedida y luego, en elipsis, le había dicho que ni se molestara en llamar de nuevo, pero lo sugirió —muy fino, él— con aquello de escribir a un amigo para desahogarse.

Fue entonces cuando a Molinet se le ocurrió la magnífica idea de reservar habitación en un hotel carísimo y apartado del mundo. No precisamente para cartearse desde allí con un amigo, no tenía ninguno, sino para tomarse de un golpe todas las pastillas de Pertini en un marco agradable y acabar como un señor.

"Escriba, escríbale a un amigo, Molinet", repetía el doctor con esa cantinela suave de los médicos que tanto se parece a las letanías.

"Mi único amigo ahora es usted", intentó Molinet, ensayando un último halago, pero Pertini no recogió el envite, le había pasado un brazo por el cuello para darle unas palmaditas calmantes. "No se preocupe, cualquiera al que usted le escriba lo que me ha contado en este mes estará fascinado por recibir sus cartas, se lo aseguro, es usted una novela ambulante, amigo Molinet, sobre todo lo es su infancia, su adolescencia..., una novela am-bu-lan-te. Y ahora ¿por qué no se hace un viajecito?", dijo de pronto, como si el método kleiniano le permitiera leer los pensamientos más atroces, e incluso añadió: "Ese caftán maravilloso que usa usted para nuestras terapias merece mejor suerte que las nieblas de Londres. ¿Qué tal si se fuera unos días a Marruecos?, hace un tiempo espléndido, me dicen".

Ciertas ideas cuando se siembran tardan un poco en crecer. Al salir de Los Cedros del Líbano, Molinet no podía suponer que iba a dedicar muchas noches a dar forma al mutis tan teatral que se le había ocurrido hablando con Pertini. Pero bastaron apenas unos días en Tooting Bec para darse cuenta de cómo iba a ser su vida de ahí en adelante si no hacía algo drástico por evitarlo. "... Lo peor de la pobreza es que huele fatal", le había descubierto el médico, y sin embargo, existía algo aún peor: lo realmente trágico es cuando uno se acostumbra a convivir con el aroma de repollo hervido, cuando se descubre una mañana deleitándose en el frescor azul de Mr. Proper revuelto con meada de gato y ya no le queda capacidad de reacción para escapar. Aunque escapar significara tomarse de golpe todo un tubo de pastillas. Pero ¿por qué no?, sólo los imbéciles temen más a la muerte que al malvivir.

Desde el mismo día en que tomó su decisión todo comenzó a parecerle más agradable. Le producía cierto placer planear los detalles, comprar el billete de avión, elegir el mejor hotel..., incluso ver a su sobrina y hablar de banalidades había sido como un agradable ensayo general.

Ahora, tenía por delante dos semanas en las que —literalmente— iba a tirar la casa por la ventana y luego adiós, *ciao, au revoir*, al menos moriría tal como había vivido: muy por encima de sus posibilidades, Oscar Wilde *dixit*.

Y hoy, víspera del viaje, tocaba terminar con los preparativos. Tantas y tan variadas minucias..., por eso no debía permitir que una torpe banquetita o cualquier otro mueble nostálgico se interpusiera echándole a perder el delicioso ritual de hacer el equipaje.

Molinet no volvió a mirar ni a derecha ni a izquierda.

Eran casi las siete y, allí, sobre la cama, esperaban no sólo el caftán blanco sino también otras prendas: las babuchas de piel de carnero, un traje de hilo crudo, el menos viejo de sus esmóquines, un sombrero panamá..., todo preparado para su viaje, sólo hacía falta un poco de decisión y olvidar ciertos pensamientos tristes (e inútiles también).

Por fortuna, se dijo, siempre había poseído una gran capacidad para cambiar de registro, siempre, desde muy niño, y se enorgullecía de ello, "un recurso muy inteligente", lo consideraba Pertini, y él estaba de acuerdo. Al fin y al cabo, no todo el mundo tiene el don de pasar de la melancolía a la frivolidad más deliciosa en un segundo, así: clic-clac, una pirueta mental y lograba que desaparecieran los pensamientos tristes borrados por otros adorablemente triviales: sólo era cuestión de concentrarse en alguno que pudiera considerar como una obligación social ineludible. Evitó pues con maestría todos los enseres sospechosos de hacerle evocar algún pensamiento nostálgico, los marcos, por ejemplo, ni los miró, aunque estaban allí muy cerca sobre una mesita reproduciendo el mismo orden que tenían en la vieja casa de Holland Park, todos, excepto un retrato condenado a mirar a la pared en vida de su madre y que Molinet tiró a la basura el mismo día en que ella murió.

—Señor Molinet. ¡Eh, señor!

Acababa de entrar en el baño, buscaba juntar todos los frascos de pastillas que el doctor Pertini le había recetado y no encontraba los somníferos cuando escuchó la voz, pero si tardó en asomarse al cuarto de estar no fue por falta de reflejos sino porque todavía no lograba acostumbrarse a ciertos hábitos de vecindad normales en el barrio de Tooting Bec.

—¿Permite, señor Molinet, permite?

El muchacho había entrado por una ventana volteando a su paso la matita de albahaca que él mismo plantara en el alféizar de Molinet dos días después de conocerse. Era juncal, firme y tan joven que ya había atravesado las cristaleras de guillotina y estaba en medio de la habitación cuando Molinet apenas comenzaba a asomar la cabeza desde el cuarto de baño.

—Hola, Reza, "Hoola, Reizzzah" —entonó tal como lo habría hecho un aristócrata persa habituado a las costumbres y modismos de la milenaria corte del Ruan Azul: *R* doble primero, luego una *e* bastante átona, aguda la *i* seguida de un prolongado zumbido zzz hasta acabar con una *a* que sonaba como un jadeo—. Reiizzaah, tesoro, te he dicho mil veces que utilices la puerta.

—Perdone, jefe, ya sabe que procuro hacerlo siempre que vengo a devolverle su perrito, pero esta vez se ha quedado dormido y...

—¿Sigue con fiebre?

—Está perfectamente, sólo llora un poco cuando le tocamos la pata pero eso es normal después de ponerse una vacuna.

El joven Reza, su vecino de la puerta de al lado, tenía la costumbre de hablar en plural cuando se refería a perros o a gatos, como si un prolongado contacto con animales de diverso pelaje, pezuñas grifonas y orejitas sonrosadas le hubiera conferido esa gravedad paternal de muchos médicos de cabecera: a ver... ¿dónde nos duele?, sacamos ahora un poquito la lengua, respiramos hondo, eso es... También solía llevar en un bolsillo del ajustado pantalón vaquero algún utensilio propio de su oficio: bien una tijera o algún cepillo de púas metálicas; y desde que se conocieron hacía unas semanas, rara era la tarde en que Molinet, con alguna excusa, no ensayaba una escapadita para ver con qué presteza manejaba su vecino una cosa y otra en la trastienda de su peluquería canina, hipnotizado por el ir y venir de unos brazos lustrosos embutidos en una camiseta de algodón cuidadosamente remangada. El muchacho tenía además una manera lúbrica de pasear los dedos entre las patas de los animales canturreando una cancioncilla, siempre la misma, que modulaba y repetía según el afán de sus manos. Y a Molinet le gustaba tanto ver cómo se le tensaban los músculos bajo la piel joven... Especialmente cuando se ocupaba de su perrito: "Estése quieto, Gómez", le decía y después de cepillarlo bien, Reza solía voltearle las orejas en busca de algún inexistente parásito para cuchichearle, a continuación, toda clase de tonterías al oído en persa revuelto con un poco de francés barriobajero que sonaba a gloria pura.

Fue sin duda la especial predilección de Reza por aquel *basset hound* pelirrojo lo que hizo a Molinet suplicarle que se lo vendiese a pesar de ser un perro tan ajeno a sus gustos. Tenía, como todos los de su raza, la cara larga y triste, mientras que las orejas se llovían sobre unas patas cortas, zambas, incapaces de conferir a perro alguno un aire de mediana dignidad. Si lo llamó Gómez fue por una venganza; tal era el nombre de un criado que su padre había traído de América cuando se vino a vivir a Europa. Y no, no es que el aspecto del perrito le recordara precisamente a aquel hombretón rudo, fiel hasta la exageración, con aspecto de descargador de muelle —Ceferino Gómez— al que su padre llamaba por el apellido en una de sus tantas tentativas por anglificar lo inenanglificable, pero le gustaba lo ridículo del nombre. Lo hubiera llamado Bertie en recuerdo a su progenitor de no haber temido encariñarse con él más de la cuenta. En realidad si Molinet se decidió al dispendio que significaba comprarse un perro, fue sólo por tener una coartada que le diera la posibilidad de sentarse, de vez en cuando, en la trastienda de la peluquería canina mientras Reza trajinaba con otros animales. Y luego, al terminar la faena, poder contemplar cómo se acercaba al suyo para hablarle bajito en la oreja tan larga y sonrosada como dolorosamente blanda.

—Mucho lío aquí, jefe, estamos de limpieza general por lo que veo.

Tres maletas abiertas no indicaban limpiezas sino mudanzas, pero Reza se rascaba el cogote pensando en otras cosas, en Gómez tal vez, que quedó a su cuidado mientras él almorzaba con Fernanda. En su negocio, en alguna correría nocturna, en otras cosas, nunca en Rafael Molinet.

—Reizzaah —le dijo entonces—. Escucha, Reizzaah.

74

Era su costumbre, además, poner muchísimo cuidado en pronunciar el nombre de modo idéntico cada vez, supersticiosamente, como si se tratara de un conjuro secreto, una especie de ¡ábrete sésamo! en el que era fundamental no equivocar ni un sonido por si, alguna vez, surtiera su mágico efecto de apertura (¡Sésamo, ábrete! ¡... Reizzaah, ábrete...!) y esta vez lo vocalizó con redoblado celo pues había algo importante que deseaba plantearle a su vecino.

—Reizzaah, tesoro, me gustaría que me hicieras un favor, nada importante, sólo una *petite chose*.

El chico estaba de pie, él, sentado en el sillón y Reza muy cerca, a pocos pasos. Si miraba de frente, sólo veía la mitad inferior del cuerpo de Reza, y tenía los vaqueros tan prietos que resultaba muy difícil mirar más arriba.

—Usted dirá, jefe —sonrió el muchacho.

A saber en qué circunstancias habría aprendido ese "jefe" tan español como ajeno a su vocabulario. A veces, había detalles inquietantes que le habría gustado aclarar con Reza, cosas que le preocupaban del chico pero una vez más se contuvo, sólo hacía unas semanas que se conocían..., quizá más adelante pudiera decirle algo, quién sabe, más adelante, si es que había tal ocasión.

—¿Sabes, Reizzaah? Por fin voy a hacer el viaje del que te hablé el otro día —explicó—, me gustaría que te quedaras con Gómez, serán sólo dos semanas.

—¿A Marruecos?

—A Marruecos.

El chico se había sentado ahora a horcajadas sobre el brazo del sofá y Molinet casi alcanzaba a tocarle una rodilla presa en un pantalón vaquero ¡tan azul! que hería la retina. Entonces se le ocurrió ofrecerle una cerveza. A veces, con esa excusa, había logrado que el muchacho se dejara caer junto a él en el sofá mientras la nuez subía y bajaba sorbiendo a grandes tragos el líquido y también la espuma hasta que, por fin, al cabo de un minuto inacabable, retiraba la lata para dejar al descubierto un rastro blanco y suave sobre los labios húmedos.

Se fue a buscar la cerveza y ya volvía con ella en la mano cuando:

—Yo también tengo que pedirle un favor, jefe, venga, sentémonos un momentito —dijo, y aquellos ojos de gato persa brillaron con un fulgor no del todo desconocido para Molinet.

—¿Cuánto dinero necesitas?

Ahora la mano experta en caricias, la misma que recorría el cuerpo de los animales con tanto celo estaba muy cerca. Se deslizaba por el respaldo del sofá, Molinet la vio detenerse ante una minúscula mota de polvo muy próxima a su cuello. Sólo una vez aquella mano había estado tan cerca de él, fue unos días antes, al poco de llegar, acababan de conocerse y Reza se había ofrecido para ayudarle a colocar los muebles. Él, al terminar, no había tenido más remedio que darle una propina, veinte libras, una fortuna, pero era un vecino tan amable.

—¿Sabe, jefe? Creo que le va a venir muy bien alejarse un poco de este tugurio, de veras. Tooting Bec no es lugar para un caballero como usted, si lo sabré yo.

—¿Cuánto dinero necesitas, Reza?

Se encogió de hombros, fueron sus ojos de un verde abusivo los que contestaron sin palabras.

—¿...veinte, treinta libras? No puedo darte más, pero ya sabes que soy tu amigo, te lo dije el otro día, no tienes que ir por ahí pidiéndole nada a otras personas, ¿qué ha sido esta vez?

—Nada grave, una deuda con un amigo.

Era la misma historia de siempre. La había vivido mil veces con tantos otros Rezas. Sólo cambiaba el nombre y el país. René el de ojos azules. Gustavo. Gianfranco. Timothy el camarero de las manos fuertes. Nunca conseguía salvarlos de los peligros y raras veces le reconocían su amistad que nada exigía a cambio. En ocasiones, alguno de aquellos muchachos le había recompensado con un ambiguo roce como al descuido, el más generoso con unos golpecitos en la espalda cerca de los riñones, poca cosa, pero ¿qué más podía esperar una loca vieja y arruinada como él sino las limosnas de un afecto? Le gustaban los maricones con pinta de machos, ése había sido siempre su problema, sólo los muy masculinos y con cada uno de ellos volvía a hacerse viejas y pasadas ilusiones, como ahora; aunque Reza tenía que ser distinto a los otros. Al menos él amaba a los animales.

—Treinta libras no es mucho pero me arreglaré.

Se frotó un muslo con la mano sabia. Molinet deseó entonces que al menos el perrito hubiera estado ahí para recibir la ración de ternura que debía ser suya, tal vez un beso en los bigotes, unas cosquillitas deliciosas entre la panza y las patas o en algún pliegue secreto, pero estaban solos y al entregarle las treinta libras Reza no le obsequió más que una palmadita en el brazo, seca y dolorosamente viril.

—Espera, no te vayas... Entonces..., ¿te quedarás con Gómez?

—Jefe, me encantaría, ya sabe cómo adoro al chucho, pero no va a poder ser..., este fin de semana espero a mi chico..., ya le conté que vive en Liverpool, tiene una lavandería, buen muchacho..., usted se hace cargo, jefe, es imposible, Mahomet odia mis animales.

—¿Y qué fue de tu otro amigo, aquel que tenía tan buen aspecto, Reza? No me digas que ya...

Reza se revolvió inquieto pero a él le dio igual.

—Tú sabes a quién me refiero. ¿Es italiano verdad? Lo vi el otro día cuando salía de tu apartamento, ése sí que parece un señor. No me resulta difícil adivinar ciertas cosas, Reza, y a ti también te convendría adivinarlas en vez de perder tu tiempo con Mahomets propietarios de lavanderías; te equivocas si crees que vas a ser joven toda la vida.

"Te-equivocas-si-crees-que-vas-a-ser-joven-toda-la-vida" había dicho; *eso* había dicho como si fuera el guionista de una mala telenovela italiana, *porca miseria*: aquello sonaba igual que los consejos de una tía solterona al sobrino del que lleva enamorada toda la vida de un modo incestuoso e inconfesable, pero a Molinet le importó un pito. Sabía además que al muchacho le molestaban sus recomendaciones, aunque Reza, como si estuviera dispuesto a desmentirlo —o provocarlo—, aún se quedó un buen rato dando vueltas por la habitación sin decidirse a marchar. Se había puesto de pie. Ahora bebía despacio un sorbo de cerveza. Luego se detenía a mirar algún enser. Charlaba, reía, pero sobre todo se afanaba en caminar delante de Molinet como un vaquero con las piernas tan separadas que hacía que el peine de púas que llevaba en el bolsillo trasero del tejano girara de posición: ahora hirsuto sobre el culo, ahora diagonal, siempre erecto como una provocación... Y mientras tanto, venga hablar de Marruecos como si de verdad le importara que Molinet saliera de viaje. ("Importar o no importar... realmente era un concepto estúpido", pensó, "a nadie le importan un cuerno los otros, vaya novedad.")

—Lo va a pasar tan bien en Marruecos, jefe, ya verá..., no, no se agobie por tener que llevarse a Gómez, a los perros les encanta viajar..., sí, sí, claro..., además, así se sentirá usted acompañado... ¿Quiere que vaya a ver si ya está despierto?... Ahora mismo se lo traigo, ¿eh?, lo he dejado en la peluquería... Espere un momentito, ahora mismo vuelvo..., qué suerte, jefe, ¡un viaje!... No, no, por sus plantas de interior no debe preocuparse, ¿eh?..., descuide, me encargaré de regárselas todos los días, en especial la matita de albahaca, ¿sabe que ahuyenta los malos espíritus...?

Cuando por fin se marchó, y durante un buen rato, permaneció en el aire de la habitación olor a Reza. Molinet aún no había tenido tiempo de catalogarlo, era algo así como una mezcla de desinfectante con el toque pugnaz y azucarado de las pieles jóvenes; un leve efluvio de cerveza es cierto, pero, afortunadamente, no se apreciaba el más mínimo recordatorio de su amor por los perros, no habría sido una combinación agradable.

Aún flotaba por ahí su olor cuando el muchacho volvió a aparecer de pronto —y esta vez por la puerta— para devolverle el perro. Pero ni siquiera llegó a traspasar el umbral: sólo una despedida breve, apenas unas palabras, nada más. Y en tanto Molinet lo veía alejarse por el pasillo "adiós, Reizzaah, no te metas en líos". Y mientras se quedaba abrazado al perrito recorriendo uno a uno los recovecos de su cuerpo tan tibio en busca de olvidadas ternezas, volvió a recordar al doctor Pertini: "si tiene necesidad de desahogarse, querido Molinet, escríbale a un amigo, estará encantado de escuchar su historia, se lo aseguro, su vida es como una novela".

¡Como una novela!, así se muriera el doctor Pertini y con él todos los malditos Cedros del Líbano, ¿a quién pretendía engañar? Su vida no era sino el más tópico de los folletines y se resumía en tres líneas: un sarasa viejo que no había sabido aprovechar sus carnes jóvenes, tan bellas como las de Reza y mucho más dispuestas, por lo que acabó solo, olvidado, volviéndose en la vejez hacia su madre para adorarla y hacia su padre muerto para echarle la culpa de todo cuando ya era tarde para hacer nada más. Ésa era su historia, ni siquiera muy original.

Molinet permaneció aún varios minutos ante la puerta del apartamento —y eso que el pasillo exhalaba todos sus perfumes habituales—. Gómez rebullía entre sus brazos buscando acomodo para su cuerpecito joven cuando sonó el teléfono.

Molinet no se movió... dos... tres... cuatro rings... Debía esperar a que se conectara el contestador pues casi ninguna llamada era bienvenida y ojalá no se tratara de un acreedor especialmente mal hablado. Entonces, de pronto, se dijo que tal vez sí, que tal vez iba a hacerle caso al doctor Pertini y escribir a alguien desde Marruecos. "A esa cabecita loca", pensó mirando pasillo abajo hacia la puerta de Reza: Persépolis S. A. Peluquería Canina, horario comercial de 9 a 12 y de 2 a 5, se ruega pedir hora... debajo, había una foto del peluquero muy favorecedora que parecía sacada de una película hindú de serie B.

"Escribir... mandar una carta, o simplemente contar lo que veo... sospecho que no me servirá de terapia, tampoco como testamento", concluyó Molinet entrando al fin en casa, "pero tal vez alguien debería alertar a los chicos como Reza sobre lo caro que resulta perder la juventud con Mahomets que viven —o malviven— en Liverpool."

Después de sonar cinco veces, el teléfono se detuvo para recitar en silencio un mensaje amable que él había grabado con su mejor entonación mundana. A continuación, saltó una voz femenina:

—Rafamolinet, soy yo, ¿estás en casa?

Fernanda *sí* debía pertenecer al tipo de personas que creen que su "soy yo" es una consigna universal, pero Molinet la dejó hablar sin atender la llamada.

"Sólo quería desearte que tengas buen viaje, tío, y agradecerte por el almuerzo, no te creas que es por simple amabilidad, yo no soy nada formalita, ya sabes, pero me ha encantado saber que tengo un tío en Londres que...", el mensaje se cortó. Su contestador estaba programado para pelmazos, para llamadas desagradables y quince segundos era lo más que ofrecía a sus interlocutores. Molinet estuvo dudando en telefonear a su sobrina al hotel para ver si tenía algo más que decirle, pero decidió no hacerlo, Fernanda resultaba deliciosa sólo en pequeñas dosis. Aun así, la voz de su sobrina en el contestador tuvo sobre él un efecto balsámico que ya le era conocido: la llamada de la frivolidad, bendita fuera: bastó una invocación del mundo al que había pertenecido en tiempos, para cambiar su línea de pensamiento por otra mucho más grata: "mañana por fin todo será distinto", volvió a repetirse como un mantra amable mientras soltaba a Gómez y comenzaba a pensar en cosas útiles, en terminar de hacer la maleta para el viaje a Marruecos, por ejemplo.

Todo estaba en un revoltijo sobre la cama que fue de su madre, las medicinas del doctor, la ropa, incluso los zapatos. Ahora se preguntaba cuál de sus viejos bermudas le convendría más llevar: ¿los azules?, ¿también los verdes hoja? En cualquier caso, no debía olvidarse de incluir los tres frascos de pastillas del doctor Pertini para el día en que decidiera tomárselas de un golpe en L'Hirondelle D'Or, un hotel fantástico apto sólo para los muy ricos, un hotel tan tranquilo.

Poco a poco, notó cómo con la ayuda de estos pensamientos positivos comenzaba a fraguarse su plan de viaje. Las puestas en escena siempre le habían parecido algo importante y era evidente, se dijo, que resultaría mucho más agradable morir mirando un decorado carísimo que en aquel cuartucho testigo de su fracaso.

Por un momento se detuvo frente al espejo del armario y, antes de hacer alguna consideración sobre su aspecto o el del dormitorio (que lucía muy desordenado para sus cánones) tomó de la cama el caftán blanco y se lo puso delante tapando su ropa de ciudad... Se trataba de una prenda elegida con toda intención para que contrastara divinamente con su aspecto oscuro, tan distinguido. Entonces calculó que ni Truman Capote en sus mejores tiempos de sarasa mimado por la fortuna, habría conseguido aparentar un aspecto tan *high life* como él vestido con aquel lino blanco e impecable. "Bendita frivolidad que todo lo pone en su sitio" —se dijo— y al hilo de este pensamiento comenzó a hablar con Gómez. En realidad nunca había sido gran amante de animales falderos, pero la presencia del perrito, hasta ahora no deseada, ayudaba, vaya que sí, a configurar el personaje que veía formarse en el espejo y que no le resultaba del todo desagradable.

—¿Qué te parece? —le dijo—, viéndonos a los dos se me ocurre que antes de acabar con una muerte teatral podría incluso poner en práctica algunas artes olvidadas como... sablear a un rico, por ejemplo.

"Al fin y al cabo —continuó ya para sí, pues eso de hablar con un perro no lo tenía del todo ensayado—, en un hotel como el de Marruecos será fácil encontrar una vieja señorona muy necesitada de compañía, pongamos por caso. Los sitios elegantes están llenos de personas solitarias. ¿Qué te parece la idea, Gómez? —volvió a oírse decir en voz alta—. Las damas viejas y adineradas no son precisamente mi especialidad..." (Tampoco era muy ducho en sablear ricos, embaucar cándidos o exprimir incautos... aunque todo ello lo había intentado con menos que más éxito en el pasado. En realidad, había sido un pésimo discípulo en las artes de Arsenio Lupin que tan útiles le habrían sido en su vida pasada, una verdadera lástima.) "... Ninguna de estas cosas son mi especialidad, es cierto, pero no hay que olvidar lo que apunta el profeta", dijo, y de pronto casi le dio un ataque de risa al pensar con qué rapidez asimilaba el papel que había decidido interpretar a partir de entonces. "... Sí, Gómez, el profeta al que nuestro vecino Reza se encomienda por las noches dice que solamente gana aquel que está dispuesto a perderlo todo. Muy sabio, ¿no crees?, sobre todo en mi caso, porque yo no tengo *nada* que perder, nada en absoluto. Fíjate, creo que antes de dejar este mundo para siempre, puedo incluso divertirme un poco asumiendo la personalidad que a mí me dé la gana, qué sé yo, pasar por un viejo algo entrometido y excéntrico, por ejemplo... o quizá un jugador..., no se me daban del todo mal los juegos de azar y quién sabe, acaso consiga ganar un dinero imprevisto con el que hacer aún más agradable mi estancia en el hotel." Suspiró. Hizo una pausa. "En fin, cualquier cosa, cualquier cosa que se me ocurra por muy extravagante que sea, estará bien: he ahí la ventaja de ser un casi-muerto, *mon cher*. Y ahora *viens*, perrito", dijo finalmente con un tono de lo más mundano. "Es hora de cenar: acaben como acaben las próximas dos semanas, lo que sí te prometo es que ésta es la última noche que pasamos como dos miserables..."

Parte II:

El libro
de las costumbres mundanas

Si a escupir te vieras tan obligado
que no pudieras refrenarte,
procura hacerlo con recato y arte,
fíjate en quién está a tu lado.
Si de basuras y desperdicios
el suelo fueras regando,
haz con el pie por disimularlo,
hazlo rápido y con artificio.

Booke of Demeneaur.
Richard Weste, 1619

En el hotel L'Hirondelle D'Or, a 100 kilómetros de Fez (Marruecos)

(Fax recibido en L'Hirondelle D'Or a las 11.45 y entregado a la señora Mercedes Algorta en el solárium poco antes del Pimm's de las 12.30)

Ediciones Alfa Temas de Impacto
Calle Emperadores, 12
Madrid, 13 de octubre

Querida Mercedes:

Chica, hay que ver lo difícil que es localizarte. Por fin he conseguido a través de tu hermana Carmen este número de fax (L'Hirondelle D'Or, Fez, Marruecos..., ¿dónde estás?, ¿en un lugar de reposo para millonarios aburridos?). En fin, aquí te mando la propuesta de la que hablamos la semana pasada en Casa Lucio. Tal como te dije entonces, espero que nuestra incipiente amistad te anime, al menos, a considerar la idea. Como verás, se trata de un proyecto muy dúctil que se presta a distintos enfoques, creo además que, después de todo lo que has pasado en los últimos tiempos, una distracción frívola te vendrá de perlas. Aprovecho para reiterarte mi admiración por el temple y la clase con la que has sobrellevado los acontecimientos que te ha tocado vivir. Perder a un marido y en *esas* circunstancias debe de ser doblemente doloroso. Con la de oportunistas que hay por ahí supongo que ya te habrán propuesto que cuentes, incluso que escribas, sobre lo ocurrido; al fin y al cabo una mujer como tú, conocida, con clase, a la que le pasa eso... se trata de una historia muy interesante. Pero no les hagas caso, bonita, buitres, eso es lo que son. Yo en cambio te propongo una idea que te va a encantar. Nos interesa un libro elegante, en el que se reflejen las costumbres del gran mundo. Pero las costumbres de verdad, nada de pamplinas para hacer reír al personal. Para que te hagas una idea, en Francia han sido un exitazo dos o tres de este estilo escritos por la baronesa Rothschild, cuando vengas a Madrid te los voy a pasar: uno se llama *La baronesa vuelve a las cinco*, otro *El arte del savoir-faire*, son libros con clase como corresponde a una señora tan importante. De momento échale un vistazo al borrador que aquí te adjunto y a tu regreso hablamos, ¿vale?

A continuación había tres folios mecanografiados con ideas muy precisas sobre el modo en que debía estar estructurado el libro: "Cómo reaccionar ante una situación embarazosa", "Cómo recibir", "La manera correcta de comportarse en todos los acontecimientos de la vida social: un bautizo, una boda, una fiesta de alto copete, un funeral..." y después, al final del último folio, podían leerse dos líneas escritas a mano:

Anímate, bonita, lo harás superfenomenal. Nos vemos a tu vuelta y no tomes demasiado el sol, que es malísimo para la piel. Un abrazo de tu amigo,

J. P. Bonilla

Al terminar la lectura, Mercedes se quita las gafas Giorgio Armani (nadie diría que son graduadas), bebe un largo sorbo de su copa de Pimm's y a continuación, pescando del vaso una lámina de pepino con cáscara y todo, le da pensativos mordisquitos... Hay un *basset hound* que la observa con la cabeza ladeada, Mercedes hace ademán de ofrecerle la verdura pero él se aleja trotando hacia la puerta. El silencio es total, sólo se oyen los suaves clic-clics de las uñas del perro sobre el suelo de barro cocido. Están en un recinto de cristal en el que hay una piscina de agua caliente, fuera brilla un sol aguado pero dentro hace calor y un vaho pegajoso enturbia los colores: amarillos en las paredes, rojo el suelo y verde en todas las plantas, que son enormes, tanto, que desbordan su lecho natural.

La historia según Mercedes I

Supongo que debería empezar por decir que no soy una entusiasta de los pequeños hoteles perdidos en la mitad de la nada. Pero lo cierto es que esta noción, como tantas otras, no la tenía hace unos meses. En realidad yo sabía muy poco sobre lo que me gustaba y lo que no, estúpido, ya lo sé, grotesco si se piensa que mi pasaporte confiesa cuarenta años, dos menos de los que en realidad tengo. Sin embargo hay que reconocer que L'Hirondelle D'Or, lejos de parecerse a un hotel al uso, ha resultado ser exactamente como decía el folleto informativo: "La casa de campo más exclusiva del momento y un vergel en medio de las rojas tierras del centro de Marruecos donde descansar, hacer salud y olvidarse del mundanal ruido". Aún no sé si me encontraré aquí "... con Martin Amis recluido para terminar su última novela, o con Mick Jagger haciendo dieta después de su gira con los Rolling" tal como reza el prospecto. Sospecho que en esta época del año tampoco será fácil "...darse de bruces con Isabel Adjani entregada a los famosos barros curativos del lugar" y, de momento, no he visto a ninguna "... estrella del pop intimando con la crema de la aristocracia inglesa cerca del buffet de la piscina...", pero lo que sí me imagino que podría pasar es que éste sea "... el tipo de lugar donde uno coincide con damas italianas amantes de la buena cocina dietética, con franceses locos por la vida sana y con fanáticos de la vida privada, privada, priva-

91

da..."; todo ello lo he leído en el prospecto (tan sobrio como este elegante hotel) e impreso en papel verjurado y tinta azul (fotos no, sólo dibujos), por Dios, que esto no es el Holiday Inn, precisamente. Lo que, al menos, está resultando cierto es que, por ahora, no me he tropezado con nadie de Madrid, y eso ya hace que pague sin remordimiento las cincuenta mil pesetas diarias que cuesta mi pequeña habitación en el ala sur, la *chambre pistache*, según el letrerito que viene acoplado a la llave, ya que aquí no hay números, faltaría más.

Estoy en estos momentos cerca de la piscina de invierno con la única compañía de dos o tres huéspedes de la tercera edad que pasean por mi lado envueltos en enormes batas de felpa, silenciosos y amables, discretos..., ajenos. Fue una buenísima idea venirme aquí. Nunca en mi vida había viajado sola, pero un hotel especial para adelgazar es el sitio perfecto; muchas personas solitarias vienen a establecimientos como L'Hirondelle con la excusa de hacer régimen y nadie se extraña de que no tengan compañía. Además en el caso de que alguien se extrañe, creo que me daría igual porque de eso se trata: de que de ahora en adelante empiece a hacer lo que me dé la gana sin pensar en nada. Ya lo decía no sé quién: soledad es únicamente un antipático sinónimo de la palabra libertad y hay que aprender a disfrutarla; muy bien, pues estoy dispuesta a intentarlo.

Acabo de quedarme viuda hace poco y de la manera más inesperada, v-i-u-d-a, ahora, al escribirlo por vez primera, suena muy extraño, doloroso, debería añadir, pero he descubierto recientemente que la pena es un sentimiento lento comparado con otros casi instantáneos: sorpresa, asombro..., eso es lo que se siente en verdad, los vacíos tardan en hacerse notar, y es una suerte, supongo, así da tiempo a ordenar la cabeza.

Es la primera vez que hablo —o mejor dicho escribo— sobre lo que pasó y no sé si es buena o mala idea hacerlo. Tal vez sea buena, pues otra cosa que he aprendido estos días es que las vivencias sólo se vuelven recuerdos una vez que uno les da forma con las palabras, de veras, hasta que no se expresan (¿o expulsan?) las vivencias no son más que un revoltijo de ideas dando vueltas y vueltas en una cabeza desordenada. Todo eso he aprendido últimamente, como también que las ideas suelen adquirir la forma que se les da la primera vez que uno las expone ante una persona amiga o un papel en blanco, y así fraguan: optimistas o pesimistas, precisas o vagas, verídicas o un poquito falsas, según como hayan sido expresadas en esa primera ocasión. Por eso es muy importante cuidar lo que uno dice. ¿Lo intento? Muy bien, no hay personas amigas por aquí cerca, pero sí puedo anotarlo en un papel a ver qué ocurre: acabo-de-quedarme-viuda-de-la-manera-más-ridícula-tanto-que-se-presta-a-interpretaciones-verda-deramente-extravagantes. Ya está, está dicho y no pasa nada, lo he escrito, y le he dado forma; supongo que a continuación podría añadir ciertos detalles, contar quién estaba presente cuando ocurrió todo, decir que mi marido tuvo una muerte muy poco gloriosa, que se ahogó comiendo una almendrita (Dios mío, qué cómicas suenan las desgracias cuando se escriben de forma escueta). Sin embargo, eso fue exactamente lo que le ocurrió, lo juro, fue así... Absurdo, ¿verdad?, trágico también, y sin embargo, a pesar de ser ambas cosas, por lo visto, no es suficiente para algunos, pues hay que ver las especulaciones a las que ha dado lugar el caso. (¿Quiero realmente darle forma a este segundo pensamiento...? ¿Por qué no? Ciertas reflexiones importantes es mejor ensayarlas primero ante un papel para que luego, cuando uno las cuenta por ahí tengan ya su forma ideal, la que más conviene: adelante.) Dicen, lo sé muy bien, cosas disparatadas sobre lo que pasó aquel día, que Jaime estaba en la cama con otra mujer cuando ocurrió, hay quien insiste en que tenía problemas económicos y lo mató la tensión o el estrés, incluso hay personas que conjeturan que murió por culpa de una alergia misteriosa a no sé qué, cuánta fantasía, tanta, que no me extrañará si un día alguien sale diciendo que fui yo, harta de sus mil infidelidades, quien le causó la muerte, aunque a tanto no creo que lleguen, no, no, sería demasiado absurdo, qué tonterías digo, por Dios.

¿Y por qué escribo todo esto, si lo que yo me proponía era hablar del presente y de ningún modo del pasado? Ideas..., recuerdos... De nada vale dejarlos libres, están demasiado desordenados aún, y yo he venido aquí precisamente para no pensar, así que ya está, basta de reflexiones que a nadie interesan, voy a volver a lo que estaba explicando al principio sobre este hotel, pues ésa era mi primera intención al comenzar a escribir unas líneas, aquí, junto a la piscina.

Sin ánimo de convertirme en una guía de viajes debo decir que L'Hirondelle D'Or es un hotel a cien kilómetros de Fez, regentado como una exótica casa de campo, donde la gente se interna con la coartada de cuidar el cuerpo y descansar la mente. Un santuario, un retiro monacal, sólo que instalado en un edificio extravagante y rojo que se levanta en medio de la Nada. Es cierto, alrededor no hay nada, sólo caminos de polvo, pero pronto se olvida uno de que está casi en pleno desierto. L'Hirondelle parece un mundo en sí mismo, ajeno. Nunca había conocido un sitio parecido. Todo está programado: desde la gimnasia matinal hasta la hora del masaje, los tratamientos y, por supuesto, las comidas, que son deliciosas. En cuanto al decorado, algunas palmeras hacen honor al paisaje africano como también la indumentaria de los camareros y un cierto perfume a hierbabuena que lo impregna todo: las toallas de baño, el té de la tarde, el cordero, el cuscús... pero el resto de las cosas y, sobre todo, lo que se refiere a las comodidades son bien occidentales... aunque, ahora que lo pienso, nada es *exactamente* aquello que parece porque el té, por ejemplo, no es té sino un concentrado de hierbas de lo más sofisticado; el cordero, al comerlo, se nota en seguida que es desgrasado y *light*, ¿y el cuscús?, bueno tal vez el cuscús sea de sémola, pero apuesto que es *made in U.S.A.*

También los placeres son muy occidentales, como un pequeño campo de golf tan verde que no quiero ni pensar lo que costará mantenerlo así. Luego hay dos piscinas: una de verano fuera de uso en esta época del año, otra cubierta, que es donde yo me encuentro ahora, y un recinto de baños o *spa* que, según dicen, aprovecha los barros de unas caldas romanas. Es allí, en ese otro pequeño edificio acristalado que hay a mi derecha donde todos los huéspedes pasamos horas entregados a los distintos tratamientos que nos recomienda un personal muy eficaz. Eficaz y casi invisible, pues he aquí otra de las características más sorprendentes de L'Hirondelle D'Or: nunca se ve a nadie. Sí, resulta muy chocante pero, bajo una apariencia exótica, todo funciona con la precisión de un reloj suizo (el "reloj suizo", el motor secreto que mueve todo esto, creo que se llama señorita Wasp, pero jamás la he visto, sólo nos hablamos por teléfono). Y esa precisión, esa eficacia de la que hablo se nota, no sólo en el día a día, sino, sobre todo, en las excepciones. Como el pequeño accidente ocurrido ayer mismo en el campo de golf, por ejemplo. Uno de los huéspedes (un suizo, por cierto) casi se electrocuta con unos cables que estaban sueltos, todo muy desagradable, un caso de verdadera mala suerte... pero hoy ya nadie habla del asunto, se diría que existe una consigna secreta que nos incluye a todos: silencio, reserva, todo va bien, estamos de vacaciones.

Éste es un mundo aparte. De veras. Sin ir más lejos, el día de mi llegada, después de que el *jeep* del hotel me recogiera y tras un interminable viaje por carreteras polvorientas, me pareció entrar en un oasis. Y no se trata de una frase: desde el principio uno tiene la sensación de que en L'Hirondelle se es huésped de un misterioso y discreto anfitrión al que nunca se ve pero que secretamente se ocupa de que todo discurra por los bien engrasados raíles de la perfecta hospitalidad, incluso hace que parezca de mal tono hablar con los demás huéspedes; resulta muy raro al principio, pero pronto uno se acostumbra y ahora yo diría que ésta es una de las características más gratas de este lugar porque ¿a santo de qué fomentar la tan temida confraternidad de los viajes organizados?: "... Hola, me llamo Eric, soy de Göteborg, Suecia, estoy casado con Greta, tengo treinta y cuatro años y una hija llamada Ingrid...". "... Encantadísimo, Eric, yo soy Pierino de Rimini, Italia, separado dos veces, tres hijos, Paolo, Carla, Gigi... ¿Os gustaría compartir con nosotros mesa durante los próximos veinticinco días?" ¡Veinticinco días! Nada de esto se espera que ocurra en L'Hirondelle afortunadamente, y, donde quiera que se esconda, que Dios bendiga al inventor de este refugio para corazones solitarios.

Hablando de corazones solitarios, por ahí viene otra vez el marqués de Cuevas. No tengo ni idea de su nombre pero me recuerda a aquel famoso heredero chileno del que hablaban todos los cronistas del mundo frívolo hace unas décadas. Es tan divertido hacer cábalas; un ejercicio muy entretenido ese de observar a las personas del hotel, imaginar desde lejos qué es cada quien y entretejerles una personalidad que cuadre con su aspecto. En el caso de este marqués de Cuevas resulta muy fácil: sesenta años calculo yo, buena pinta, muy saludable, aunque no parece el tipo de persona que se interese mucho por la parte terapéutica del hotel, claro que ello no es obligatorio, naturalmente. En cambio, llevo un buen rato observándolo y lo he visto pasar una y otra vez cerca de la piscina de invierno con la mirada perdida en un punto muy distante, lejanísimo, no en el espacio sino en el tiempo, qué sé yo, es como si desde aquí escrutara la década de los cincuenta, por ejemplo. Usa un caftán blanco con una ramita de menta que le asoma del primero de sus innumerables ojales. Y babuchas de color caramelo. Y un sombrero que parece un disco pajizo. Además, cómo no, tiene perrito. Aunque el perrito rompe un poco la estética. Normalmente, los personajes tipo señor de Cuevas suelen pasear caniches o perros salchicha en el caso de los más sobrios. Mi hombre, en cambio, es dueño de un *basset hound*, un animalito rechoncho de largas orejas y mirada triste, el perro de un niño travieso.

Hace una tarde deliciosa. El hombre se sienta en una tumbona cercana: *"Viens ici*, Gómez, *viens*, perrito malo"*... ¿Gómez? ¿De quién habla?, ¿se referirá al perro? y además ¿habla español?, qué extraña coincidencia... Bueno, quién sabe, a lo mejor he acertado en mi diagnóstico y se trata de un marqués de Cuevas, un superviviente de otras épocas pero, no sé, realmente me parece que lo estoy adornando con una aureola demasiado romántica, ya no circulan por el mundo riquísimos herederos decadentes con pasaporte chileno (ni boliviano, ni peruano, ni uruguayo, ni siquiera argentino), ¿de dónde habrá salido este hombre?, y en seguida pienso en Juan P. Bonilla y en el fax que acaba de enviarme: cómo le chiflaría a mi amigo ver todo esto: "... tú lo que tienes que hacer, bonita, es irte por ahí sola a descansar, que lo has pasado fatal, han sido unas semanas terribles", me dijo el otro día cuando me invitó a comer a Lucio, según él, para hablar de negocios, "vete, olvídate de todo y mira, tu amigo que te adora (adora dice y a veces a-dora, pero no es afección en el hablar, de eso estoy segura, debe de tratarse de otro fenómeno que a mí se me escapa)..., tu amigo que te adora va a hacerte una proposición deshonesta. No, no te asustes, bonita, sólo quiero que nos escribas un libro, para nuestra colección de temas de actualidad, algo ligerito, y de paso podrás reírte un poco de esos personajillos de moda que decían ser tus amigos y ahora ya ves... Hazme caso... Cógete unos días para ti sola, vete por ahí, que yo me encargo de hacerte llegar una propuesta escrita, somos una editorial ecléctica y nos interesa tener de autora a alguien como tú".

Hoy mismo pensaba yo en aquella conversación, por eso se me ha ocurrido poner por escrito unas cuantas reflexiones, pero no es nada, sólo una idea para pasar el rato. Ahora, al recibir el fax, me doy cuenta de que apenas recordaba cuál era exactamente la propuesta de la editorial y por cierto, ¿qué diablos le haría pensar a J. P. Bonilla que yo iba a aceptar escribir un libro de esa clase, un manual de buenas maneras? La gente tiene cada idea... De escribir algo, me gustaría estar capacitada para contar lo que pasó con Jaime aquella noche estúpida, eso sí que tendría interés... La-muerte-de-Jaime-tal-y-como-ocurrió, buen título, ¿no? ... Qué curioso, realmente qué curioso, porque ahora que lo pienso, si yo supiera contar con ironía todo lo que ocurrió aquella noche (y también, de paso, todo lo que me viene sucediendo desde entonces), ese relato *sí* que sería un auténtico catálogo de "buenos modales";

98

a J. P. Bonilla le iba a fascinar, no cabe duda..., claro que no sería muy publicable, me temo. No sería publicable en absoluto. Además, yo no tengo idea de cómo se escribe..., fatal, se me da fatal: basta con ver lo confusas que me están saliendo estas cuartillas.

—Gómez, *chou, chou*, no te muevas de aquí.

Miro y allí está ese hombre recostado muy serio en una tumbona cerca de mí. Con el pie parece llevar el compás de una música invisible: un-dos-tres, un-dos-tres.

¿Qué pasa ahora?, el perrito (¿de veras habré oído bien y se llama Gómez?) se escapa y viene hacia mí con la cabeza ladeada. Ojalá tuviera algo que ofrecerle, algo que le guste, aunque no fuera más que una patata frita. Sólo tengo un vaso con Pimm's, cosas de la maldita dieta. Le ofrezco una lasca de pepino de las que nadan dentro de mi copa, no la quiere, naturalmente, dónde se ha visto un perro vegetariano, y ya se aleja de la piscina con un trote muy digno.

"*¡Viens ici*, Gómez, perrito malo, malo!", oigo repetir a ese hombre..., debe de ser el calor en combinación con el alcohol lo que me pone de tan buen humor.

Estoy aquí en L'Hirondelle D'Or y lejos de Madrid, puedo quedarme el tiempo que quiera, un mes, dos, si aguanto, soy dueña de mi tiempo, me lo tengo que repetir muchas veces a ver si se me mete de una vez en la cabeza, dueña de mi tiempo, de mi vida, y también de mi dinero... pero sobre todo soy dueña de mi libertad. Eso es lo más importante.

El hombre me mira. Bajo el sombrero de paja se adivina una cara cetrina, tan poco distinguida en realidad, mezcla de europeo con... un indio americano quizá... y sin embargo se mueve de un modo que no admite equívocos. Las manos, y ese modo de pasar las páginas de una novela que sé que no está leyendo en absoluto..., hace falta muchos años de colegio suizo para moverse así, aunque vista caftán y babuchas..., me pregunto de qué depende eso de tener clase o no tenerla. Hay gente que se puede disfrazar de mamarracho y no pasa nada, otros en cambio se uniforman de Armani como J. P. Bonilla y no dan el pego ni a diez kilómetros... Si yo tuviera que explicar todas estas cosas en un libro de buenas maneras no sabría ni cómo empezar..., imagínatelo, Mercedes, total: ¿tienes acaso algo mejor que hacer esta tarde?, ¿o mañana?, ¿o en los próximos cuarenta años? El decorado es perfecto para imaginar el colmo del esnobismo, a ver: ¿cómo arrancaría?... No, no, olvídate. Lo cierto es que me siento incapaz de escribir, aunque, cuando uno está solo en un lugar pintoresco en seguida le entran ganas de emular... a Somerset Maugham, por ejemplo, y es que describir todo esto que veo es mucho más divertido que perder el tiempo en redactar un libro de buenos modales como el que quiere Bonilla... Ahora recuerdo que mi abuelo tenía una novela rusa de finales del siglo diecinueve escrita como manual de costumbres, era desternillante pero tan cursi, cada capítulo comenzaba con una recomendación mundana para luego continuar contando cómo son las cosas en la vida real y claro, nada que ver, porque la vida es lo más opuesto a un manual de buenas costumbres. ¿Cómo se llamaba la novela? *Labios griegos*, creo, pues según dice no sé qué proverbio armenio son los más finos y los que mejor mienten. O ¿se llamaría *Bocas griegas*...? En fin, no importa demasiado, ya sabemos que los labios o bocas finas son los que mejor mienten, no hace falta que nos lo digan los proverbios armenios. Lo que sí recuerdo de la novela es que cada capítulo correspondía a una ocasión de la vida social: "El bautizo", "La boda", "El funeral"...

El funeral

Después del funeral la viuda observará luto durante dos años. El gran luto austero, un año (...) los últimos seis meses de duelo admiten las siguientes variantes: las puntillas negras, la seda, los bordados (sólo con azabache).

Durante los tres meses finales: enaguas blancas y negras, puntillas blancas. A las seis semanas y hasta el final se aceptan los colores gris, ciruela, pensamiento y lila (ha de observarse estrictamente este orden). Por fin, cuando termina el duelo aún habrá una pequeña transición antes de vestirse como todo el mundo. Se comienza por los tonos neutros, las joyas salen discretamente de sus estuches y puede adornarse el pelo con un crisantemo (de cualquier color) porque es una flor de viudas.

> *Usages du monde. Régles du savoir-vivre dans*
> *la société moderne.*
> Baronesa Staffe, 1890.

El estado ideal de la mujer es viuda
(La historia según Rafael Molinet)

A pocos metros de Mercedes Algorta, dos tumbonas más allá, estaba él.

Aunque hacía mucho calor apenas le brillaba la cara pues sudar no es nada distinguido. En cambio, sus ojos mantenían el aire alerta de las lechuzas viejas, esas que saben que sólo es cuestión de tiempo: tarde o temprano habrá de pasar por su lado algún ratoncito incauto. Sin embargo, para describir del modo más certero cuál era el aspecto de este huésped llegado a L'Hirondelle D'Or, lo ideal sería plagiar el retrato que Truman Capote hizo de Jean Cocteau y decir:

Rafael Molinet parecía un rayo láser ambulante con una hojita de menta en el ojal.

O al menos así se veía él. Y fue en esta misma postura y lugar desde donde diez días más tarde contó punto por punto todo lo vivido en el hotel. Volvía entonces a aquella mañana del 13 de octubre para comenzar el relato y se imaginaba dedicándolo a un oyente sorprendido. A su vecino Reza, el peluquero de perros, por ejemplo, o —mejor aún— no a un oyente sino a muchos, a todo un auditorio amplio y selecto. Cháchara de viejo, retahíla de cotilla, sí, pero tan pintoresca..., logró descubrir además —demasiado tarde en la vida— que tenía un talento único para adornar las situaciones y un gusto delicadísimo para recrear (o para inventar) distintos personajes, incluido el suyo propio. Por ello, antes de embarcarse en su narración, se detenía un momento para trenzar mentiras con medias verdades mientras insistía con la cadencia de quien ha tejido muchas veces el mismo hilo: ¿Les gustaría oír la historia de una chica mala? y luego sin esperar respuesta: "Por Dios, por Dios, nada de nombres, no resulta de buen gusto".

Las reacciones, se imaginaba él, no se harían esperar: un ruido de sillas que se arremolinan, orejas aburridas que de pronto se vuelven atentas y tras unos segundos de medida pausa, Molinet se veía juntando las yemas de los dedos tal como hacía su admirado Capote, para sumergirse en el relato de todo lo ocurrido en

L'Hirondelle D'Or aquellos días del mes de octubre, igual, igualito, que si lo estuviera viviendo paso a paso:

"No puede decirse que yo sea un tipo falto de curiosidad", comenzaría diciendo, "ni que ésta sea la primera vez que me entrometo en la vida de alguien a quien no conozco, pero cuando pienso en todas las molestias que llegué a tomarme por descubrir la verdad, aún me resulta increíble". ¡Hay que ver lo que uno es capaz de hacer por puro aburrimiento!

Supongo que de no haber sido octubre, un mes perfectamente anodino, y si L'Hirondelle hubiese estado lleno de gente importante, yo no me habría interesado en Mercedes Algorta. Entonces, tampoco se me habría ocurrido telefonear a mi sobrina Fernanda a Madrid; ella por su parte jamás habría tenido ocasión de ampliarme dos o tres chismes mundanos contados en Londres días atrás que ya habían hecho sonar una campanita en este viejo cerebro alerta y en tal caso, ahora no estaría hablándoles de esta historia.

La historia de una chica mala, eso es lo que me dispongo a contar, pero no saquen conclusiones precipitadas, las cosas obvias nunca son lo que parecen, así es que volvamos atrás en el relato para empezar por el principio, es decir, por la primera vez en que reparé en la viuda.

Fue exactamente el trece de octubre, lo recuerdo muy bien. Yo no conocía estos nuevos santuarios en los que se han convertido algunos hoteles gracias a una moda altamente salutífera —no lo pongo en duda—. Desde que uno llega todo está previsto: ¿Problemas de cervicales, señor?, ¿reúma?, ¿varices? Póngase en nuestras manos, nosotros nos ocupamos de su cuerpo y también de su espíritu...

Yo debía de ser el único cliente rebelde decidido a no seguir tratamiento alguno pues al resto de los huéspedes los veía —los veo— ir de un lado a otro con aire decidido y envueltos en unos albornoces de felpa amarilla: tratamiento de lodos de nueve a nueve y media, gimnasia estática en la piscina a las diez y cuarto en punto, y luego masaje, y emplastos curativos y sauna... qué agotadores resultan, aunque todo sea por el *mens sana in corpore*... ustedes ya saben.

Lo que más llama la atención desde el principio es que nadie se dirige la palabra; supongo que tanto barro invita a la introspección, como si cada uno de los huéspedes estuviera haciendo algo muy trascendente que requiere voto de silencio. Además, en mis primeros días en L'Hirondelle éramos muy pocos, por lo que el aislamiento resultaba aún más incomprensible, sólo estábamos la viuda, yo, y los Beaulieu —un matrimonio belga altamente soporífero que no vale la pena pararse a describir.

La chica, en cambio, me pareció mucho más interesante. Coincidimos en la piscina y si me quedé mirándola no fue porque la relacionara, al principio, con una historia que me había contado mi sobrina unos días antes almorzando en Londres, sino por algo indescriptible que, ríanse, me hizo pensar:

"El estado ideal de la mujer es viuda."

Siempre lo decía la pobre mamá, y de pronto se me ocurrió que la chica tan delgada que estaba dos tumbonas más allá (chica es un decir, *naturellement*, apuesto a que no vuelve a cumplir los cuarenta) se le parecía un poco. La verdad es que físicamente no tienen nada que ver, mucho más distinguida mamá, dónde va a parar, pero se daban un aire: el mismo pelo rubio con mechas finitas y una de esas mandíbulas angulosas que suelen envejecer mejor que las caras estrechas. Los ojos eran distintos; mamá los tenía divinos, de un azul extraño, casi lila, pero los de ella eran grises, lo cual tiene también su interés, nunca me han gustado las mujeres con ojos vulgares. Sus dedos son largos, reparé, y creo que fue lo segundo que me llamó la atención, eso, y el hecho de que usara dos alianzas juntas como las viudas. También lucía —y no dejaba de ser chocante— una gruesa pulsera muy de los años cuarenta, creo yo, aunque veo bastante mal de lejos, una pieza interesante pero ¿para ir a la piscina? pensé, *que c'est drôle*. Sea como fuere, las noticias vuelan como *les hirondelles* en hoteles como el nuestro (siempre hay algún camarero dispuesto a ser indiscreto, incluso gratis, y el voto de silencio que envuelve este hermoso lugar no incluye, por lo visto, a los hijos de Alá). El caso es que, al rato de coincidir en la piscina, ya contaba con un completo perfil de la dama: había reservado habitación para los próximos ¡cuarenta días!, era de Madrid, no tenía hijos y acababa de enviudar. Bien, pensé, pues q.e.p.d. quien quiera que fuese el afortunado. ¿Qué más podía decir?

Se estaba agradable en aquel bendito lugar, octubre es un mes tan antipático para quedarse en Londres, llueve demasiado y resulta muy conveniente hacer un corte antes del invierno o corre uno peligro de llegar con reúma (con moho incluso) a las brumas de enero. Si he de serles realmente franco, yo nunca he tenido mucho dinero, pero procuro gastarlo con estilo, al menos en esta ocasión pensaba hacerlo. Debo confesar, además, que muchas veces soy afortunado y consigo unas ganancias extra. Poseo, aunque esté mal decirlo, una gran habilidad para los juegos de azar, en especial para el backgammon que, casualmente, es el juego preferido de los vividores, también de los "pichones" y algunos de ellos son tan ricos... Antes de llegar tenía la idea de que L'Hirondelle D'Or debía de ser un hotel ideal para este tipo de actividades. Caro, discreto, silencioso... Aunque lo cierto es que llevaba allí tres días y aún no había aterrizado nadie de verdadero interés, alguien, por ejemplo, a quien tener el placer de aliviarle la cartera. Qué sé yo, un americano importador de salchichas, un árabe de esos que no observan el Ramadán esperando el ocaso de sus vidas para peregrinar a La Meca (los cabellos llenos de ceniza, etc. etc.) y pedir perdón por sus múltiples pecados, incluido el de haber secado de petróleo todos los pozos del desierto de Arabia. En otras palabras, un rico o cualquiera que me ayudara a ganar un dinerito imprevisto.

"Gómez, *viens ici*, chi-chi, no molestes a la señora", recuerdo que dije. Mi perrito merodeaba cerca de aquella chica, pero ella obviamente se hacía la distraída, se comportó tal como yo esperaba: las niñas buenas jamás hablan con extraños, ¿qué sería lo que anotaba con tanto celo?, ¿qué podían ser aquellos papeles que estaba escribiendo?, algo relacionado con su patrimonio, pensé, tiene pinta de haber quedado *well off*, ¿el finado sería rico y viejo?, ¿y el funeral?, ¿cómo se harán las cosas en Madrid?, ¿y el luto?, supongo que muy distinto, *Dieu merci*, a como yo lo viví aquella vez.

Fue inevitable. De ahí el pensamiento me saltó a los recuerdos: mamá en Madrid vestida de negro, mamá presidiendo la misa de funeral de Bertie Molinet (¿a tu padre lo llamas así, Rafael?, ¿como si fuera un extraño?, siempre me preguntan lo mismo, pero nunca me he referido a él de otro modo, inútil disimular, nos detestábamos mutuamente Bertie y yo, ésa es la verdad)... Mamá presidiendo el funeral de Bertie Molinet, digo, era el año 1958, y ya estábamos casi tan tiesos como el as de *piques*..., ella muy pálida, toda vestida de negro, sin un adorno excepto sus maravillosos ojos, tan digna... Nadie entendió que quisiera regresar a su ciudad de origen para honrar al muerto, como una señora, como si no hubiera tenido que vivir los últimos tres años en una casa triste del *dix-septième* de París (todo esto mucho antes de que nos mudáramos a Londres para consumar ya del todo nuestro definitivo descalabro).

¿Habrán cambiado en Madrid los funerales de la gente bien?, pensé a continuación, ¿serán tal como los que salen en las revistas?, tan disparatados, ya saben, donde la importancia del muerto se mide, no por el número de Mercedes y BMW a la puerta, sino más bien por el enjambre de descamisados *paparazzi*, buitres apostados a la entrada del templo, fotógrafos *par tout*, dando la espalda al Santísimo, colgados del púlpito para captar el gesto de dolor de los deudos, siempre que sea gente importante. ¿Habrá sido así en el caso del marido de esta chica?, me dije y no, no es que en ese punto de pronto se me hubiera despertado ¡clic! el interés por ella, en el fondo ¿qué podía importarme?, al menos de momento no pensaba que fuera la clase de persona que pudiera atraer mi curiosidad. A pesar de que me intrigara la ostentosa pulsera que llevaba en la muñeca izquierda. A pesar de que me recordase tanto a mamá.

Fue así que empezó todo, por puro aburrimiento. Desde mi llegada éramos sólo cuatro huéspedes... aunque antes de ayer apareció fugazmente otro tipo. Nadie muy interesante, la verdad, intentaba ser simpático, pero era suizo romanche y con eso está dicho todo (gente aburridísima los S. R., llevan demasiados siglos de íntima relación con las vacas, para mi gusto). En cualquier caso, estuvo muy poco tiempo, sufrió un pequeño accidente jugando al golf, algún problema con unos cables sueltos cerca de una de las trampas de agua, creo que casi se achicharra como un *chichkebab* (perdón, me refiero a un pincho moruno, naturalmente; tengo la mala costumbre de hablar en un revoltijo de idiomas, es mi única concesión a la cursilería imperdonable)..., el tipo aquel casi se achicharra como un pincho morisco, digo, es tan fácil que ocurran imprevistos de esta clase en el Tercer Mundo, pero al final no fue nada de cuidado. Él voló rápidamente a Zúrich a consultar con sus abogados sobre la mejor manera de conseguir del hotel una sustanciosa indemnización, mientras nosotros continuamos disfrutando de nuestro silencioso tedio. Y transcurrió toda la tarde del día trece sin que existiera entre los huéspedes más contacto humano que los cabeceos formales que nos dedicábamos unos a otros cada vez que nos cruzábamos en los pasillos: buenos días, buenas tardes... Me acuerdo que pensé: si al menos hubiera alguien con quien charlar, de nada en especial, simple compañía, el resto de los huéspedes parecen entretenerse con sus barros terapéuticos pero yo ya no sabía qué hacer, me imaginaba dentro de poco hablando solo como en un triste cuento de Chejov, o departiendo con mi perrito. Por cierto..., ¡yo adoro los animales!, tienen tanto más sentido común que los humanos, pero... no es momento de pararse a hablar de ello, no quiero desviarme mucho del centro de mi historia: resulta que el mismo día en que ocurrió el accidente del suizo (para mi sorpresa tampoco se habló del tema; supongo que cuantas más estrellas tiene un hotel más rápido desaparecen los cadáveres inoportunos, los ejecutivos infartados, los golfistas sin suerte como nuestro amigo el de la Suiza romanche)..., el mismo día del accidente empezaron a llegar más huéspedes. Los primeros fueron unos alemanes, pero tan jóvenes..., siempre he pensado que es un fastidio sablear a los veinteañeros, le hace a uno sentirse como un *clochard*. En este caso se trataba de dos parejas muy de la baja Baviera, diría yo, magnífico aspecto, sobre todo los hombres (*que les femmes sont laides!*, dudo que los barros milagrosos de estas caldas consigan mejorarlas), pero ellos, con sus vaqueros gastados, sus camisas Calvin Klein y esas gafas de carey redondas y graduadas, me parecieron superdistinguidos tan... ¿cómo describirlos?... tan, pero tan, "Thurn und Taxis...".

"Indesplumables, *mon cher*", me dije enseguida. "Es más fácil sacarle dinero a las rocas del desierto que a esta clase de ricos imberbes. Podríamos probar con la viuda, *alors*", pensé por pura eliminación, "no creo que resulte demasiado difícil ganarme un dinerito para gastar estos días".

Y eso es precisamente lo que decidí hacer, no tiene ningún mérito. Si hubiera habido otras personas más abordables es seguro que no me habría inmiscuido en los asuntos de la viudita española para descubrir ciertos secretos. Pero es así como empiezan las cosas, de la manera más banal. Ella se parecía a mamá, yo tengo en Madrid una sobrina a la que le gustan los chismes mundanos (ya me lo había demostrado unos días antes) y tengo además un dedo inquieto, horriblemente frívolo al que no parece preocuparle el precio que tienen las conferencias con el extranjero. Tampoco había muchas otras cosas con las que entretenerse en aquel paradisíaco rincón de África. Paradisíaco, silente y perfecto también. Tanto, como una tumba egipcia. En L'Hirondelle todo está pensado para la molicie: la mesa puesta y llena de manjares, las frutas, las flores que una mano invisible renueva de modo que siempre sean jóvenes, siempre frescas. Y nosotros los huéspedes, juntos que no entreverados, aburridos pero sonrientes, nos movíamos como sombras chinescas. "Buenas noches, buenos días, ¿durmió bien?" Nunca pasa nada aunque pase de todo. Es verdad lo que digo: a veces, las peores cosas ocurren cuando parece que no ocurre nada de particular. Mamá, por ejemplo: otra vez la recuerdo el día del funeral de Bertie Molinet. Aparentemente no pasaba nada, ésa es la delicia de la buena educación: nunca pasa nada.

No hubo lágrimas ni escenas tristes durante la ceremonia, pero tampoco eran de esperar: es cuestión de buena crianza el no exteriorizar la pena. Desmelenarse y llorar a gritos como una plañidera siciliana siempre se ha considerado un poco *low class*, digamos..., aunque..., ahora que lo pienso, en el funeral de mi padre sí hubo su dosis de consternación, pero eso también es explicable por extraño que parezca. Y es que entre este tipo de gente, las demostraciones de dolor a menudo acaban siendo inversamente proporcionales al cariño que se sienta por el difunto, y a mi padre nadie le tenía demasiado afecto. Cuando nada se siente, cuando a los que les debería importar les importa un *corno* el muerto, no queda más remedio que fingir un poco, resulta más decoroso, y al fingir —es inevitable— siempre se le va a uno la mano. Por eso, a menudo, los funerales de la gente menos apreciada son inesperadamente tristones, paradojas de la buena educación...

Aun así a ella, la de los ojos lila, nadie la vio llorar, tampoco eludir una mirada. Ni cuando se acercaron uno a uno sus parientes españoles, esos mismos que cuchicheaban bajito sobre cómo había sido su vida en los últimos años antes de que la Providencia, amable ella, la dejara viuda. "¿Elisa?", decían y no les importaba que yo les oyera. "¿Elisita? Sí, ha vivido siempre por ahí, en París, en Londres, desde hace quince o veinte años, al principio a todo tren, ya sabes cómo se las gastaban los ricos sudamericanos de antes de la guerra, y Elisita estaba casada con uno prototípico. Uruguayo por más señas, de los que viven toda su vida en Francia y mandan a los hijos a colegio suizo hasta que un día se arruinan sin remedio y se convierten en una carga insoportable para sus esposas, volviendo al hogar después de mil infidelidades. No te puedes imaginar qué desastre, chica... Ah, ¿pero qué me estás contando?

¿De veras que no sabes cómo murió el tal Bertie Molinet? Pues déjame que te ilustre un poco sobre este prohombre del Río de la Plata que acaba de fallecer en su casa de Montevideo para alivio de todos..."

A lo mejor, con tanto saltar de tema, tal vez les esté haciendo un lío, pero así se fue devanando la historia el primer día en mi cabeza. Yo calculé entonces, al hilo de estos pensamientos antiguos, que quizá fuera oportuno confiarle a la viudita que soy medio español, eso siempre ayuda a romper el hielo (medio español, medio uruguayo, también medio húngaro y medio francés, muy útil para la confraternización). Afortunadamente no lo hice. Decidí, en cambio, seguir la consigna de silencio imperante en el lugar, al menos hasta que pudiera hacer algunas averiguaciones con mi sobrina Fernanda, ella sabe todo lo que pasa en Madrid, es muy sagaz para las trivialidades. No es que yo entonces sospechara que aquella señora tan agradable de la piscina pudiera tener algo que ver con la historia que mi sobrina me había contado en Londres, no, sólo quería saber sus gustos, sus costumbres, es importante tener una base para poder iniciar una conversación: "Buenas tardes, no hay nada muy interesante que hacer en este hotel, ¿verdad?, ¿le gustaría que jugáramos un rato al backgammon?", eso iba a decirle y no me cabía la menor duda de que podía ser el comienzo de una relación... fructífera digamos.

No soy escritor, no soy psicólogo, ni siquiera soy un vividor en el más estricto sentido de la palabra, pero tuve entonces la sensación de que algo provechoso podía surgir sólo con tener los ojos bien abiertos. Y me alegra decir que no me equivoqué. Todo lo que voy a contarles se fue sucediendo como si la Providencia hubiera querido representar para mi disfrute exclusivo una historia de esas que pasan en las mejores familias con su dosis de basura, de mentiras, de traiciones..., oh, sí, de todo hubo. Naturalmente no voy a contársela tal como se fue desarrollando ante mi vista, sería demasiado errático y confuso, procuraré siempre que sea posible ahorrarles pequeños detalles y sobrepondré unas situaciones con otras casándolas con escenas viejas, con información de Fernanda y algunas deducciones mías, es así como lo hacen los escritores, ¿no?; son unos grandes tramposos... Pero yo también puedo serlo. Ellos juegan con ventaja, conocen el final de las historias que quieren contar. Y yo también, ahora sé su fin, por eso resulta fácil encajar las piezas sueltas a diferencia de lo que ocurre en la vida real. La vida es una sucesión inconexa de historias que nunca se acaban del todo hasta que uno muere y entonces, claro está, no puede contarlas y maldito lo que importa. En cambio yo sé muy bien cómo acabó ésta porque la viví desde fuera, he ahí la diferencia. He ahí la diferencia entre ser un participante y un mero espectador... pero basta de cábalas. Volvamos al punto de partida para empezar la historia con cierto orden. Como iba diciendo hace un rato, aquella mañana del día trece de octubre estábamos los dos solos en la piscina y mi perrito, que es muy sociable, se acercó a Mercedes Algorta con un aire inocentón. "*Viens ici, chou chou*", lo llamé enseguida: no me parecía el momento adecuado para hacer las presentaciones. Era preferible hablar primero con Fernanda.

Fue entonces cuando la chica le ofreció a Gómez algo de comer. A mi edad y sin gafas veo bastante mal de lejos, pero juraría que era un trozo de pepino. Mi perrito le dio la espalda y segundos después estaba en mis brazos.

Afortunadamente. *Que c'est dégoûtant!* No quiero ni pensar si con tan flatulenta verdura se le llega a desatar una terrible colitis.

Y era en este tono, con un despego mundano que le parecía muy apropiado al tema, con el que Rafael Molinet Rojas comenzó a contar todo lo ocurrido durante su estancia en L'Hirondelle D'Or, que fue más o menos esto:

La cena

Las principales circunstancias en las que una mujer aparece en público son las siguientes: callejeo (compras, misa, etc.), paseos, visitas, cenas, recepciones y espectáculos. Una mujer elegante debe siempre, hasta cuando se encuentre sola (y esto será únicamente en casa), cuidar su persona, para no tener que avergonzarse de ser sorprendida en un *déshabillé* extremado.

Para ser elegante, para ser bella, por la condesa de Drillard. (Traducción de la XX edición francesa).

14 de octubre: La primera cena

Ella se había vestido para la ocasión. Pantalón negro, camisa de seda blanca con tres pliegues centrales, pocas joyas, sólo unos clips de perlas que, ni de lejos, aparentaban lo caros que en realidad eran, una pulsera de oro y un libro: *Les malheurs de Sophie* en edición rústica (no porque le interesaran especialmente las desgracias infantiles de la condesa de Ségur, pero, al pasar por la biblioteca del hotel en busca de un libro-escudo que llevar a la mesa, no encontró mucho para elegir). En todo caso, si vestirse para cenar sola en un restaurante puede considerarse un arte, Mercedes Algorta lo había aprendido muy rápido. Nada en su aspecto podía interpretarse como "estoy aburrida" ni menos aún "soy accesible" y —con ser cierto— tampoco existía nada que indicara de forma descarada algo así como: "... bueno, para ser sincera, no tengo vocación de Simeón Estilita, precisamente", o en otras palabras: "sepan, señores, que no pienso pasarme los años que me quedan de belleza sentada en lo alto de mi virtud".

Sea como fuere, aquella noche el comedor de L'Hirondelle no parecía albergar a nadie que pudiera poner en peligro dicha virtud, y Mercedes casi se alegró de que así fuera. Se trataba de una habitación falsamente modesta, el suelo era de barro cocido y las paredes estaban pintadas en un color lavanda que a veces, a la luz de las velas, adquiría la tonalidad de la tinta, sobre todo en los rincones más oscuros. Ni los manteles ni la vajilla aparentaban ser otra cosa que rústicos pero el conjunto se mezclaba con esa armonía que parece lograda por pura chamba cuando es, en realidad, producto de una maestría muy cara y nada casual. Mercedes había llegado temprano. Eligió una mesa junto a la ventana y, después de estudiar la carta del modo concienzudo y algo náufrago que lo hacen quienes se disponen a pasar toda la cena sin más compañía que ellos mismos, decidió pedir el menú del día: 803 calorías repartidas sabiamente entre dos endivias, un muslo de pavo y un helado de yogur, aunque, eso sí, todo ello con un toque muy alta cocina. A continuación, miró hacia afuera con la esperanza de encontrar una buena coartada que le permitiera perderse en la contemplación de lo que había más allá de los cristales, pero la noche era oscura y la vista inexistente. Entonces, sintió la tentación de abrir el libro que había traído consigo para no tener que fijar la mirada en un punto indefinido como hacen las personas que comen solas, pero no estaba segura de que fuera lo más correcto, sobre todo a la hora de la cena. Miró un ratito la tapa sin decidirse a abrirlo y pensó que tenerlo cerrado sobre la mesa ya era tranquilizador. Debía evitar por todos los medios caer en una de las dos actitudes más corrientes entre los comensales solitarios. Ella los había observado muchas veces en otras circunstancias y le parecían patéticos. Unos eran demasiado conscientes de su condición de aves solitarias y hacían esfuerzos por no mirar ni a derecha ni a izquierda; otros, tal vez más veteranos, muy pronto olvidaban que estaban solos y optaban por dejar vagar libremente el pensamiento. Si los primeros parecían incómodos, los segundos resultaban aún más conspicuos. Se diría que, al carecer de interlocutor, los pensamientos se les hicieran visibles y era casi imposible evitar que se les pintarrajeasen las ideas más íntimas por toda la cara de una manera que resultaba impúdica. Un gesto o el modo de arrugar la frente delataba aquello que es mejor callarse pero que la falta de filtro descubre sin el menor recato. Mercedes tímidamente decidió abrir *Les malheurs de Sophie* y leer una línea o al menos pasear los ojos por la página, si bien no logró retener lo que decía. Pensó entonces que lo más razonable era mantener la vista fija en un punto, la puerta de entrada, por ejemplo. Pero el problema era que había dos, una daba al jardín oscuro y la segunda conectaba con el interior del hotel, aunque probablemente nadie iba a utilizar esta última: las habitaciones daban todas al jardín y era de suponer que los huéspedes preferirían acortar camino a través de éste. Eligió pues la otra, la puerta menos susceptible de ser abierta y mantuvo sobre ella los ojos hasta que el aburrimiento hizo que echara un vistazo en derredor.

El local estaba apenas iluminado por unas velas cortas y rechonchas que parecían emerger de los lugares más imprevistos y ondulaban con su luz el ambiente general: rojo en las tapicerías, amarillo en los manteles, todo era vago, silencioso, tanto como los camareros que iban y venían sirviendo las únicas tres mesas que estaban ocupadas hasta ese momento. Mercedes reconoció en la más alejada al matrimonio belga con el que solía saludarse inclinando la cabeza en la sala de masajes o en la piscina; y más allá le divirtió descubrir a unos recién llegados. Se trataba de un grupo de alemanes pero le parecieron demasiado jóvenes como para que le interesaran más de unos minutos. Había conocido a muchos como ellos en otra época de su vida, con su marido, en cacerías, tenían el aire inconfundible que se adquiere al nacer con un "von" entre el nombre y el apellido, como si esa partícula fuese un estigma tan ostensible como lo eran su modo de hablar estudiadamente alto y su aspecto sanote y desinhibido.

Por eso no se detuvo en observar que los hombres vestían atuendos informales y ellas, en cambio, trajes de noche demasiado sofisticados para un hotel de campo como L'Hirondelle. Sólo faltaba aquel individuo que había visto en la piscina y que le recordaba al marqués de Cuevas; con seguridad no tardaría en bajar al comedor pues así lo auguraba una botella de vino tinto a medio consumir sobre una mesa muy cercana a la suya. Tal vez cuando entrara se dedicarían el mismo saludo que con el matrimonio belga, inclinación, sonrisa y nada más. Mercedes se recostó en la silla dejando que los hombros, que hasta entonces había mantenido erguidos en señal de alerta, descansaran en una postura cómoda. "Qué suerte", pensó entonces, "qué suerte que todos los presentes sean inofensivos". No había nadie que pudiera interesarle en absoluto, pero tampoco había nadie capaz de alterar el clima de sosiego que se confundía con el tedio, haciéndolo deliciosamente deseable. Sonriendo apartó el libro.

No iba a necesitarlo como escudo esa noche y, con un poco de suerte, tampoco el resto de los días que pasaría sola en L'Hirondelle muy, muy lejos de Madrid (lejos de sus gentes sobre todo). Bendito octubre, por ser un mes tan aburrido.

Dos rumores similares surgieron de uno y otro extremo del restaurante. Como si se tratara de una invasión, las dos puertas de entrada al comedor se abrieron al mismo tiempo y Mercedes se volvió ligeramente hacia la derecha para ver cómo por la del jardín asomaba el hombre al que ella llamaba el marqués de Cuevas. "Qué aspecto tan de otra época", se dijo; no era corriente ver a personajes como aquél, pero resultaba decorativo y altamente adecuado para una noche al sur de Fez. Se entretuvo en mirarlo sin ocuparse de la puerta principal ni de las cuatro personas que en ese mismo momento entraban por ella. Sobre todo le intrigaba pensar de dónde podía ser aquel hombre ("español no, desde luego, a pesar de que tenga un perro con nombre castizo") y ¿en qué remota sastrería podían haberle confeccionado un traje como el suyo, de solapas increíblemente anchas y de un gris lustroso como si estuviera hecho con piel de ballena? Sí, eso era. Gris y mate como una ballena, con una pequeña salpicadura blanca que delataba que la penumbra del comedor era tan falsa como el aspecto rústico que se empeñaba en aparentar. Ocultos en algún lugar, debía de haber varios de esos tubos ultravioleta que fingen los negros destacando las diminutas partículas blancas y hacen brillar todo, incluso lo que no debería ser visto: Como las caras. Como los dientes. Como los globos de ciertos ojos, tan albos, que, de pronto, parecen los de un monstruo recién salido de algún rincón muy oscuro.

El arte de la correspondencia

Para escribir a sus amigos, a sus allegados o a sus proveedores habituales, no es en absoluto indispensable tener el talento de Fenelón o el de la marquesa de Sévigné, lo único que se necesita es dominar su lengua y conocer la ortografía.

(...) Pero de un tiempo a esta parte se considera muy "chic" deslizar una o dos palabras en inglés u otro idioma cuando se escribe a los amigos. Se hace preceder la firma de una palabra, por ejemplo: "Yours", pero sólo se recomienda tal práctica entre los muy allegados.

Las damas y su correspondencia.
Baronesa Staffe, París 1890.

Llega un fax de Fernanda

El siguiente fax se recibió en la habitación de Rafael Molinet en el momento justo en que él se disponía a bajar a cenar. Primero pensó llevarlo consigo para leer durante la cena, pero luego decidió que era mucho mejor echarle un rápido vistazo camino del restaurante: ya tendría tiempo de repasarlo después con más calma durante la comida.

PAPRIKA Y ENELDO
Cócteles, cenas y demás reuniones
(lo mejor no tiene por qué ser más caro)

Querido tío Rafael:

Me he venido a la ofi para mandarte un fax porque no te imaginas lo fúrico que se pone Álvaro-marido con esto del teléfono: si llego a llamar desde casa ¡a Marruecos! me monta una que ni te cuento.

Desde luego estoy descubriendo que tú y yo somos tal para cual: ¡unas porteras! ¿Así es que quieres que te cuente quién es Mercedes Algorta?

Bueno, agárrate a la brocha porque el mundo es un pañuelo y nos conocemos todos. ¿Te acuerdas de la interesante historia que te conté en Londres?, ¿la de Isabella y Jaime Valdés, su amigo muerto, atragantado de la manera más estúpida?, pues si hubieras puesto un poquito más de atención recordarías que la mujer de Valdés se llamaba precisamente así: Mercedes Algorta. Comprendo que te hagas un lío con esto de los apellidos pero ya te dije que en España se eligen a la carta y Mercedes ha sido siempre Algorta y no Valdés. ¡Qué gracia que hayáis coincidido en ese sitio tan apartado del mundo! No le pega mucho a Mercedes irse completamente sola a un hotel, pero supongo que habrá querido quitarse del medio una temporadita. Madrid es un hervidero de víboras y seguirán hablando de ella y de Isabella hasta que surja otro escándalo interesante, así es que ha hecho muy bien en evaporarse. Además, como está forrada (Valdés, mientras vivió, le puso unos cuernazos de aquí te espero y le hizo la vida a cuadros pero ahora le ha dejado un pastón), bien puede permitirse esos lujos. En cambio tu pobre sobrina, aquí la tienes, muerta de asco y amarrada al duro banco de una cocina francesa.

Así es la vida..., en fin, no quiero enrollarme demasiado, que tengo mucho trabajo. Si necesitas más datos llámame a casa, pero procura que sea por las mañanas para que no esté Álvaro: nunca se creerá que estoy al habla todo el día con un viejo tío materno y, quién sabe, tal vez se imagine que eres un noviete que tengo por ahí... aunque ahora que lo pienso ¡ojalá se lo crea!, siempre es mejor tener a los maridos un poquitín mosqueados, ¿no te parece?

Diviértete mucho, tío Rafael, y si hablas con Mercedes dale recuerdos míos. Un besazo,

Fernanda.

P. D. Te mando también un recorte de revista del *cuore* en el que aparecen tu Mercedes con Valdés e Isabella, los tres juntitos. No sé si se verá bien por fax, pero así podrás hacerte una idea de cómo era (q.e.p.d.) el periclitado Jaime Valdés. La foto está tomada en una fiesta pocos meses antes de la tragedia. Por cierto, ¿alcanzas a distinguir la pulsera que lleva Isabella en la muñeca derecha? Pues tiene su historia: es una pieza de Cartier ancha y de oro, a la que Mercedes le había echado el ojo en una subasta de Christie's; sin embargo, Isabella se le adelantó haciendo que el viejo Steine se la regalara por Navidad. Cuando la he visto en la foto me acordé en seguida, Mercedes me contó el detalle en su momento, estaba furiosa con Isabella: ¡mira que llamarse amiga y hacerle eso! Ya ves, ahora ha resultado una premonición: las Isabellas de este mundo empiezan pisándote una pulsera y acaban montándoselo con tu marido.

Otro besazo
F.

Éste fue el fax que recibí de mi sobrina, justo antes de cenar, confuso como todo lo suyo, pero bastó para que pudiera tener un primer retrato de cómo eran mis personajes. Resulta interesante cuando se empiezan a encajar las piezas una a una, y con este poquito de información adicional ya podía hacerme una idea, por ejemplo, de qué aspecto tenía el marido de la chica. Sin embargo no lo estudié de entrada. Soy muy metódico para ciertas cosas y preferí prestar atención primero a la pulsera de la que Fernanda hablaba en la posdata: pero el fax era impreciso en esa zona y se veía muy mal. Pasé entonces a la figura de Valdés que resultaba bastante más nítida y me encantó comprobar que se parecía mucho al tipo de hombre que yo había imaginado. Se trataba de uno de esos fulanos guapetones que miran de lado cuando les sacan fotos. Era alto, grande, y metía estómago tratando de disimular una curva incipiente que, *malheureusement*, ya nunca degenerará en pliegues de grasa. Las fotos de los muertos, hasta las borrosas como ésta, tienen algo de cruel antífrasis, pienso yo. Allí estaba el pobre tipo, a dos o tres meses de la muerte, preocupado por unos michelines, y podía haberse evitado tantas molestias, todos los cuidados para parecer más joven: las verduritas sin sal, antídoto contra el colesterol. Y el tónico capilar para la precoz calvicie. La gimnasia (aburridísima). También las píldoras, las vitaminas... pues Jaime Valdés ya no es nada. Jamás llegará a convertirse en un cincuentón de buen ver, ni en un sesentón preocupado por la próstata y, sin embargo, ahí sigue metiendo estómago desde una foto borrosa rodeando a su mujer con un brazo mientras que Isabella parece sonreírle por encima del hombro. Todo tan inútil. Tan estúpido.

Doblé el recorte y, mientras bajaba al comedor me entretuve un momento en hacer un pequeño resumen de lo que sabía. Así que Mercedes era la viuda de aquella historia confusa que Fernanda me había contado en Londres. Curioso, imprevisto, pero la suya no dejaba de ser una anécdota vulgar, una *petite histoire* que ni siquiera llegaba a puntuar como adulterio. Al fin y al cabo ¿cuáles eran los datos que se conocían, cuáles los personajes?: dos matrimonios que deciden pasar un fin de semana juntos en una casa recién estrenada cerca de un río. Hay un difunto coqueto (víctima de una muerte estúpida, ¿pero cuál no lo es?)..., luego se habla de una esposa que no está en la casa pero que llega de improviso cuando él se siente muy mal, mientras que la otra (¿Isabella?, sí, Isabella, no siempre tengo buena memoria para los nombres), que se encontraba presente cuando el tipo se sintió mal, desaparece con muchas prisas..., todo esto según Fernanda, no lo olvidemos, quien tiene un modo peculiar de adornar historias para que suenen "divertidas", ésa fue la expresión que usó... "Pero bueno, tampoco es importante la exactitud", me dije, al fin y al cabo a lo único que yo aspiraba en aquel momento era a ganarle algún dinerito al backgammon para pasar el rato. Y los chismes mundanos sólo sirven en estos casos para describir al personaje, nada más.

Eché a andar por el pasillo dispuesto a saludar a Mercedes Algorta un poco más calurosamente en el caso de que coincidiéramos en el comedor del hotel. Es extraño, pero, cuando uno conoce a una persona con datos de contrabando, sin querer empieza a considerarla como a alguien más familiar, más... próxima, sería la palabra adecuada, quizá. Sí, eso es, más próxima. Y me dije que probablemente en cuanto la viera, sin querer, se me iba a estirar un tanto la sonrisa ritual con la que solíamos saludar, y que el cabeceo japonés también se me volvería menos rígido, eso, al menos, hubiera sido lo lógico.

Resultaba imposible imaginar entonces que, cuando por fin llegara al comedor, no iba a tener tiempo de fijarme en estos detalles porque ¿cómo anticipar que mientras que yo entraba por la puerta del jardín —que es el camino más rápido desde las habitaciones— otra puerta se abriría introduciendo nuevos personajes para mi historia? ¿Se han fijado alguna vez cómo cuando se produce una casualidad muy, muy rara, de pronto se suceden otras aún más improbables? Pues precisamente eso es lo que iba a ocurrir. Si yo fuera un hombre más supersticioso de lo que soy, diría que todo lo acontecido en aquellos días se debió a una suerte caprichosa, como si al destino, una vez metido en lances de fortuna, de pronto le diera por intentar otras carambolas mucho más difíciles...

Notas sobre el vestuario masculino

Un hombre que aspira a ser elegante —lo cual es muy deseable siempre que estas aspiraciones se mantengan dentro de unos límites razonables— no se viste igual para ir al campo que para estar en la ciudad, pues allí sobra el redingote, los pantalones negros, el chaleco escotado y el sombrero de tubo. El hombre elegante tampoco viste desde la mañana como un notario llamado a redactar un testamento, pues sabe muy bien que la levita y el sombrero de copa alta no son admisibles hasta la hora de las visitas. Teniendo un poco de cuidado a éstas y otras sensatas recomendaciones, todo el mundo puede llegar a adquirir el aspecto de un verdadero *gentleman.*

> *Grandes y pequeños deberes del perfecto gentleman,*
> la baronesa Staffe.

El hombre bien vestido

Estoy seguro de que si uno pudiera aislar la primerísima impresión que le produce un personaje desconocido y guardarla en estado puro para que no la enturbien los juicios de la razón, los esnobismos y mucho menos los fuegos fatuos que tanto abrasan desde la zona de la entrepierna, uno sería un hombre muy sabio.

Si menciono todo esto es, ni más ni menos, para que ustedes mantengan *in mente* la primera impresión que me causaron unos recién llegados y supongo que también para justificar la apariencia banal de los comentarios que a continuación me dispongo a hacer sobre ellos. Pero, créanme, son precisamente este tipo de observaciones las que resultan acertadas. De ser capaces de reconstruir la opinión que en un primer momento nos merecieron un par de zapatos, por ejemplo, o unos calcetines, o esa mano aún desconocida pero sin duda untuosa que recorre la manga de un traje y se detiene en los botones para retorcerlos de un modo que nos trae a la memoria (y Dios sabe por qué) al bueno de Boris Karloff, nada sería igual. Sin embargo olvidamos muy rápidamente toda esta intuición primigenia ahogándola bajo otras conjeturas de corte más pragmático. Y sólo después de largo tiempo y muchos chascos nos damos cuenta de que era acertada aquella impresión inicial. Entonces ¡bingo!, ¡diana!, vuelve la lucidez y uno se reprocha tanta ceguera diciendo: pero seré imbécil, por qué no me di cuenta antes de cómo era fulano. Si *lo sabía*...

El caso es que yo acababa de entrar al restaurante por la puerta del jardín. Al principio, hasta que mis ojos lograron habituarse, el recinto me pareció muy oscuro, casi tanto como el exterior, donde al menos brillaban las estrellas.

Uno reconoce en seguida si el hotel en el que se ha alojado pertenece a la categoría de los "muy discretos" por cómo están iluminados sus restaurantes. L'Hirondelle D'Or sin duda debe puntuar alto en dicha lista puesto que su iluminación sólo a base de velas hace imposible distinguir si las salsas que uno ingiere son verdes o rosas, tártaras o tal vez al curry, en una concesión que la gastronomía hace al disimulo. Todo está al servicio de la discreción en sitios como éste, pues si bien el paladar suele confundirse en la penumbra, la vista se confunde aún más, y así pretende evitarse que a los huéspedes se les atragante el solomillo a la pimienta al tropezar con una cara conocida cuando se han venido al culo del mundo precisamente para no encontrarse con ninguna.

Pero lo malo de los ricos es que, incluso cuando buscan el anonimato, lo hacen siguiendo las mismas pautas y después de muchos preparativos, mucha precaución para elegir un lugar ("donde estemos solos tú y yo, tesoro, rodeados de alemanes o belgas, en fin, nadie conocido...") se arman de la guía Michelin y acaban todos coincidiendo en el mismo hotel remoto.

Así debió de sucederle sin duda a aquel cuarteto de españoles que aterrizó, para su desgracia, en L'Hirondelle D'Or con ánimo de descansar, supongo, de embadurnarse de barros curativos y de pasar lo más inadvertidos posible cuando yo estaba allí. Me apresuro a decir que mucho de lo que ahora sé de sus vidas lo fui averiguando con infinita paciencia, también con una buena dosis de observación, porque, al menos durante unos días, me mantuve ajeno a mis protagonistas dejándolos actuar, montar el tinglado de su comedia, tropezar y equivocarse, hacer el ridículo, mientras yo los observaba igual que un espectador desde su butaca. Y fue muy fácil espiarlos, próximos como estamos en un hotel como éste, en el que se supone que uno no mira ni a derecha ni a izquierda sino que se concentra —tan convenientemente— en contemplar sólo cómo baja (o sube) la báscula y el ombligo propio. Entonces descubrí que nunca es más cierta la comedia humana que cuando se escruta desde fuera del escenario, ellos los actores, yo el espectador, su juez, más tarde su verdugo, debería añadir, pero aún es pronto para eso. Volvamos al comienzo de la función, es decir, cuando los recién llegados, los cuatro nuevos personajes de mi teatrillo, entraron por la puerta norte mientras yo lo hacía por la del jardín.

El caso es que al pasar al restaurante, por cuidarme de no trastabillar en la penumbra, es posible que me perdiera algún gesto muy significativo de sus caras al encontrarse... "Dios mío, *tú* aquí", habrán pensado ellos, y también Mercedes Algorta pues los cinco se reojearon primero a distancia y luego... "¡qué fatalidad!, pero habrá que saludarse, no queda más remedio...", y eso hicieron, acercándose los recién llegados al lugar donde estaba Mercedes (quien, por cierto, no paraba de tironear la manga de su camisa como si quisiera de pronto hacer desaparecer una mano, o la muñeca, o ambas cosas). Todo esto ocurría tan providencialmente cerca de la mesita en la que yo acababa de acomodarme para cenar que pude oír cada una de las palabras que se cruzaron, instalado en el anonimato y en la certeza de que los españoles cuando viajan creen que pueden hablar todo lo alto que quieran, pues nadie los entiende.

En realidad es un pecado muy común, todos juzgamos por apariencias, por datos externos que parecen fidedignos. La diferencia es que unos lo hacemos bien y otros son sólo aprendices, gente descuidada y superficial, como estos cuatro recién llegados. "¡Ah!", habrán pensado ellos escudriñando el terreno con ánimo de comprobar si había, además de la de Mercedes, alguna otra oreja española que pudiera entenderlos. "¡Ah! veamos quién más hay por aquí": Sí, eso debieron decirse y, de hecho, mientras se apresuraban a saludar a la viuda pude ver cómo lanzaban furtivas miraditas por el restaurante para analizar el modo en que iba vestido el resto de los huéspedes. Muy prudente como medida, pero inútil, pues imagino el tipo de análisis que hicieron. Tan simple. Tan peligroso:

una mirada rápida hacia las otras mesas y en cuanto comprobaron que no se veía ningún chaquetón capitoné, ninguna prenda de aspecto descaradamente tirolés en las inmediaciones, deben de haber pensado: "qué alivio, aquí ya no hay más españoles". Y se pusieron a hablar a gritos. Así hace su composición de lugar la mayoría de la gente, a ojo, pero el problema es que se guían por señas de identidad de lo más elementales... (Y eso me recuerda que debe de haber alguna razón secreta para que a todos los españoles de cierta clase social, cuando están de vacaciones, les dé por disfrazarse de cazadores austríacos, de tiroleses, sobre todo en lo que respecta a las prendas de abrigo, que suelen ser de lo más cinegéticas, muy a menudo verde caqui, como si el camuflaje fuera parte de su más íntima personalidad *que c'est bizarre*. Tengo que acordarme de comentar el dato con Fernanda uno de estos días.)

Los cuatro recién llegados eran dos hombres y dos mujeres y resultó muy sencillo hacerme su retrato, lo habría sido aunque no escuchara lo que decían, cosa que sí hice desde la mesa vecina. Lo cierto es que yo los miraba sin ningún disimulo, pero como no cultivo el *look* verde oliva, debí de parecerles otra oreja extranjera e inofensiva. Tanto como lo eran las del aburrido matrimonio belga que ocupaba la mesa junto a la ventana. O las del grupo de alemanes jóvenes que sólo se interesaban en ellos mismos. Y si en este punto alguna mente suspicaz se pregunta cómo, al ver a estos chicos y juzgando sólo por las apariencias externas, los recién llegados no pensaron que podían ser peligrosos, les aclararé que ni los alemanes ni los austríacos se visten de caqui en estas ocasiones, ellos prefieren disfrazarse de bostonianos de *week-end* en Long Island, de modo que no caben equívocos. Ni siquiera para unos *amateurs* de las apariencias como eran mis cuatro recién llegados.

Pero volvamos a lo que interesa, que las digresiones no son buenas para el pulso de la historia.

Como iba diciendo, mis cuatro nuevos personajes eran dos hombres y dos mujeres. Y si aíslo la primera impresión que me causaron debo decir que, por la forma tan alterada con la que saludaron a Mercedes al llegar, no cabían muchas dudas de que se trataba de parejas —desparejas, las hubiera llamado mi madre, que cultivaba con exquisito recato el arte del eufemismo—. Adúlteras sería más propio, o clandestinas si se prefiere, pues viene a ser todo lo mismo. De los cuatro empecé fijándome en el jefe de la manada (siempre hay uno) y por lo general resulta muy fácil distinguirlo. Éste llevaba a una rubia colgada del hombro al entrar por la puerta, pero rápidamente la descabalgó al ver a Mercedes. En realidad, para ser precisos, fueron ambos los que dieron un salto, un bello *ciseaux* lateral al ver a la viuda, igual que si les hubiera picado un alacrán venenoso. Del tipo, aparte de su indumentaria (que no hace falta describir pues consistía en chaquetón del mismo estilo capitoné y verde al que antes he hecho alusión sólo que abierto sobre un traje de ciudad gris), me interesó sobremanera su figura. Viéndolo desde lejos daba la extraña sensación de que estaba sentado, aunque obviamente no era así, pues caminaba y se movía con envidiable agilidad. Tal vez el curioso efecto se debía a que su tronco era mucho busto para poco pedestal. Si lo hubiera conocido acomodado en un sofá, estoy seguro de que me habría parecido un tipo formidable, con gran cabeza de pelo escaso, rizado, fuerte, entrecano. Tenía las sienes despejadas, y unos ojos muy claros bajo unas cejas inteligentes, algo así como uno se imagina los ojos del "Gran Hermano que os está mirando", esa pesadilla que escribió Orwell. También la boca me pareció interesante, diríase que sus gruesos labios estaban algo huérfanos sin tener (como en ese momento) un enorme Cohiba humeante y prisionero. Vamos, que le faltaba algo. Más abajo, el tronco era acorde con tanta imponencia, pero a partir de ahí el efecto se perdía por completo. El gran hombre se sostenía sobre unas piernas que no le hacían justicia. Eran cortas, también algo zambas y, sin saber por qué, uno tenía la sensación de estar mirando a un busto andante, una bella escultura inacabada por falta de presupuesto.

En la mujer que llevaba colgada del hombro me fijé poco. Me pareció una de esas rubias clónicas que han pasado la barrera de los cuarenta con tal pavor a envejecer que —aún con las velitas humeantes sobre la tarta de cumpleaños— corren a siliconarse los pechos, los pómulos, los labios... y ahora daba la casualidad de que esos mismos labios parecían deshacerse en sonrisas para con Mercedes: "... guapísima, pero qué sorpreeesa, qué ilusión veeerte, por Dios...". Y el belfo se le henchía casi a punto de estallar, delatando que la procesión iba por dentro: "maldita hija de puta, qué coño haces tú aquí, tan inoportuna como siempre, y ahora a ver, qué explicación me invento de por qué leches estamos aquí éste y yo en plan parejita...".

Sí, eso pensó, no me cabe la menor duda. Las rubias clónicas son siempre terriblemente mal habladas.

Ignoro si ella o el jefe de la manada ensayaron algunas explicaciones más amables en honor de Mercedes, tal vez lo hicieran, pero uno no tiene capacidad de captarlo todo a la vez, y yo ya había girado unos grados para estudiar a la otra pareja. El tipo —voy a ponerle nombre aunque no lo supe hasta el día siguiente, cuando pude mandar un fax a Fernanda reclamándole datos sobre cada uno (por cierto, acerté en todo, ya digo que este método de las primeras impresiones no falla jamás)— ...el tipo se llamaba Antonio Sánchez López y paseaba a una segunda rubia que parecía mucho más joven que la del belfo asombroso, pues no creo que pasara de la treintena. Ana Fernández de Bugambilla resultó ser su original y florido nombre, y tenía el aire asustado de las primeras correrías inconfesables. En realidad he conocido a tantas Anas Fernández de Bugambilla en mi vida, las he podido observar en tantos hoteles, en tantas casas como invitadas pétreas a las que les gustaría desaparecer, confundirse con el paisaje, evaporarse para escapar de donde están, que no me hicieron falta las posteriores explicaciones de Fernanda ni mucha observación para comprender cuál podía ser su problema. Estaba clarísimo desde el primer momento, lo llevaba escrito en toda la cara: un viaje con un amante recién estrenado, con un casi desconocido, trasluce esa expresión entre atónita y de camuflaje que parece decir: "Dios mío, ¿cómo me he dejado liar para este plan?, ¿cómo demonios me he metido yo en este fregado? (o en esta cama, para ser precisos)".

"Lástima de tiempo perdido", pensé, igual que hubiera hecho un ayo severo, al verla allí: "años de club de golf", me dije, "otros tantos de feria de Sevilla, también de desinteresado altruismo en el Rastrillo luciendo delantalito de volantes, tanto primor, todo... para acabar como parejita fin de semana con un Antonio Sánchez López. Y es que al tal Sánchez López (Sánchez a secas, o en ocasiones Antonio S. según me precisó Fernanda) no había más que verlo para deducir que era ave de otro corral. Pertenecía a esa élite en alza que no sé bien cómo denominar. "De otra condición", habría dicho mi madre, que siempre tuvo una manera amable de marcar las diferencias sociales, pero necesitaré algunas líneas para retratarlo mejor. Era corto de estatura aunque algo cabezón, en realidad todo él era una cabeza adosada a un físico cilíndrico, compacto:

como una pequeña bombona de gas. Vestía nuestro hombre de forma muy similar a la del jefe de la manada, es cierto, salvo que, en su caso, la parka era de un verde aún más intenso, más caro el capitoné, y bajo esta prenda, se adivinaba un traje de ciudad de buen sastre. Nada de ropa de *sport*, no: "que se note claramente, coño —anunciaba su aspecto a los cuatro vientos—, que he saltado del despacho al avión sin tener un segundo para cambiarme, soy un hombre ocupadísimo".

Si bien se mira, todo era perfecto en la indumentaria del tipo, pero la cursilería se atrinchera en los accesorios menos conspicuos, en los calcetines, por ejemplo y unos "ejecutivos" negros voceaban a los cuatro vientos cómo era el pájaro. Una pena realmente, pero los advenedizos tardan mucho en subsanar el problema del calcetín. Y el caso es que los de Antonio Sánchez refulgían en la penumbra reinante, lo cual me hizo pensar que tal vez hubiera escondida por ahí unas de esas luces negras, ultravioletas creo que las llaman, que delatan las motas blancas en los trajes de buen paño y el plástico en los tejidos sintéticos. Así debía de ser pues, a pesar de la oscuridad, los calcetines de Sánchez cantaban *Traviata* —o *I Pagliacci* sería más propio decir— ya que eran cortos, traslúcidos y altamente inflamables como los peores productos de la Dupont de Nemour.

Hice una apuesta conmigo mismo en ese momento a sabiendas de que no me equivocaba. "Un periodista", me dije. Un periodista de moda de los que ganan fortunas despellejando con su pluma a todo bicho viviente. Más tarde, gracias a Fernanda, supe que no era un periodista sino un locutor de radio, uno de los famosos ayatolás de las ondas (cuatro millones de orejas pendientes de sus diatribas).

Sin embargo, según otros datos que incluía mi sobrina en el tercero de sus faxes (¿o sería en el cuarto?,

135

ya no recuerdo bien, nos cruzamos innumerables aquella semana), nuestro héroe estaba mucho más arriba en la escala evolutiva de lo que yo hubiera imaginado mirando sus calcetines. Me divertí bastante con las explicaciones de Fernanda sobre el currículum sentimental de Antonio S., muy graciosa su manera de exponerlo, se ve que el tal Sánchez debe de ser todo un personaje en Madrid y que produce sentimientos encontrados: desdén, temor, bastante admiración hipócrita quizá. Aunque será mejor que haga un resumen de lo que ella me dijo pues la vida amorosa de Antonio Sánchez López es tan tópica que no merece más que un puñado de líneas.

Por lo visto, después de plantar a la santa que le había acompañado en sus años de penuria, nuestro hombre se había juntado a principios de los ochenta con una rica catalana hija de un barón pero con el encanto añadido de ser oveja negra. Todo muy conveniente para un locutor de éxito. Con ella vivía en amancebamiento. Porque era más progre.

Según Fernanda, esta rica catalana es la mayor de sus hermanos y una ley que desde hace unos años reconoce a las mujeres el derecho a heredar títulos nobiliarios hubiera permitido a Sánchez culminar su estelar carrera con una coronita heráldica que bordar en la camisa a medida, pero, elegante él, prefirió no casarse. Porque seguía siendo un progre.

Hasta aquí todo muy bien y muy coherente en un hombre cuya responsabilidad ineludible es ir todo el día enroscado en la bandera de la libertad de expresión. Y a más a más, que diría su compañera sentimental si alguna vez se interesara por hablar del tema (cosa improbable según Fernanda), a más a más, Sánchez era un ser destinado a abrir los ojos al Pueblo que no ve las Verdades y necesita a alguien que le indique exactamente lo que ha de pensar. Alguien que explique al vulgo, por ejemplo, por qué resulta intolerable la actitud de este u otro poderoso, que llame a uno ladrón y al otro canalla, que las ondas vibren cuando él vocea pruebas contundentes de que todos son unos chorizos *et tout ça, et tout ça*. Y en esto transcurrió el tiempo, pasaron los frívolos años 80 y llegaron los 90 y cada vez más la gente necesitaba que le dijeran a todas horas lo que debía pensar sobre los temas escandalosos, sobre los abusos de todo tipo, y naturalmente ahí estaba Sánchez para cumplir tan iluminadora (y lucrativa) misión. De este modo, interrumpiendo sus admoniciones sólo para anunciar Pepsi o whisky JB (o cualquier otra marca, siempre que fuera a razón de un platal el minuto), nuestro hombre se ha convertido en una pieza importante de tan santa cruzada. Pero hay más matices interesantes desde el punto de vista psicológico que es el único que me importa realmente. Y sucede que, una vez saciada el ansia iconoclasta, y una vez que ya se ha hecho rico y famoso y también temido, Sánchez descubre de pronto, ¡alakazán!, que lo que le apetece *precisamente* es hacer todo lo que denostaba cuando era un don nadie *(que j'adore ça)*, es la regla social más infalible que conozco. Por eso Sánchez ahora juega al golf como los oligarcas. Por eso usa parka capitoné como los señoritos de Puerta de Hierro. Y si en este viaje (y en otros muchos imagino yo) la hija del barón ha quedado aparcada en Madrid en favor de una rubia temerosa, no se debe a una pura infidelidad conyugal, no, la razón (Fernanda *dixit*) es que después de su irresistible ascensión, Sánchez se ha dado cuenta de que la baronesa tiene serias pegas: demasiado oveja. Demasiado negra para un hombre de moda. Porque en vez de jugar al paddle como hacen otras, o dar clases de sevillanas o cualquier otra cosa sensata y acorde con su estatus, la chica, por lo visto, insiste en diseñar bisute-ría de vanguardia: collares con un parecido asombroso a una ristra de melones, pendientes en forma de penes, *des choses ho-rribles* que, para más escarnio, ella se em-peña en lucir en las fiestas elegantísimas (incluidas las recepciones reales) a las que cada vez con más frecuen-cia está invitada la pareja Sánchez. Y no contenta con demostrar así su vena artística, la baronesita, en los úl-timos tiempos, refuerza su posición tiñéndose unos mechones de pelo con un tono ciertamente lila o pin-tándose los labios de verde, cosa que a Sánchez ya no le hace tanta gracia como antaño. Conclusión: que de un tiempo a esta parte, Antonio Sánchez, que trabaja muchísimo para ser la conciencia implacable de la so-ciedad española, ha tenido que buscar solaz en otras mujeres, aburrido de pasear a una cacatúa.

Si encontró solaz en la rubia temerosa es algo que ya nunca se sabrá, dado como acabaron aquellos días de vacaciones. Pero hasta ahora nada irreparable había ocurrido. Un encuentro desafortunado el del cuarteto con Mercedes Algorta en L'Hirondelle, pues todos ellos se conocían demasiado. El jefe de la mana-da (Bernardo es su nombre, seguido de uno de esos apellidos que se han hecho sonoros en la banca o en la industria, son datos que rellené más adelante), Bernar-do, por ejemplo, resultó ser el marido de una prima hermana de Mercedes, y la rubia clónica (Bea de nom-bre) era la ex mujer de un primo segundo también de Mercedes. La otra rubia a su vez estaba separada y aunque no tenía nada que ver con mi viuda, era ínti-ma de Isabella, la mala guapísima que yo había cono-cido en Londres con Fernanda. Todo muy sencillo y muy familiar, porque los adulterios entre gente co-mo ellos tiene algo que se parece mucho al incesto.

Sin embargo, este nuevo mapa tardó un poquito en ir configurándose ante mí. En aquellos momentos, al menos hasta que pude oír una conversación que sólo comenzó cuando Mercedes se hubo levantado de la mesa para salir del restaurante: ("Adiós, adiós a todos, me alegro de veros...") lo único que pensé al ver a los recién llegados fue: "Qué suerte, llegan nuevos huéspedes". Ahora contaba con otros cuatro candidatos a quienes requerir un juego de backgammon para pasar el rato. Me imaginé que, a pesar de la consigna de silencio que parecía reinar en L'Hirondelle D'Or, algún momento encontraría para embarcarlos en una partida. Entre barro y barro, entre ablución sulfatada y chorro terapéutico, pues sabía que las buenas intenciones en cuanto a la vida sana no suelen durar más de dos o tres días. Y entonces yo tenía pensado acercarme a ellos e incluso había elegido a mi presa: ¿Conocería Sánchez los rudimentos del backgammon?, seguro que los conocía. Sin embargo, jamás logré cruzar los dados con él y muy pronto, inmediatamente diría yo, mi interés por el juego pasó a ser secundario. Cuando les cuente lo que escuché después comprenderán que sobraban todos los juegos de azar. Se abría para mí una manera mucho más interesante y divertida de entretener mi ocio.

Cómo limpiar las manchas
de sangre de los manteles

La sangre sobre un mantel, que puede deberse a un accidente con el cuchillo de trinchar o a un asesinato, no ha de ser motivo de preocupación, ni hay necesidad de molestar a los presentes mudando todo el mantel como antaño, si inmediatamente se trata la parte afectada frotándola fuertemente con agua de brotes de col templada.

Notas de cocina de Leonardo da Vinci, 1483.

Los manteles se manchan de sangre

—... Oye, ¿queréis oír la historia de una chica mala?... No, no te preocupes Bea, no me refiero a *tu* historia, corazón, ésa ya la conoce todo el mundo, bonita, hablo de la de una verdadera bruja, sabes lo que te digo, una auténtica hija de puta, ya sabes lo que te digo.

¿Se han fijado alguna vez en el atentado contra la sintaxis que suponen las conversaciones que uno espía? Una auténtica aberración. No es que yo sea un purista en esto del idioma, de hecho me manejo en tres o cuatro lenguas y por tanto no hablo ninguna correctamente, pero las conversaciones ajenas, cuando se escuchan desde la mesa de al lado, suenan fatal al oído.

—... Un día de estos —continuó aquel tipo con voz muy clara y alta— os enteraréis de la verdadera historia de Merceditas Algorta, y entonces os vais a caer de cu-lo, te lo digo yo, Bernardo, todos vosotros, se tambalearán los cimientos de lo que los cursis llaman buena sociedad, que te lo digo yo.

Antonio Sánchez estaba sentado de espaldas a mí, y siempre es más difícil entender las palabras de aquéllos a quienes uno no puede mirar a los ojos, pero su voz me llegaba de lo más nítida. Lógico. Debía tenerla curtidísima gracias a las cien mil arengas radiofónicas que lo han hecho famoso.

Ya que no podía verle la cara me dediqué a inspeccionarle el cogote. Tenía una coronita calva en la parte alta de la testa. Una superficie lechosa que se inauguraba en el mismísimo centro del cráneo. Por delante, la cabeza de Sánchez me había parecido provista de una mata de buen pelo pero, vista de espaldas, descubría una desnudez inusitada que además se fruncía en pliegues rosados, como un acordeón, según la intensidad de su discurso. "Halo de santo", pensé, tonsura de abate, páramo mezquino, parche...; siempre me han inquietado los hombres que tienen coronillas pelonas pues parecen engendros de dos cabezas, Janos confusos con una cara delante y otra a la espalda. Traidores.

—Mira lo que te digo, Bernardo, olvídate del tema. Si lo que te preocupa tanto es que la tía os ha pillado *in fraganti* a ti y a Bea en este hotel, olvídate del tema. Merceditas tiene muchas más razones para estar calladita de lo que tú te piensas, que te lo digo yo, de *verdaz*.

Creo que fue entonces cuando me inquietó por primera vez su forma de usar los diminutivos, Merceditas..., calladita..., hay personas que manejan con mayor crueldad las palabras amables que los insultos, pero aún necesitaba escuchar más.

—Coño, Sánchez, si tienes algo que contarnos sobre quien sea, suéltalo ya. Odio esa costumbre que

142

tenéis los enteradillos de hablar de las personas como si supierais sus pecados más horribles y luego haceros los misteriosos. Si quieres contarnos algo dilo de una vez, y si no, estáte un rato callado, que no está el horno para bollos... Y yo también te lo digo de *verdaz*...
—imitó a continuación la rubia clónica de nombre Bea.

A ella sí podía verla, estaba sentada frente a Antonio S. y, por tanto, miraba directamente hacia mí o, para ser más exactos, a través de mí como el ente incorpóreo que debía considerarme, y sus ojos se clavaban en la pared vecina con un aire de fastidio. Acababa de enterrar una mano llena de sortijas en su mejilla izquierda, y yo di un respingo. No sé si he contado antes que se trataba de una de esas nuevas mujeres inflables, a las que da reparo tocar siquiera por miedo a que sufran un pinchazo y se produzca una pérdida de silicona, o de aceite, o de plástico, en fin una fuga irreparable.

—¿Qué quieres decir exactamente con la historia de una hija de puta? ¿Cuál hija de puta? —suspiró concentrándose en la contemplación del techo mientras tres sortijas se hundían en su carne sin misericordia—, espero que como cotilleo resulte entretenido de oír porque será falso casi seguro... (Y en eso, cuando parecía que iba a rematar la frase con algo que tuviera que ver con lo que iba diciendo, desenterró la mano de la mejilla y el pensamiento debió de desviársele hacia otro tema que le preocupaba mucho más pues sobrehiló ideas), ... será falso casi seguro... pero, coño, tiene mandanga este asunto...; sí, Bernardo, tú y tu amigo, menuda idea tenéis vosotros de lo que es buscar un hotel "apartado", ya ves, ni apartado ni leches, lo primero que me encuentro al llegar aquí es con una amiga de toda la vida...

—Sí, de toda la vida —apostilló la otra rubia tristemente.

—¡Qué dices de toda la vida! —era el jefe de la manada quien tomaba la palabra—, pero si no os veis nunca.

—Nos conocemos de toda la vida, el mismo colegio, la misma puesta de largo y todo eso..., si te parece poco...

—Y yo coincido muchísimo con ella en la peluquería —contribuyó la rubia temerosa—, una lata...

En este punto estuve en un tris de desinteresarme de la conversación. Todos los defectos de la comunicación humana aumentan de forma tediosísima cuando uno es un oyente ajeno. Y no sólo lo digo por la sintaxis, que es lo de menos, hay defectos mucho peores, como las repeticiones, las coletillas absurdas, eso por no mencionar las cursiladas o las mentiras. Ridícula, la conversación ajena siempre suena ridícula. ¿Qué tal, por ejemplo, las charlas de enamorados que uno escucha, sin querer, en una cafetería? ¿Es posible que exista algo tan babeantemente repetitivo? Ellos se miran, se hablan, ¡pero las cosas que dicen!, que regurgitan una y mil veces: ¿me quieres?, ¿cuánto?, ¿y tú?, ¿cuánto?, ¿así es que me quieres?, *c'est effrayant*, desde fuera, uno, con no poca vergüenza ajena, los ve abrir sus respectivas colas de pavo real, desplegar su lustrosa tela de araña, y resulta tan previsible todo, tan barato... "Por favor, ¡sal corriendo!, este tipo o esta mujer es impotable!", dan ganas de alertar a uno u otro de los amantes, al menos almibarado de los dos, pero el jarabe verbal es pegajoso y nunca se sabe cuál es la araña y cuál el pobre insecto incauto. Por eso, impotente, se queda uno ahí, revolviendo su café con leche y escuchando majaderías sin hacer nada.

No, no es educativo oír las conversaciones ajenas, es altamente inquietante. Uno se pregunta entonces si sus propias (e inteligentísimas) opiniones, zalamerías, sarcasmos o arrumacos sonarán igual de imbéciles desde detrás de otro lejano café con leche y *croissant*.

Decidí esperar unos segundos. Pronto tendría que levantarme de todas maneras, aquí no me amparaba un café con *croissant*, naturalmente, estábamos en un restaurante cenando, pero había terminado ya mi té de hierbas y no contaba con muchas otras razones para seguir allí, se hacía tarde. En eso, miré la coronilla de Sánchez. Comenzaba a adquirir un pliegue acordeónico que se me antojó prometedor, sólo un minuto más a ver qué cuentan, me concedí, y fue una suerte que lo hiciera.

—... Venga, Bea —iba diciendo el tal Bernardo cuando enchufé de nuevo con su conversación—, en todo caso a ti personalmente ¿qué más te da lo que pueda pensar Mercedes Algorta? Eres una mujer separada, ¿no?, eres libre.

—Sí, pero tú no —dijo el belfo asombroso y el *tú* sonó como una escupida.

—¡Qué más te da!, tu situación la comprende cualquiera o ¿es que te crees que Mercedes Algorta es santa María Goretti?

La coronilla de Antonio Sánchez se llenó de pliegues, todos igualitos, simétricos como la cortina metálica de una tienda de ultramarinos.

—Si yo os contara...

—Venga ya, Antonio, no empecemos otra vez con tu frase favorita que me pone de los nervios.

—Es que no tenéis ni idea. No es que yo tenga nada personal contra la chica, naturalmente, pero esta tía —dijo señalando con la barbilla un punto indefinido de la pared como si el fantasma de Mercedes estuviera por ahí *corpore insepulto*— no va a contar ni siquiera que nos ha visto, te lo digo yo..., por la cuenta que le trae, te lo digo yo.

Cuando en una mesa de cuatro las cabezas convergen de modo espontáneo es que se avecina una pieza de información interesante. Lo he observado en muchas ocasiones, es como la llamada de la sangre —de la mala sangre— o de la mala leche, sería más propio decir. De pronto, los cuerpos se aproximan y las frentes se confabulan en silencio, atraídas por una fuerza magnética que quizá sea eso que llaman la complicidad y que no es más que el noble arte de despellejar vivo al prójimo.

Agudicé el oído. Tales posturas suelen ir acompañadas de un cuchicheo siseante pero no hizo falta el esfuerzo, la voz radiofónica de Sánchez se oía estupendamente.

—¿Os sabéis la historia de Merceditas?

—De memoria —contribuyó el belfo asombroso—, la conozco desde que nací, querido.

Antonio Sánchez hizo como si no escuchara y miró a Bernardo. Algunas informaciones suelen dirigirse a los hombres de la mesa, nunca a las mujeres, es la manera de que ellas se interesen más.

—Lo que voy a contar es completamente confidencial, por supuesto. No es que en mi programa de radio le demos prioridad a asuntos de este tipo, cotilleos de sociedad y cosas así: tenemos problemas serios de que ocuparnos —dijo con ese tono que se emplea para descartar temas sin importancia o demasiado frivolones—, pero —añadió a continuación— el asunto tiene su morbo, se trata de personas muy conocidas... aunque no creo que pueda soltarse como noticia, falta la prueba definitiva.

—Como si eso te preocupara, ¿desde cuándo hacen falta pruebas para crucificar a alguien?

Sánchez continuó con paciencia infinita y yo me pregunté qué tipo de bula o patente de corso tendría Bea con Antonio S., ¿un antiguo revolcón pasajero?, ¿un peldaño en su camino hacia la cima? Suena horriblemente esnob esto, ya lo sé, pero los Antonios Sánchez de este mundo siempre necesitan escaleras purrias para ir trepando y luego no consiguen despegar el pie de ellas con tanta facilidad como sería deseable. Son tan pringosas.

—Todos sabéis lo que le pasó a Valdés, el marido de Mercedes Algorta, la forma tan estúpida en que murió —o dicen que murió—, pero nadie sabe la *verdaz* del asunto.

—Y a quién coño le importa —intervino la rubia clónica—, empiezo a estar cansada de esta fiebre de convertir en noticia la vida privada de la gente, todo, hasta las bragas de las señoras...

Pero Sánchez, fiel a su táctica de dirigirse a Bernardo, no creyó necesario detenerse:

—Es una pena que ya no me interese por este tipo de temas, pues el asunto tiene su intríngulis, te lo aseguro, tiene pelendengues la muerte de Jaime Valdés, te lo digo yo.

—Yo —intervino entonces la rubia temerosa, encantada de poder contribuir a la conversación general con una noticia de primera mano— sé divinamente todo lo que pasó esa noche. Da la casualidad de que mi *maid* dominicana es íííntima de una mora que es hermana de Habibi; Habibi es la cocinera de Mercedes, ¿sabes?, y fue ella la que descubrió al pobre Valdés morado en el suelo. La buena mujer dice que su jefe estaba haciendo el amor con Isabella Steine cuando le dio un parraque..., pasa en las mejores familias, ya te imaginas, y con el currículum sentimental de Valdés tampoco es de extrañar. Mira, verás, la cosa fue así: resulta que estaban los dos muy solitos en el salón cuando de pronto... creo que se ahogaba, se ahogaba como un pez, figúrate, tan joven... claro que de improviso, y por suerte... llegó Mercedes. ¿Se olería algo...?, ¿al encontrarse con aquel panorama le habrá dado dos tortas a Isabella?, ¡huy!, mira, eso no lo sé, tengo que preguntárselo a Habibi; lo que sí sé es que Mercedes se mostró muy serena, dice Habibi, y fue ella la que se hizo cargo de Valdés en sus últimos momentos. Nadie la esperaba hasta el día siguiente pero llegó, dice Habibi, como caída del cie-lo: primero echó a todo el mundo del cuarto para auxiliar mejor al enfermo y una vez sola llamó al... ¿cómo le dicen ahora a esas ambulancias nuevas que traen como una UVI incorporada, Antonio?...

—Samur, cariño —dijo Sánchez haciendo una pequeña concesión.

—... llamó al Samur, que tardó en llegar y claro, todo fue inútil, el pobrecillo murió antes de que pudieran asistirlo, un ho-rror. Aunque..., según mi *maid* dominicana, hay también otra historia muy rara con una pulsera que, según dicen, vio Habibi tirada en el suelo junto a Valdés cuando entró en el salón pero que al llegar la ambulancia ya no estaba y ahora nadie sabe dónde ha ido a parar..., no, no me miréis así, ya sé lo que estáis pensando, pero mi *maid* jura que Habibi no la robó, hay que ver cómo sois, ya andamos con los prejuicios, con la calumnia racial, pobre Habibi, que es superhonrada...

Soy hombre metódico y me hubiera gustado tener una libretita para apuntar tanta información inconexa, no la tenía, por supuesto, pero sí el fax que Fernanda me había enviado además de un bolígrafo Bic que me resultó muy útil. Con gran cuidado anoté varias palabras con ánimo de reconstruir después los datos: Habibi (una criada mora) escribí, y luego: "pulsera desaparecida" y a continuación volví a pegar la oreja.

La explicación que vino después y que tuvo como ponente a Bea, la rubia clónica, me sonó a nueva, en ella se introducían otros elementos diferentes que, por lo menos, no carecían de lógica; aun así, no sé si podré reproducirla exacta, pues algunas de las expresiones que usó me eran desconocidas y otras, muy viscerales, son contrarias a mi forma de ser; pero más o menos esto fue lo que dijo:

—Anita, tesoro, ya sabemos que tú eres una san-ta y te tragas todo lo que te cuentan, pero te comunico que a los que no creemos en los Reyes Magos nunca nos gustó la historia que cuenta la tal Habibi. A mí me da igual que Valdés se estuviera trajinando a Isabella, o que Isabella estuviera en esos momentos durmiendo en brazos de papá Steine como asegura ella, ¡qué más da! En cuanto a la pulsera misteriosa, si alguna vez existió tal joya, ahora la tendrá Habibi, es lo más lógico, pero, mira, nada de todo eso es importante, lo fundamental es *por qué* sucedió y eso te lo voy a decir ahora mismo. ¿Queréis que yo os cuente la verdad?, pues es mucho más sencilla. Las cosas no pasan porque sí, ¡ahogos!, ¡alergias!, vaya historia. Si al tío le dio un parraque fue porque estaba agobiado, coño, parece mentira que no os deis cuenta de lo que les está ocurriendo a nuestros amigos y que es dramático, la gente está de los nervios y así pasa lo que pasa. No te digo nada en el mundo de los negocios, hay que ver cómo están acabando todos los yuppies de oro, esos que en los ochenta pensaban que hacerse ricos era como jugar al Monopoly, pregúntaselo, pregúntaselo a Bernardo, que conoce a unos cuantos. Hecho polvo, querida, así estaba Valdés, no es que se fuera a arruinar ni mucho menos, al contrario, tenía dinero por un tubo, pero cuanto más tienes más te complicas la vida, y entonces ¿qué haces?, la huida hacia delante: más negocios, más viajes, más follón, más amantes hasta que un día haces ¡crac!... Mira, para mi gusto todo lo que pasó aquella noche fue una puta ironía: nada de desenfrenos amorosos (no dio tiempo), nada de muertes misteriosas, nada de coñas, estrés puro y duro, no es el primer infeliz al que le da un ahogo y se va al otro barrio por jugar a supermacho...

—¿Entonces tampoco crees a esos que dicen que a Valdés le dio una alergia bru-tal a no sé qué y se ahogó? —preguntó la rubia temerosa llevándose una mano a la garganta de un modo que me recordó muchísimo a mi sobrina Fernanda y sus miasmas rusos.

(Murmullos confusos, alguna tos contundente del jefe de la manada se alza sobre las otras voces que se oyen todas a la vez, risas, y lo único que yo consigo sacar en claro es que la versión alérgica es la que menos adeptos tiene entre mis cuatro espiados.)

—¿Y qué me dices de Isabella?, ella podía haberlo ayudado, ¿no?

—Sí, ella estaba en la casa, de eso no cabe la menor duda, pero no hubo muerte a lo Rockefeller Jr. en pleno "acto", querida, lo siento por ti y los amantes del sainete con viejo cornudo incluido, la verdad de lo que pasó es tan ridícula que todo ha acabado sacándose de quicio. Ya sabes cómo chiflan las explicaciones truculentas (el tío tenía fama de conquistador, a su mujer la traía frita con sus veinte mil infidelidades, sus veinte mil mentiras) ¿y para qué quieres más?, cada uno se inventa una explicación a cual más rocambolesca, pero yo te digo que esa noche no pasó nada raro, además recuerda que Mercedes llegó muy oportunamente.

—Demasiado oportunamente —dijo la calva de Sánchez frunciéndose de un modo lateral y feísimo.

Pero Bea había tomado carrerilla y no escuchaba a nadie, yo creo que interpretó las últimas palabras de Sánchez como un apoyo a la versión de la rubia temerosa que apuntaba a que Valdés había muerto como un Rockefeller cualquiera en brazos de Isabella Steine. Así debió de ser, pues inmediatamente pude ver cómo elegía dirigirse, no a Sánchez sino a Bernardo, en el estilo de quien prefiere hablar de alguien como si no estuviera presente, una forma de desprecio, que alguna vez he utilizado yo mismo, y que me parece muy útil.

—Tu amigo —decía sin mirar a Sánchez—, tu amigo no lo puede evitar, es más fuerte que él, le chiflan las historias de ricos, y más si hay muertos de por medio. Ya verás, lo conozco muy bien, ahora dice que el asunto no le interesa, que él es un profesional serio, pero dentro de unos días te apuesto lo que quieras a que nos sorprende contando desde las ondas y con voz rotunda "La triste historia de cómo murió Valdés".

—No me ocupo de esas cosas, Bea, lo sabes muy bien.

—"La extraña muerte de un rico" —escenificó la rubia sin hacerle caso y formando un enorme e invisible titular publicitario con la mano llena de sortijas—, no, no, mejor aún: "Palmar de amor" o "Muerte en brazos de la mujer inmadura" (ésa es Isabella, querida) —apuntó en un aparte destinado a la rubia temerosa, por las dudas de que ésta no hubiera entendido su *petit sarcasme*, y luego decidió continuar con redoblado énfasis destinado siempre al jefe de la manada—: Te apuesto a que eso es lo que hará nuestro amigo Antonio S., ya lo verás, y tras el titular impactante, contará su versión de los hechos como si se tratara de algo trascendental que la opinión pública tuviera que conocer a toda costa. Joder, ¿a quién le importa la vida o la muerte de Valdés?, pero era un señor conocido y con eso basta para utilizar su muerte como mercancía —(más toses del jefe de la manada, veo cómo la mano izquierda de Sánchez se enciende unos segundos en un tono rojo púrpura, pero Bea continúa hablando)—: Ya me imagino su sermón: sin mencionar nombres, nuestro héroe predicará desde las ondas adornando la historia con unas gotas de puritanismo y otras de mala leche: "pecado de ricos", dirá para hacerla más interesante, y tampoco tendrá que mentir mucho, sólo lo justo porque la muerte de Valdés tiene todos los ingredientes que se pueden pedir: un señor importante, mujeriego e importante, una beldad de moda con marido viejo ergo cornudo, unas circunstancias bastante extrañas. No le falta detalle, sólo tiene que mezclarlas del modo más morboso y ése será el "descubrimiento" que pretenderá vendernos, incluyendo el detalle de que se trata de "La historia de una verdadera hija de puta" basado, supongo, en el hecho de que Isabella estaba con él y no hizo nada por ayudarlo. Coño, es cierto que la tía se asustó tontamente y también es cierto que yo no le tengo especial simpatía a Isabella Steine, pero de eso a decir que ella pudo matar a Valdés... —añadió luego la rubia con un suspiro que la dejó colgada por unos instantes de la cenefa del techo; sin embargo fue sólo un segundo, inmediatamente volvió a mirar a Bernardo, esta vez para terminar diciendo—: Tiene mandanga el asunto, hemos conseguido librarnos de la moralina de los curas y ahora tenemos a los periodistas ocupados en desvelar nuestros peores pecados, joder.

Bea parecía haber tomado impulso, a pesar de que una carraspera autoritaria por parte del jefe de la manada intentaba reconducirla a un cauto silencio: la tercera tos, la cuarta tos masculina ciertamente sonaban ya sorprendidas de que no se les hiciera caso y ella con la mirada colgada allá arriba en las alturas:

—Mira, Sánchez, ahora sin coñas, que a Bernardo se le esté poniendo cara de vinagre me da igual, ahórrate el trabajo de investigación o "investigación" entre comillas, lo que le pasó a Valdés ya lo sabe TODO Madrid —y pronunció las últimas dos palabras con esa seguridad plotínica con la que suele invocarse al escaso millar de personas que forman *the happy few*: TO-DO Madrid.

Observé entonces que la coronilla de Sánchez se estiró unos segundos para volver a fruncirse en un pliegue oblicuo.

—El fatal desenlace de esa noche —dijo— no tiene nada que ver con angustias financieras, ni amantes escurridizas, es mucho más inquietante..., claro que si prefieres que hablemos de otra cosa, Bernardo...

Al único que yo no conseguía oír con claridad era al tal Bernardo que de vez en cuando asentía con la cabeza y sin duda reconducía la conversación con toses o palabras llenas de autoridad que para mí eran sólo un runrún. El problema es que tengo dificultad con los tonos graves y la voz de este último abundaba en ellos, como corresponde a un jefe de manada. Sin embargo algo contundente debió decirle a Bea en ese punto pues a partir de entonces se sumió en un silencio ofendido después de haberse despachado con una exclamación de grueso calibre que sonó algo así como "cañones" (y no, no era cojones sino otra expresión con la que no estoy familiarizado).

Entonces, maldita sea, cuando yo pensaba que unos minutos de silencio ayudarían a que Antonio Sánchez relatara su hipótesis sobre la muerte de Valdés, sobre la supuesta historia de una hija de puta quienquiera que ésta fuese, el locutor se descolgó con una explicación muy corta pero... ajedrecística que, para un profano como yo en los juegos en los que no se gana dinero rápido, no fue muy iluminadora, la verdad.

—Vamos a ver —dijo y supongo que escenificaría la posición de cada pieza sobre el mantel moviendo un vaso u otro objeto que su espalda me impedía identificar—, yo no pienso utilizar esta historia en mis programas de radio, estoy por encima de chismorreos de alcoba, pero si quieres saber lo que *verdaderamente* ocurrió aquella noche y por qué Valdés murió sin remedio, escucha, Bernardo: imagínate a continuación al agonizante como si fuera el rey blanco. Muy bien, aquí tenemos a Valdés, el rey blanco al final de su partida y ¿qué otras piezas tenemos?, una dama blanca, otra negra y la mora Habibi que en este caso pongamos que es peón negro, ¿me seguís?

El jefe de la manada asintió con aire de gran concentración mientras Bea miraba a través de mí a la pared de enfrente y fumaba. Ni por un momento su vista volvió a la mesa de sus amigos. Parecía haberse desinteresado completamente de la explicación, todo lo contrario de la otra rubia... Y Ana, la segunda rubia, Nuestra Señora de los Inocentes, que no debía de saber distinguir un alfil de una torre, contribuyó entonces con una pregunta que se me antojó verdaderamente estúpida:

—Vale, Antonio, si Valdés es el rey blanco, ¿quién es la dama blanca y quién la negra?

—¡Bravo!

Sánchez se había puesto contentísimo al oír esta pregunta, lo pude ver claramente por el modo en que los pelos del cogote, que eran largos y pajizos, se hundían dentro del cuello de la camisa, el cuerpo encogido, alerta como un podenco justo antes de lanzarse tras un conejo.

—Es la primera vez que alguien me hace la pregunta del millón de dólares —dijo—, eso es, decidme vosotros ¿quién merece ser la reina negra? ¿Isabella, que como todo el mundo sabe —y subrayó "todo" mirando a Bea, lástima que yo no podía ver con qué expresión aunque sospecho que desafiante— ...estaba con Valdés y no hizo nada por ayudarlo? ¿O lo es Merceditas, que aquella noche aprovechó el inesperado incidente para librarse de un marido fastidioso... y muy rico, que no hacía más que liarse con todas sus amigas?

Una de dos, o ese día tenía yo la fortuna más en contra de lo que estoy acostumbrado o es dificilísimo ser un buen espía. Sucedió que, de pronto y para mi desesperación, los alemanes de la mesa junto a la ventana eligieron esta delicada parte de la conversación para levantarse y abandonar el restaurante, hablando, chamuyando todos a la vez como un enjambre de moscardones que se desplaza amenazador y ruidoso ahora hacia la derecha, ahora hacia la izquierda sin que se sepa dónde elegirá detenerse aunque siempre teme uno que será justo encima de su cabeza...

Recuerdo haber mencionado con anterioridad que eran cuatro, dos chicas y dos chicos, pero parecían muchos más en ese momento y si me recordaban a un enjambre era por el volumen de sus zumbidos —agudos unos, graves los otros— con los que vinieron a infestar el espacio que me separaba de mis observados. Se habían levantado todos en bloque y avanzaban hacia nosotros habla que te habla, con ese bla-bla mecánico de la gente que piensa que no se está divirtiendo lo suficiente si no tiene algo graciosísimo que decir hasta el instante mismo en que se separan para irse a la cama, mosca con mosquito o, quién sabe, tal vez mosca con mosca.

"Por todos los diablos", pensé yo entonces, "lo único que espero es que no se paren delante de la mesa de mis espiados, que no surja algún comentario de esos que hace que la gente se detenga de pronto en seco con un: 'Ajá, por cierto, querido Wolfang o

Godfried (o como rayos se llamen), tengo que contarte algo aquí mismo...'".

Pero sí, se detuvieron, y un tipo alto con gafas redondas de carey dijo exactamente eso:

—*Ajá*...

Y, tal como yo había temido, estratégicamente fue a pararse donde más podía estorbarme. Entonces las chicas que venían justo detrás de él se detuvieron también, manos gordezuelas, caderas anchas, y aprovecharon las dos para recolocarse las faldas, muy cortas, demasiado breves para unas piernas bávaras, y risas, muchas risas tan bávaras como las piernas. Y es por culpa de ese contratiempo que las palabras de Sánchez ahora las retengo en la memoria con ráfagas de cháchara en alemán, tan inoportuna.

—... pues para que os enteréis de una vez el problema no es que Valdés aquella noche se atragantara o le diera un parraque o lo que tú quieras, eso le puede pasar a cualquiera, el problema es que *luego* lo dejaron morir como a un perro... —oí decir a Sánchez.

—*No. No. Fue en casa de Goës* —interfirió una voz alemana contundente—, *todos estábamos borrachos y Friedrich me dijo: mira Franz Johann, hermano*...

—... eso es lo que ocurrió, la muy puta dejó morir a Valdés, podía haberlo salvado pero la tía lo dejó morir, está clarísimo.

¿Cuál tía?, me preguntaba yo, ¿Isabella?, ¿la mora?, ¿acaso Mercedes?, y no tuve más remedio que maldecir en silencio a Franz Johann y a sus amigos. También me acordaba muchísimo del padre de Friedrich quienquiera que fuese, pero las maldiciones, lamentablemente, son lentas de efecto y aquellos dignos descendientes del barón de Munchausen, tan prolijos y pesadísimos como éste, continuaron con el relato de sus fabulosas aventuras.

—... *En casa de los Goës no, te digo, fue en lo de Graf Spee. Entonces la tiraron al lago*...

—*Ya, ya, ya* —esto por parte de una de las piernas bávaras.

—*Te-rri-ble* —apuntó el amigo del tal Franz Johann y—: *jo, jo.*

—Además es tan condenadamente fácil, tú no tienes que hacer nada. Son golpes de suerte, el tío está ahí muriéndose, tú puedes evitarlo o no evitarlo, es la decisión de un instante, de un instante... y ¿qué haces entonces?...

—*Ya, ya* —insistió Franz Johann.

A partir de este momento toda la conversación, tanto la de mis espiados como la de los bávaros, se vio jalonada de risas, de risas en los diversos tonos, como un *yodel* de las altas cumbres, de este modo:

—... *yodel, yodel, yodel, la tiró a la pis-ci-na.*

—... porque escucha lo que te digo, Bernardo...

—*Ah-h* —un suspiro por parte de las segundas ancas bávaras.

—Muy pocas veces en la vida se encuentra uno con una ocasión así. Naturalmente no es lo mismo que matar a alguien, es mucho más fácil, y resulta sencillísimo de justificar, incluso ante uno mismo: "qué horror, no pude hacer nada por salvarlo", dices y te quedas anonadado pero, en el fondo, más ancho que largo, así es la condición humana...

(... Y *yodel* en falsete... y también en contralto.)

—... *a la piscina he-la-da joi, joi.*

—... sólo consiste en hacerse la longuis y dejar que la naturaleza haga el trabajo sucio. Ponle que en este caso Mercedes marcó el teléfono del Samur y éste no hacía más que comunicar, ponle que al explicarles cómo se llega a la casa no dio los datos demasiado claros..., nadie se enteraría nunca, ella estaba sola con el moribundo en ese momento, ¿no?, mira tú qué conveniente.

—*Yodel, yodel. ¿Pero no habíamos quedado en que era un lago?* —*yodel, yodel* y otra vez *yodel.*

—... ahora ella se ha quedado viuda...

—... *ya, ya con-ge-la-da estaba el agua, te lo juro.*

—... un trago desagradable si se tiene en cuenta la fama de Valdés y que todo el mundo habla de la posibilidad de que Isabella estuviera por medio pero...

—*Yodel, yodel, ¿verdad, Margaretta?, tú estabas allí, joi, joi.*

—... pero la trampa, la explicación a todo está en lo que voy a decirte: la tía estaba harta de tanto tragar y se había echado un amante, está clarísimo, te lo digo yo...

—*me dan escalofríos sólo de pensarlo, hermano... y eso que estábamos... ju, ju, tan borrachos.*

—... y como tiene un amante, lo más probable es que hayan quedado para verse aquí. Mira, me juego lo que quieras a que la tía se ha venido al L'Hirondelle para encontrarse con alguien, nos enteraremos enseguida, tú verás. Y ésa va a ser la prueba definitiva de que lo que te digo es *verdaz.*

—... *nein, nein, Margaretta, cuéntales tú cómo fue...*

Afortunadamente Margaretta debía de pertenecer a las especies más ligeras dentro de los insectos incordiantes, la más tenue entre las cantantes de *yodel,* o así me lo pareció en contraste con sus ruidosos amigos; la vi flotar hacia la salida tirando de los otros bávaros cantores y *¡joi!, ¡joi! ¡ho!, ¡yodel!, ¡yodel!,* hasta que desaparecieron dejándome desnudo ante la mesa de mis observados.

Desnudo, sí, y también vencido, pues el gran esfuerzo que hube de hacer mientras tenía a los alemanes delante acabó inclinando mi cuerpo hasta obligarlo a adoptar una posición muy parecida a un triángulo cuyo vértice mayor se acercaba muchísimo a la coronilla de Sánchez. Tanto que la rubia temerosa miró hacia mí y yo me sentí en la necesidad de obsequiarle con un calculado *"Gute Nacht"*, con el deseo de que mi buen acento de colegio suizo obrara el milagro de hacerles creer a todos que estaba fisgando en la otra conversación, en la de los bávaros pesadísimos: una situación absurda que, según calculaba, debía subsanar de la manera menos embarazosa. Entonces se me ocurrió que lo más juicioso sería levantarme cuanto antes y, al pasar por delante de mis nuevos amigos, repetí un saludo lo más germánico posible. *"Gute Nacht"*, dije, controlando incluso el deseo de dar un leve taconazo de camuflaje. Ellos ni me miraron. Al salir, y aunque tenía todo el tiempo del mundo para poner en orden mis ideas, ya sólo se me ocurrió un dato que añadir a la lista que había confeccionado a toda prisa sobre el fax de Fernanda. "Habibi", había anotado durante la cena y también "pulsera robada", a esto sólo supe añadir con un signo de interrogación y mayúsculas: "¿ELLA lo dejó morir?". Realmente todo era demasiado confuso.

Las labores de aguja

No tengáis pereza en reparar cualquier desperfecto o accidente que advirtáis en vuestra ropa, las agujas son nuestras amigas más fieles pues gracias a ellas podemos devolver a las prendas viejas (y a veces por ello olvidadas) un nuevo protagonismo.

Para ser elegante, para ser bella. Condesa Drillard.
(Capítulo dedicado al guardarropa.)

Agujas de pino

Juro que no había tomado una gota de alcohol en toda la cena. Creo que es importante anotar el dato pues lo que contaré a continuación parece tener por cómplice a Johnnie Walker o, más certeramente, al General Gordon ya que, aunque no soy bebedor, prefiero la ginebra al whisky.

Había subido a mi habitación, que está en la segunda planta de L'Hirondelle D'Or, y encendí la luz —no la del techo sino una lateral— como suelo hacer siempre para no despertar a Gómez, que duerme cerca de la ventana. Ya mientras me despojaba de la chaqueta y la corbata pude comprobar cómo comenzaba a gestarse el extraño fenómeno que me dispongo a relatar. No soy un gran lector pero sí he tenido ocasión de ver descrito en alguna parte un prodigio que consiste en que, de pronto, una persona dentro de una habitación se siente víctima de un complot. Los objetos inanimados, y en especial las paredes, empiezan a cerrarse sobre el protagonista amenazando con dejarlo hecho un sándwich mientras su mente hierve con todo tipo de pensamientos desagradables. Pensamientos que, por lo general, enlazan el presente con el pasado, horribles vivencias de la infancia vinculadas a algún hecho actual que acaba de despertar esos recuerdos del tranquilo sueño en el que dormían sin molestar a nadie. Y de pronto, todo esto se une al asombroso hechizo de las paredes amenazando con cerrarse sobre la víctima de un modo que recuerda horriblemente a una profecía de brujas tramposas que canturrean: "Macbeth jamás será vencido hasta que el bosque de Birnam suba al castillo de Dunsinane" o lo que es lo mismo: "Molinet jamás ha de temer que su pasado se confabule contra él... hasta que las paredes de su habitación se comporten como el bosque de Birnam".

No es que el fenómeno se hiciera visible desde el primer momento, todo lo contrario, fue más bien un escalofrío que una sensación de claustrofobia lo que sentí al mirar por primera vez hacia los muros de mi habitación, y allí estaban los cuatro, muy formales ellos, cubiertos de agujas. De agujas, sí, pero no debido a maleficio alguno ni a nada extraordinario, sino al capricho del decorador del hotel que eligió tapizarlos con una tela estampada que reproduce las agujas de los pinos. Y las había sobre las paredes, también a lo ancho de la colcha y sobre las cortinas, cientos de agujas idénticas. Pues es necesario explicar que cada habitación en L'Hirondelle tiene una decoración distinta, relacionada siempre con la botánica. No he visto las otras, pero sé que es así por el modo en que las camareras se refieren a ellas: la de al lado de mi cuarto es la *chambre du muguet*, la de la izquierda la *chambre pista-*

che, más allá se encuentra la *rose de thé*, siempre un nombre francés, siempre vegetal, tal vez para compensar que estamos casi al borde del desierto y que la única planta que crece fuera de nuestro oasis artificial es un rastrojo pardo que ni siquiera creo que goce del privilegio de merecer un nombre francés.

Mi habitación lleva pues el bonito nombre de agujas de pino, la *chambre des aiguilles de pin* y, para hacer honor a ello, está tapizada reproduciendo una y mil veces esos palitos finos y largos que suelen acumularse bajo los pinos. Dos agujas siamesas unidas por la cabeza que, invariablemente, traen a la memoria algún veraneo infantil en el que uno se entretenía en amontonarlas o desgajarlas para que sus dos patitas ya no fueran más que una, leñosa e inútil, que girar entre los dedos en alguna meditación o charla sin importancia.

Me quité, como ya he dicho, la chaqueta, también la corbata, medio a oscuras; Gómez roncaba en su rincón de un modo que yo hubiera deseado menos sonoro, pero no volví a pensar en él ni tampoco en las agujas de pino hasta que, concluido el aseo nocturno, me vi cubierto de ellas, cientos de agujas idénticas, como las largas piernas de infinitos bailarines, como los dedos acusadores de algún recuerdo rebelde, como las malditas púas que aguijonean la memoria obligándola a precipitarse sobre el presente acarreando a su paso un sinfín de vivencias pretéritas y lejanas que estaban muy bien enterradas, muy bien enterradas, es cierto, pero que de pronto asoman, amenazando con saltar, con echarse sobre mí igual que un bosque tramposo, aunque es bien sabido que las paredes no se mueven, ni siquiera las que están llenas de pinchos como éstas y por eso quiero que quede bien claro que no había bebido nada durante la cena y que lo que aquí voy a contar —o mezclar— no se debe más que a ellas, a las agujas.

Desde el primer momento decidí ignorarlas, iba a pensar en cosas actuales, en algo que no tuviera relación alguna con mi vida pasada y apagué la luz, lo que las hizo desaparecer. Luego, di media vuelta en la cama colocándome de modo que pudiera mirar por la ventana. Las agujas continuaban ahí; sin embargo la luz de la luna era tan escasa que inmediatamente las convirtió en sombras inofensivas. No era una noche clara pero desde mi posición alcanzaba a ver el contorno de unas lomas del campo de golf, y sobre ellas comprobar cómo se recortaban dos palmeras, dos extraños penachos inmóviles, como si fueran parte de un decorado para *Lawrence de Arabia* que los responsables del *atrezzo* hubieran olvidado desmontar después del rodaje. Acomodé la cabeza entre los brazos. Tenía sueño pero preferí mirar un rato por la ventana pues imaginaba que, cuando me venciera el cansancio, ellas, las agujas, vendrían a aguijonearme con quién sabe qué recuerdo no deseado. Podía verlas, estaban ahí aunque no se acercaran, aunque no avanzaran, al menos por el momento.

"Qué historia tan absurda", me dije así, en voz alta, como suelo hacer en ocasiones, y decidí ahuyentar el sueño evocando algo de lo que había oído esa misma noche en el restaurante de L'Hirondelle, las diferentes versiones de la muerte de aquel tipo, Jaime Valdés, que a fuerza de estar presente en mis últimas vivencias comenzaba a ser alguien casi familiar. "Qué historia tan absurda", repetí y me pareció una buena idea para vencer el sueño el dar repaso a las versiones que había escuchado, primero de labios de Fernanda allá en Londres y luego aquí en el hotel: la misma situación con idénticos personajes sólo que, según la explicaran unos u otros, podían parecer dos o tres historias muy distintas. Realmente era el momento ideal para poner en orden toda aquella información inconexa, así es que me dispuse a hacerlo con método y rebatiendo cada hipótesis pues ésta es, a mi parecer, la forma más prudente de medir las cosas.

Muy bien, tenía todo el tiempo del mundo y mirando por la ventana recordé:

"¿Quieres que te cuente la historia de una asesina?"

Así había empezado Fernanda su versión de lo sucedido y luego, tal como era de esperar, se había lanzado a relatar toda una serie de cosas traídas por los pelos, la verdad sea dicha. Un tipo que se ahoga..., está presente una amiga de su mujer pero ésta, en vez de ayudarlo, sale corriendo en el momento más comprometido, "ergo", me dije, "según Fernanda he ahí la historia de una asesina", sonreí y luego, supongo que para justificar a mi sobrina, no me quedó más remedio que añadir: "exageraciones mundanas, *mon cher*, chismorreos, no es que Fernanda piense que Isabella haya matado a nadie, sólo intentaba contar la historia de la manera más llamativa para pasar el rato y alegrar un almuerzo que estaba resultando bastante soporífero". Claro que todo lo que dijo entonces resulta muy poco creíble, ni siquiera razonable, pero los chismorreos que se cuentan para matar el aburrimiento no tienen por qué ser razonables, tampoco verosímiles, basta con que sean divertidos, eso es lo único que se exige de una habladuría: que sea entretenida, ¿no es así?

Aún no comprendo cómo pudo desviarse uno de los rayos de luna para entrar, de pronto, oblicuo. Todos sus hermanos tamizaban la penumbra de un modo uniforme pero, por alguna razón extraña, uno de ellos se las había arreglado para escapar y ahora iluminaba como un foco una esquina de mi habitación especialmente profusa en agujas de pino, y juraría que oí cómo un puñado de ellas me gritaban:

Y a ti, Rafael Molinet, ¿qué diablos puede importar-
te una historia ajena que tiene por protagonistas a personas
que ni siquiera conoces?, ¿por qué le prestas tanta atención?,
¿qué pintas tú husmeando detrás de absurdas pistas igual
que un sabueso resfriado?, ¿por qué te tomas tantas moles-
tias en seguir un rastro que lo más probable es que conduzca
a una explicación muy sencilla y aburrida? Nadie mató al
tal Valdés, lo sabes muy bien, se ahogó de la manera más es-
túpida, eso es todo...

"Como es lógico", me dije, atajando en este
punto el imprevisto monólogo de las agujas y sin darle
ninguna importancia a lo que acababa de oír, "la versión más extendida es que el tipo aquel murió haciendo el amor con Isabella, eso es lo que le da interés al
asunto. Así lo cree la rubia temerosa, esa que parece
tan amiga del locutor de radio. Además, esta explicación coincide con la de Fernanda en los puntos bási-
cos: una muerte imprevista, una muerte en el momento más inoportuno, pero, claro, ¿cuándo es oportuna la
muerte?" El haz de luna continuaba ahí resaltando
cada aguja de la pared como si se tratara de miles de
recuerdos punzantes cuya intención fuera coser el presente con el pasado, conectar la historia de Valdés con
otra muy antigua, pero yo ni las miré, volví a buscar los
dos penachos de palmera perdidos allá afuera sobre el
campo de golf y de veras que me maravillé de lo aten-
tos que seguían mis deducciones, tal vez pudieran parecer árboles de *atrezzo*, pero ciertamente se movían
y asentían a mis palabras con un aire muy inteligente.
"Hay que ver cuánto gustan las explicaciones
con sexo por medio", me dije, "y siempre se acaba buscando a un culpable incluso en un caso como éste en
que se ve clarísimo que fue un accidente", dije dirigién-
dome a las palmeras y en voz muy alta, "cuántas habla-

durías gratuitas, cuántos chismorreos porque... incluso, más estúpida aún que las explicaciones de Fernanda y de la rubia temerosa es la teoría que acabo de oír (o medio-oír sería más exacto) de boca del locutor de radio, qué curioso, él empezó su historia de un modo bastante similar a mi sobrina Fernanda pues dijo así: 'Oye, ¿queréis oír la historia de una hija de puta?'".

"La historia de una hija de puta", coreó amable mi imagen sobre el cristal de la ventana, y al verme reflejado allí cerca de las palmeras y, en apariencia, tan lejos de mi habitación, me esmeré todavía más en interpretar la auténtica verdad sobre la muerte de Jaime Valdés ignorando la presencia de esos recuerdos en forma de agujas. "Es cierto", me dije entonces, "que la explicación ofrecida por Sánchez llegó hasta mí en unas circunstancias muy adversas, pero en cualquier caso, no resulta muy difícil adivinar cuál es su teoría: una viuda rica con pocos escrúpulos, un amante... y, lo crea yo cierto o no (en el fondo eso es lo de menos), el hecho es que en lo que he escuchado esta noche en el comedor habría un material muy interesante para obtener un dinerito imprevisto si me diera la gana...".

¿... *A quién vas a chantajear, Rafael Molinet?*, parecían gritar ahora las agujas de pino groseramente iluminadas por la luna, *mentira, todo lo que relatas es mentira, en tu vida has sabido sacar provecho de las situaciones y mucho menos obtener dinero de una historia turbia. Cuenta la verdad, Rafael Molinet, y confiesa, de una vez, por qué te interesa tanto la muerte de Jaime Valdés.*

Fue precisamente en este punto cuando encendí la luz. Dicen que la mancha de una mora con otra verde se quita y no es mi intención seguir haciendo símiles vegetales, pues no son mi fuerte ni me han interesado nunca las plantas. Tampoco creo que tuviera en la cabeza ese refrán cuando decidí saltar de la cama para combatir aguja con aguja, un pinchazo con otro pinchazo, y me acerqué al armario, que es donde guardo una pequeña caja de costura, con la intención, ríanse, de entretenerme con alguna actividad útil, cualquier cosa que me ayudara a concentrarme en lo que yo deseaba pensar, no en lo que ellas me obligaban a recordar; y ésa me pareció la mejor manera: ocuparme en una labor doméstica, práctica, como zurcir unos calcetines, por ejemplo.

Desde que vivo solo he descubierto el efecto benéfico de las labores de un sexo que no es el mío; coser, remendar, puede parecer algo impropio de una persona de mis características, pero ustedes que me leen desconocen muchas de mis circunstancias y yo he podido mentirles en algunos detalles, aunque, espero no defraudar mucho la idea que puedan tener de mi persona si les digo que, esa noche, lo único que se me ocurrió para frenar el asalto de las agujas de pino que me atosigaban con mil recuerdos fue entregarme a la sedante actividad de zurcir un par de calcetines.

Al principio funcionó. Mientras enhebraba la aguja e introducía el primero de los calcetines en un huevo de madera que guardo en la caja de costura para este fin, y mientras daba las primeras puntadas, las paredes (o los recuerdos debería decir) volvieron a su sitio al tiempo que mi cabeza se entretenía, una vez más, en ordenar los datos de una anécdota que, en apariencia, no tiene nada que ver conmigo.

Di una larga puntada cerrando el agujero que me disponía a hacer desaparecer de mis calcetines y con él cerré también ciertas similitudes entre mi pasado y la historia de Valdés que las agujas de pino se empeñaban en subrayar, pero yo estaba dispuesto a impedirlo, iba a concentrarme en pensar en el presente, en un presente del que soy sólo un espectador.

"La versión que da Antonio Sánchez de lo ocurrido es aún más estúpida que la de mi sobrina Fernanda", repetí por segunda vez, pues aunque su explicación había llegado a mis oídos interrumpida por la cháchara de los alemanes gritones, ahora con más sosiego, me resultaba muy fácil hilvanar los retazos de la historia tal como el periodista la debió de contar a sus amigos.

En tanto, mis dedos siguieron con la labor.

"Los personajes, naturalmente, continúan siendo los mismos", me dije. "Valdés el ahogado coqueto, Mercedes la viuda, Isabella la amante, Steine el marido de Isabella y una mora, Habibi, que aún no sé bien dónde coserla, si con los buenos o con los malos, pero allá va la aguja." Entonces me detuve a pensar un segundo en este último personaje.

Ana, la rubia temerosa, había hablado de ella y contado una anécdota, algo sobre una pulsera que desapareció aquella noche. Fernanda en cambio sólo había hecho alguna insinuación, de modo que si existía una anécdota lateral con Habibi y con una pulsera desaparecida, tal como aseguraba la rubia, debía de tratarse de unos datos obtenidos a través de... ¿cómo había llamado mi sobrina a la versión que cuenta el servicio doméstico?, ah sí, la *maid conection*, sin duda pertenecía a esta fuente, pero yo nunca escucho chismes del servicio.

Pues escúchalos, Rafael Molinet, parecía chillar un grupo de agujas desde mi colcha, ...*hablan de una pulsera de oro desaparecida en el momento de la muerte. Mercedes Algorta, tú la has visto en la piscina, tiene una pulsera de esas características, Isabella luce otra en la foto enviada por Fernanda: ¿son diferentes o se trata quizá de una sola?, ¿no quieres detenerte a pensar en qué significaría que ambas fueran una misma joya, Rafael Molinet?, ¿a qué te recuerda tanta coincidencia?, ¡tal vez a otra chica mala?*

"La versión de Sánchez...", me dije ahora por tercera vez y en voz tan alta que Gómez dio un pequeño respingo (por suerte no llegó a despertarse), "la versión de Sánchez sobre lo ocurrido es aún más estúpida que las otras que he oído. Según él, no fue Isabella quien frívolamente dejó morir a su amante tal como sostenía Fernanda, el tipo tampoco había muerto mientras hacía el amor como afirma la rubia temerosa, no, ambas versiones son *très vulgaires comme petite histoire*. Cuando alguien como Antonio S. se interesa por un cotilleo mundano, lo que intenta es convertirlo en algo mucho más original, así es que toma los cinco personajes de la historia cual si fueran naipes, baraja de nuevo y explica lo ocurrido de otra manera más sorprendente: convierte a la *esposa* en culpable, ella es la pecadora. ¿Cómo? Muy sencillo: *laissez faire* creo que lo llaman los franceses. No intervenir, dejar pasar, o más concretamente, dejar morir, ésa es la explicación de Sánchez según se desprende de lo que yo había podido oír hacía un rato". "Interesante teoría", me dije teniendo buen cuidado de que las puntadas me salieran todas del mismo tamaño, "puede decirse que se trata del crimen perfecto y hay miles de historias parecidas en circunstancias de lo más variadas". Aún recuerdo un caso similar que se contaba en la Argentina. Trataba de una mujer casada con un tipo tan rico como déspota e insoportable; tenía por escenario un velero, era de noche, estaban navegando, nadie en cubierta, sólo la esposa y el marido abominable. De pronto... el tipo cae al agua por puro accidente y aquí viene el dilema: ¿qué hace ella?, ¿pedir auxilio?, ¿tirar al agua un salvavidas?, ¿o no interferir en lo que ha dispuesto el destino?

Se trata de la decisión de un instante: en la historia del marido abominable, la esposa bajó a su camarote y se puso a limarse las uñas. Fue el asesinato más perfecto con el arma más inofensiva: una lima de esmeril no mata a nadie... excepto cuando debiera estar en un cajón mientras su dueña ocupa sus uñas —sus manos— en labores más samaritanas.

Resultaba fácil adivinar que la teoría expuesta por Sánchez apuntaba hacia algo de este estilo pese a que... (vaya por Dios, se me ha enredado la puntada, tendré que deshacerla y cortar el hilo)... pese a que los ingredientes de su versión, en el caso que nos ocupa, son tan inverosímiles como los de Fernanda. "En la muerte del tal Valdés", me digo, "resulta estúpida la hipótesis del "dejar pasar", aquí no se trata de que alguien se ahogue en alta mar, hay un ahogado, es cierto, pero de una clase mucho más difícil de socorrer a menos que uno sea médico. ¿Qué tenía que haber hecho Mercedes y sin embargo no hizo? Según Sánchez, ella retrasó el momento de pedir ayuda y la razón que da para apoyar dicha tesis es que la chica tenía un amante y vio la ocasión de quedar libre, rica y libre" (estas puntadas elásticas son muy difíciles, no hay más remedio que cortar el hilo y volver a empezar). "A quién se le ocurre", pienso, "semejante disparate en el siglo XX, porque es evidente que..." (en ese momento me veo obligado a detenerme, estoy sudando, me enjugo la frente, miro hacia delante y allí están otra vez las agujas de pino):

...¿Por qué te interesa tanto una historia que, como muy bien dices, no es más que un cotilleo frívolo?, sólo interpretaciones estúpidas para un desgraciado accidente...

Son ellas otra vez: en esta ocasión atacan desde la pared cerca de la ventana y yo vuelvo una vez más a mi labor hablando en voz alta, tanto, que Gómez rebulle en su esquina, pero me importa un rábano que pueda despertarse, tengo que concentrarme otra vez en la costura. "Que Mercedes quisiera acabar con su marido sólo porque tiene otro hombre en vista, un amante secreto, es tan inverosímil que ni aun contada por la hipnotizante y radiofónica voz de Sánchez resulta creíble", razono, "inverosímil primero porque hoy en día nadie tiene que recurrir a estos métodos para librarse de un marido por muy mujeriego o desagradable que sea, es absurdo (y ahora ¡por fin! consigo cortar el hilo para volver a coser un poco más allá), ¿qué razón iba a tener Mercedes para ensayar una jugada tan arriesgada e innecesaria?, hace falta un temple y un carácter muy especial, muy contradictorio para atreverse a hacer algo así...".

Mentira. Es la decisión de-un-instante —chillan las agujas de pino desde la colcha—, *nada está planeado y por tanto todo parece accidental..., tan sencillo, basta con un pequeño fallo, un imperceptible retraso en hacer lo que uno debe hacer y ya está: la omisión es el más perfecto de los crímenes, Rafael Molinet, acuérdate de lo que ocurrió aquella vez, también se trató de la decisión de un instante...*

"Tonterías, nadie deja morir a un marido", insisto yo, "cuando existe algo tan civilizado como el divorcio, calumnias ociosas para pasar el rato, nada más".

Fue entonces cuando supe que no me dejarían en paz, que ellas estaban ahí, esperando a que me venciera el cansancio, y el sueño es un fenómeno caprichoso que cuando uno lo llama tarda en acudir, pero basta con que no deseemos entregarnos a él para que se nos eche encima. Y se piensan tantas tonterías cuando se está entredormido. Miré el reloj: eran las dos de la mañana. Me hubiera gustado cavilar un poco más, detenerme en otro detalle que se me antojaba interesante en la historia de Mercedes Algorta, quería darle vueltas a algo de lo que todos hablaban, así como de pasada, de "una pulsera de oro, una pieza de Cartier muy interesante...", eran las palabras de Fernanda en el fax y yo las recordaba casi textualmente: "... se trata de una joya a la que Mercedes le había echado el ojo en una subasta de Christie's, sin embargo Isabella se le adelantó haciendo que papá Steine se la regalara por Navidad: fue como una premonición, las Isabellas de este mundo empiezan pisándote una pulsera y acaban montándoselo con tu marido".

Era una idea estúpida, pero hasta las ideas más descabelladas parecen sensatas cuando uno está medio dormido, luchando por mantener los ojos abiertos y no entregarse a quién sabe qué oscuros recuerdos. Se me ocurrió de pronto, que si Mercedes estaba en L'Hirondelle, y si la pulsera que yo le había visto lucir era la de Isabella, entonces sí podía sospecharse que la noche en que murió Valdés había ocurrido algo extraño pues resultaba inquietante pensar que, en medio de todo aquel drama, Mercedes decidiera quedarse con la joya en prenda o como venganza por todas las traiciones del pasado, y a ver con qué cara se atrevía Isabella a reclamársela... "Las manos de ella debían haber estado ocupadas en labores más samaritanas", repetí recordando la historia del marido que cae al mar mientras su esposa se limita a limarse las uñas... "¡Tonterías!", dije inmediatamente con un hálito de sentido común, "es la idea más descabellada que he oído hasta ahora, tanto, que ni a Antonio Sánchez se le ha ocurrido semejante disparate a pesar de su instinto entrenado para olfatear escándalos..."

Pero las agujas de pino, por lo visto, no se rinden pues me interrumpen airadas:

Sánchez y sus amigos no han tenido oportunidad de ver la pulsera en el brazo de Mercedes, sólo tú la has visto, Rafael Molinet, ¿qué te apuestas a que ella no vuelve a usarla en todos los días que le quedan de estar en L'Hirondelle?, dejar morir a un marido a veces es tan fácil y tan osado como quedarse con la pulsera de la amante a modo de trofeo, tan fácil... y ese dato lo prueba todo: sólo tú conoces la verdadera historia de Mercedes Algorta como también sólo tú sabes la de otra chica mala. He ahí la verdadera razón de que te hayas inmiscuido en este asunto: la extraña similitud entre Mercedes y ...

Ya está bien. No es cierto, no me he inmiscuido en nada, se trata sólo de curiosidad, el aburrimiento de estos días sin nada que hacer... Curiosidad y aburrimiento, sólo eso, ahora estoy seguro, no existe nada de extraño en la muerte de Valdés. Sólo conjeturas malintencionadas, habladurías, siempre habladurías...

Igual que la otra vez, ¿no es cierto?, también en aquella ocasión hubo tantos rumores, Rafael Molinet, y sólo tú sabías la verdad. Ahora, casi cuarenta años más tarde hete aquí de nuevo como único testigo, ¿qué piensas hacer con estos datos?

"¿Qué datos? (digo entrando al trapo como un imbécil, uno nunca debe contestar preguntas impertinentes como ésta, aunque sean interpuestas por viejos y abrumadores recuerdos), yo no sé nada, ni siquiera puedo asegurar que la pulsera de Mercedes sea la misma que lleva Isabella en el fax de Fernanda, se ve muy mal, es demasiado borroso, necesitaría pedirle a mi sobrina otra foto más nítida. Necesitaría sobre todo *desear saber* y nada más lejos de mis intenciones, no quiero saber nada de ninguna pulsera."

¿Qué vas a hacer con el dato?, repiten ellas, malditas agujas que no escuchan mis objeciones..., *tú dices que te has interesado en Mercedes Algorta simplemente por curiosidad, pero ¿quién va a creerse que es eso lo que te mueve? Mentira. No hay nada tan estúpido como mentirse a uno mismo y tú llevas ocultándote la verdad... ¿cuántos años?, ¿cuarenta tal vez? Vamos, Molinet, reconócelo, total ¿qué importancia tiene a estas alturas?, ya estás muerto. ¿O es que nos vas a contar ahora que también se te ha olvidado a qué has venido a L'Hirondelle? Pues nosotras te lo recordamos con mucho gusto: dos semanas aquí, Molinet, y luego* ciao, au revoir, *adiós mundo cruel..., todo un tubo de somníferos enterito...*

¿Enterito...? Enterito, eso habían dicho las agujas de pino con un marcado acento meridional, muy antiguo en mi memoria. Entonces me di cuenta de que ya estaba medio dormido y supe de pronto que me encontraba en otro continente, en otro país y en una época muy lejana. Aunque ellas continuaban ahí mirándome desde las paredes, tan formales sobre la colcha, tan equívocas también, una fronda difusa, toda una espesura, como el maldito bosque de Birnam inmóvil y a la vez listo para cumplir su imposible profecía. Y las vi sobre las paredes escasamente iluminadas por la luna, quietas, sin avanzar por el momento, pero incapaces de engañar a nadie.

Los ojos se me cerraban sin que yo pudiera evitarlo y llegaba el sueño.

Cómo proceder ante un espejo

Al estudiar vuestros movimientos ante el espejo, tened muy presente que el esfuerzo de la mujer elegante debe tender a realizar un conjunto armonioso de todos sus miembros. Ensayad ante él vuestra sonrisa. Repetid también las palabras de las que deseéis un efecto particular; hay palabras cuya pronunciación hacen mucho más atractivos y graciosos los movimientos de la boca.

Para ser elegante, para ser bella.
La condesa de Drillard, 1902.

Con un espejo de plata en la mano

Los sueños tienen la maldita costumbre de emborronarlo todo, los buenos y también los malos. Incluso los sueños más crueles, aquellos que uno lucha por no tener, tampoco resultan nítidos y en su maldad amagan pero no hieren, dan vueltas y no acaban de asentar el golpe definitivo como si desearan que uno mantuviera la curiosidad además del terror, una de cal y otra de arena, temor e indefinición hasta el final.

Yo hubiera preferido mil veces tener un sueño nítido y cruel, uno hirientemente lúcido de esos de los que se suele despertar envuelto en un sudor frío y con los ojos tan desencajados que aún se espeja en ellos la horrible visión que los ha obligado a abrirse con tal desmesura; no así mi sueño, no así mi castigo.

Empezó, recuerdo, de un modo sonoro y no visual, por eso me resulta imposible imaginarme contándolo como la protagonista de la película *Rebeca*: "Anoche soñé que volvía a Manderley", o lo que es lo mismo: "Anoche soñé que volvía al Prado", y comenzar desde ahí a describir la casa en la que nos encontrábamos cuando ocurrió todo. Decir, por ejemplo, que me vi de pronto en Montevideo, que era el año 1958 y más concretamente la primera y última noche que pasaríamos en el caserón del Prado, propiedad de la familia de mi padre que acababa de subastarse por cuatro pesos...

Nunca amé aquella casa para mí desconocida. Sólo para él, para Bertie, podía tener algún significado perderla, en ella había nacido. Vivir, lo que se dice vivir, la vivió muy poco, siempre de aquí para allá, en Europa, sobre todo desde que se casó con mamá; y mientras él jugaba a rico en París o en Londres, la vieja casa del Prado allá en Montevideo se había ido derrumbando ella solita, dejándose comer por lo que alguna vez fueron hermosos jardines y ahora parecían haber crecido hasta convertirse nada más que en abrojos, también en gruesas ramas que se trenzan o anudan sin orden alguno, en flores que trepan cubriéndolo todo de un manto salvaje. No hay nada tan rudo como la naturaleza cuando se desquicia, campanillas azules competían con la hierba para esconder los contornos, borrando las columnas estucadas de la galería externa; por eso, a estas alturas, ya nadie podía saber cómo fue la casa en su esplendor, demasiadas plantas hambrientas devorando sus costados. Sólo la puerta principal permanecía expedita y esto gracias al hacer de Gómez, un criado de mi padre, fiel a él como un perro y sin ninguna de las otras virtudes de ese animal. Fue Gómez quien, a golpe de machete, había abierto paso entre las plantas, una extravagancia de mi padre pasar allí la última noche, un capricho más de los que nadie discutía..., por esa misma puerta habríamos de salir los tres al día siguiente para no volver nunca a la casa del Prado... Por ahí habían salido ya la mayoría de los muebles vendidos, como la casa, a cualquier precio hasta el más ridículo, y los pocos enseres que aún quedaban: sillas, alguna mesa, todo excepto las camas y un reloj de pared, yacían recubiertos de sábanas que alguna vez debieron de ser blancas y ahora eran tan sólo nido de ratones. Sin embargo, nada de todo esto vi en mi sueño pues su comienzo fue, como ya he explicado, sonoro y no visual.

—Gómez, dígale al niño Rafael que tendrá que quedarse al cuidado de la casa y acompañando a su madre unas horas. Dígaselo, un chico de quince años no tiene por qué tener miedo de nada.

Era su forma de hablar conmigo, la de Bertie me refiero, nunca se dirigía a mí aunque estuviera delante: una de las pocas ideas suyas que yo aprobaba.

—Dígaselo, Gómez —retumbó la voz en el zaguán y, a pesar de que los sueños que empiezan de un modo sonoro no son menos caóticos que los visuales, ahora me parece verme, otra vez en la entrada de la casa del Prado, justo a la izquierda donde aún sobrevivía el tictac de un gran reloj de pared; tal vez yo estuviera medio escondido tras los barrotes de la escalera, intentando en vano hacer pasar una rodilla entre unos y otros aunque ya no tenía edad de chiquilladas—. Y usted esté preparado para salir a las siete en punto, vamos lejos.

Vamos lejos. Era la misma frase que utilizaba en sus correrías por Europa, en sus tantas mentiras de las que Gómez, como un sabueso fiel, era siempre coartada cuando no cómplice, cuando no excusa estúpida. Tan innecesario todo: a Ella hacía muchos años que había dejado de importarle dónde podía ir mi padre vestido de traje oscuro y sombrero, dejando, como esta noche, un rastro de agua de colonia entre los muebles cubiertos de sábanas, abriéndose camino como un soplo de aire mundano en aquella ruina que sólo olía a moho y podredumbre.

Y de ahí el sueño otra vez se emborrona saltándose secuencias y es por eso que no veo a Bertie salir ni tomar el automóvil con aire eficiente, como si en vez de irse de putas fuera a ver a un notario o a un ministro. Cabecea tal vez Gómez a su lado, como yo le he visto hacer en tantas otras ocasiones, sentado —no en el asiento del conductor sino en el del pasajero— sí, sin duda cabecea pánfilo como un gran perro de cuya boca se escapa un hilo de saliva anticipando el placer de saborear los despojos de un festín, que algún hueso siempre acaba cayendo de la mesa del patrón.

Y salta el sueño porque eso es lo que a los sueños les gusta hacer, saltar de un lado a otro hasta detenerse en algo horrible, y es entonces cuando veo todo aquello que preferiría no ver: está oscuro, han cortado la electricidad en la casa, quienquiera que desee moverse debe utilizar velas, por eso mamá se ha ido temprano a la cama, hace rato que le he dado su beso de buenas noches. "Que duermas bien", "tú también, Rafaelito, no tardes en apagar la vela... me da mucho miedo que te quedes dormido con ella y tengamos un incendio o algo así."

Debe de ser ya de madrugada cuando vuelve mi padre, lo es, lo sé muy bien por ese maldito reloj de pie que canta las horas y las medias, incluso los cuartos, como si quisiera partir el tiempo para hacerlo más denso y largo, mucho más largo. Acaban de dar las cuatro y media y yo lo oigo todo desde mi habitación en el piso más alto porque hace horas que no puedo dormir, ¿quién es capaz de hacerlo con el acecho del reloj y el continuo rebullir de los ratones tan próximos? A veces, son unas uñas diminutas que arañan la madera, repugnantes sonidos quedos que rascan, otras veces son gemidos casi humanos que logran que se me erice todo el pelo de la nuca. Dos tramos de escalera me separan ahora de mi padre. Puedo oírlo allá abajo, en el zaguán, donde arrancan los escalones, entre él y yo está el piso intermedio en el que se encuentra la habitación elegida por mi madre para pasar la noche, sin embargo no es hacia ahí que Bertie se dirige sino más arriba, a donde, supuestamente, yo debería estar durmiendo desde hace un buen rato, aunque no es así.

Hay dos voces más con él. La de Gómez, a la que a veces se le oye decir "sí, patrón", "zi, patdrón", con esa lengua de trapo que tanto detesto, y otra voz mucho más aguda que varias veces sube de volumen hasta que acaba por apagarse hundida en un ¡sh! entre conminatorio y alcohólico o una carcajada masculina que conozco demasiado bien.

No hay quien duerma con los ratones. No hay quien permanezca en la cama, menos aún con la vela apagada, y yo no hago nada de eso sino que desde hace un buen rato me dedico a otras cosas que me producen más placer y me ayudan a olvidar donde estoy. Y las risas suben, vienen hacia aquí, una es de mujer, no conozco su timbre pero he oído otras idénticas a la suya en otros tantos idiomas diferentes, suenan a licor barato y a música de puerto y tintinean como el sonido de las monedas que sus dueñas acostumbran a esconder apresuradamente entre el canal de sus pechos dentro de un corpiño desportillado. Y la otra carcajada que conozco bien se ahoga tal vez en esos mismos pechos pues ya no se la oye tan clara. Y Gómez a su lado ladra, "zí, padtrón", y cuando quiero darme cuenta vuelvo a oírlo todo mucho más nítido: el tictac del reloj que se apresura hacia los cuartos, luego la risa que se ahoga, y más palabras que se distinguen muy bien pues surgen ahora de alguna habitación casi contigua a la mía alborotando la casa tan silenciosa. Sólo un tramo de escaleras les separa del dormitorio de mi madre, y espero que ella sí duerma, Dios mío, que se haya dormido ya a pesar del olor a moho, a pesar de los ratones. Y otra vez la voz de mi padre:

—Aquí no se puede estar, Gómez, quédate un momento con la señorita.

—Zí, patdrón...

—Voy a ver si encuentro otro cuarto un poco más decente, alguno habrá en esta maldita casa —y la risa que suena a monedas también repite "maldita casa", parece extranjera, tal vez polaca o algo así, por eso dice "magditta cahsah" una voz educada pero el tintineo de su risa lo desmiente todo, y retumban los pasos de mi padre por el corredor un poco más cerca—. Espero que la cerradura de mi cuarto no esté tan podrida como el resto de esta "maldita casa" —porque es seguro que Bertie no recuerda, y qué va a recordar, en cuál de las habitaciones me he instalado yo y entonces entrará aquí y hay cosas que mejor que no vea, por eso corro de donde estoy, voy hacia el armario para esconder todo lo que he ido tomando prestado. Y los pasos de mi padre muy cercanos—: ¿Es que no queda una cama en condiciones en esta condenada casa? —y una puerta muy próxima a la mía se abre y vuelve a cerrarse con un juramento—: aquí tampoco, alguna habrá. Ya no oigo el tintineo de la risa portuaria ni los jadeos de Gómez pero sí la mano firme de Bertie que prueba uno tras otro los picaportes de todas las puertas que se alinean en el rellano, "por favor, por favor, un poco más de tiempo" es mi súplica, "unos minutos más para que pueda despojarme de todo esto".

¿Y qué querían que hiciera yo en un cuarto lleno de baúles con ropa antigua, con enaguas de crinolina y puntillas aún tan blancas, con bellos vestidos de otras épocas? ¿Y qué querían que hiciera en un lugar tan solitario en el que, cuando uno apaga la luz, le acechan los ratones y sólo las velas los mantienen apartados mientras que a mi alrededor duermen tantos tesoros? Ya casi he logrado despojarme del vestido, caen las enaguas, desnudo estoy, calato, a excepción de un corpiño de puntillas que no consigo desabrochar del todo, y eso es lo que ve mi padre cuando abre la puerta y eso es lo que veo yo ahora en mi sueño tan desordenado: el corpiño a medio abrochar, de él penden cuatro cintas, no sé cómo se llaman, supongo que ligueros, sí, ligueros o sujetaligas que caen lacias sobre mis piernas, y son como una burla pues no tapan nada de lo que hay que tapar; también un espejo de mano muy pesado que brilla desde la izquierda sobre el tocador iluminando la puerta, todo eso veo en mi sueño y la cara de mi padre, allí, desencajada por el alcohol, que no alcanza a decir la palabra que le haría sentirse tanto mejor: MARICÓN. La tiene atragantada y hace que tiemblen todas las velas que nos alumbran, pero no sale de sus labios; sólo acierta a arrancarme el corpiño y después cae al suelo por el esfuerzo mientras Gómez dos o tres habitaciones más allá aúlla: "¡voy, patdrón!" y Bertie, que aún tiene atorada en la garganta esa palabra que no atina a pronunciar, suelta sin embargo otras cuatro como una ráfaga: no-no-vengas-carajo. Y luego: llévate de aquí a la furcia.

Cuando ya Gómez ha empezado a acompañar a la dama del puerto, más bien a empujarla, oigo que tintinean sus pasos. Y yo, estúpidamente, me entretengo en cavilar que aquello que suena escaleras abajo no es ruido de monedas dentro de un corpiño, clin clin clin, tal vez sea una pulsera, sí, una pulsera de dijes, pienso, y qué momento para pensar en bobadas; oigo a continuación cómo Gómez y la furcia llegan al final de la

escalera y alcanzan el zaguán, ahora son tan sólo un tintineo muy lejano y un suspiro chambón que —intuyo—
se impacienta, pues no atina a descorrer los cerrojos de
la entrada principal. Y es entonces cuando se abre la
puerta de la habitación de mi madre y Bertie que está
arriba con el corpiño en la mano y en las venas quién
sabe qué cantidad de alcohol barato, de ese que dicen
enloquece a los hombres y les come el cerebro, poco a
poco desciende y va hacia ella, hacia mi madre, no hacia
la furcia que desiste de esperar a que Gómez franquee la
puerta y se abre paso por una ventana olvidando en su
carrera un último tintineo seco que cae de su brazo
y queda ahí en el suelo junto al reloj de la entrada. Tampoco va hacia Gómez que desde el zaguán mira a Bertie
boqueando un silente "¿zubo, patdrón?". Ni siquiera
viene hacia mí que estoy a muy pocos metros de él, desnudo y tan cerca. No, Bertie me aparta para ir hacia mi
madre bajando los escalones de dos en dos con esa palabra todavía atragantada en la garganta que no sale pero
tampoco impide que salgan otras como puta, y mi madre se aferra a los barrotes de la escalera; nunca un borracho le ha parecido más incongruente y el corpiño,
como un arma homicida, cruza la cara de mamá dejando
cuatro surcos allí donde la han golpeado, qué sé yo, los
corchetes o las presillas o esas cuatro cintas lacias cuyo
nombre desconozco, "puta" dice Bertie cuando lo que
quiere decir es maricón, puta, puta y mi madre tiene
que empujarlo para que no vuelva a agredirla. Y ¿dónde
está Gómez? Primero pienso que se ha ido, que se ha
marchado con la voz portuaria, pero el tictac del reloj
me obliga a mirar hacia abajo y allí está, jadeando entre
las sombras, acurrucado con las manos sobre las orejas,
tapándose, no los ojos sino los oídos, como un maldito
avestruz sordo, sin hacer nada para evitar que su patrón
se lance sobre mamá. Yo sí, algo hay que hacer, el espejo

de mano tan pesado está ahí, esperando que alguien lo empuñe, y es con él en la diestra que comienzo a correr escaleras abajo —no le hagas daño, por favor, no la toques, ya llego...—. Y ahora es Bertie el que se vuelve de improviso y sube a mi encuentro como si la palabra que lo ahoga se hubiera zafado de su garganta y fuera a saltar de un momento a otro mientras él corre escaleras arriba hacia donde yo lo espero, con un espejo de mano y desnudo, pero tropieza y de pronto veo a Bertie caer de espaldas por la escalera, con un juramento que suena a "maricón", ¡por fin, por fin lo ha dicho!, y rueda escaleras abajo como una bola imparable, su cabeza contando los escalones uno a uno con otros tantos estrépitos.

Mi madre corre hacia él para que no se rompa la crisma, va a interponer su cuerpo al fardo que pasa a su lado con los ojos muy abiertos, pero de pronto duda: "¡Apártate!", me gustaría gritarle en ese momento, "déjalo que siga cayendo hasta el mismísimo infierno"..., otro segundo de titubeo largo como una eternidad y al fin, como si hubiera escuchado mi grito inexistente, veo a mamá volver la cara mientras el fardo inútil pasa a su lado contando los escalones uno a uno hasta aterrizar abajo: un muñeco dislocado entre los muebles cubiertos de sábanas blancas. Entonces soy yo el que baja de un salto. Gómez está allí junto al reloj, muy cerca de mí, sólo que es en mamá en quien tiene fija la vista, mientras que con las manos se tapa las orejas como quien teme a un bombardeo: "íííiuííí", le oigo chillar, "no quiero estar aquí, no quiedo ved...", dice mientras intenta volver la cabeza hacia la pared para, en efecto, no ver nada. Qué largos son a veces los minutos, da tiempo a todo, a todo. Yo, junto al herido, mi madre aún arriba que me mira y dice:

—Dios mío, Dios mío, Rafaelito, ¿qué he hecho, qué acabo de hacer?

—Nada, mamá, nada, tesoro mío, espera, no bajes aún.

Y ya ni las ratas se acercan por ahí en un buen rato, pues ellas saben muy bien cuándo es mejor mantenerse alejadas en la seguridad de sus nidos, en el calor de sus madrigueras.

Todo esto veo, y escucho también, en una eternidad corta como un segundo, hasta que el gong del reloj canta las cinco menos cuarto ahogando un póstumo estertor animal. Ya está, ya pasó. Sin embargo, antes de terminar del todo, el sueño se retuerce una vez más sobre sí mismo y vuelve a saltar. Pasa por encima de tantos detalles importantes como la posición exacta de Gómez, que una vez más eleva los ojos hacia mamá esta vez para decir: "¡Ay doña!", antes de que su cuerpo de perro huérfano se ovillé ya del todo en un rincón oscuro. Tampoco el sueño se detiene en la expresión de mi madre, ni repara en la pulsera portuaria que ha quedado allí abajo junto al reloj, porque el sueño salta. Pasa por encima de tantas cosas, de hecho se salta casi cuarenta años de mentiras o falsas acusaciones, pero antes tiene el mal gusto de detenerse sonoro en algunas conversaciones ociosas: "¿quieres oír la historia de una niña mala?, oh, no, niña es un decir, claro está, Elisita ya tenía cuarenta y tantos años cuando ocurrió todo aquello, pero para mí siempre será una niña. Déjame que te cuente lo que se dice por ahí, una historia muy curiosa la muerte de Bertie Molinet..., esa noche estaba presente un tipo, un criado de la familia, ¿cómo se llamaba?, Sánchez o Gómez o algo así, él lo vio todo... y como es lógico, poco a poco, aquí y allá, fue contando algunos detalles a quien ha querido oírle: asegura, por ejemplo, que él estaba con los ojos bien fijos en la escalera, en el cuerpo de Bertie al caer, en la actitud de Elisita... ya, ya sé que dictaminaron que se trató de un accidente desafortunado sufrido por un borracho y que ella no pudo evitar que cayera, eso al menos juró Rafaelito, pero nadie, aparte de la policía, ha creído en la palabra de ese maricón, adora a su madre".

Salta de nuevo el sueño sin ningún miramiento y aterriza de pronto mucho más cerca de aquí, en mi pequeña habitación alquilada de Tooting Bec al sur de Londres, y entonces es mi propia voz la que escucho: "... Genial, una idea genial esa de tomarse todo un tubo de pastillas en un decorado carísimo para acabar como un señor, sí, excelente idea, Rafael Molinet, al fin y al cabo de eso se trata: de morir tal como has vivido, muy por encima de tus posibilidades, Oscar Wilde *dixit*...".

Todo es tan confuso como lo son las peores pesadillas y es por eso que creo que en vez de dormido, debo de estar casi muerto pues ¿no dicen que es en los últimos momentos cuando pasa por delante nuestra vida entera como en una película loca y atropellada?, eso es sin duda, cavilo, lo que me está pasando a mí: de pronto se representa en este hotel todo aquello que una vez viví, vuelve a repetirse exactamente igual: un accidente que nadie cree, una mujer a la que acusan sin más base que algunos cotilleos mundanos, porque es mucho más divertido creer en un asesinato que en un simple accidente..., comentarios, chismorreos..., incluso en las dos tramas se entremezcla una pulsera, ¿cómo es posible?, son los mismos elementos, por eso trato de retener aquello que acabo de soñar y que hace tantos años impido salga de mis recuerdos, ahora sí quiero mantener cada detalle tan vívido como lo era hace unos segundos y sin embargo, con la clarividencia que da lo inevitable sé de pronto que está a punto de llegar la vigilia y con ella la sensación precaria de quien despierta de un sueño que se desvanece mientras uno intenta agarrarse a jirones de lo que ha visto, imágenes, sonidos, comentarios, al tintineo de una risa o tal vez de una joya, pero es inútil, todo se deshace, desaparece por el sumidero de la consciencia sin dejar rastro.

Y cuando despierto sólo sé que alguna conexión extraña se ha producido entre la muerte de Bertie Molinet y la de Jaime Valdés; por eso, al abrir los ojos, si bien los recuerdos han vuelto a su sitio, es en Mercedes Algorta en quien pienso. Y en nadie más.

El modo correcto de comportarse
en los balnearios

Cuidaos mucho de establecer relaciones a la ligera tal como ocurre frecuentemente en los balnearios y en la playa. Antes de recibirlos en casa hay que obtener información exacta sobre la situación y el pasado de las personas con las que uno trata. Cuando uno se rodea de amistades dudosas se corre gran riesgo (si no se es como ellas) de verse injustamente calumniado cuando se les acaba por cerrar la puerta de casa cansado de sus vicios. Pero en este caso uno se ve igualmente manchado por haberse expuesto a ser salpicado por el barro.

Règles du savoir-vivre (Capítulo dedicado a los viajes y a los balnearios). Baronesa Staffe, 1890.

Gentes que uno conoce en los balnearios
y cómo se comportan

¿Se han fijado en cómo se elabora la información que uno tiene sobre un suceso o sobre una persona? En realidad nunca ocurre como se cuenta en las novelas (me refiero a aquéllas en las que suceden cosas, las otras, las estáticas, ni me tomo la molestia de leerlas). En las novelas resulta que un personaje está por ahí pensando en que necesita un corte de pelo o en lo caro que está todo y de pronto... atención: ocurre *algo* y a partir de ahí el lector puede estar seguro de que todo lo que suceda en adelante estará relacionado con el hecho anterior, con *eso* tan importante que quiere contar el novelista. Y al continuar con su lectura, el lector se siente muy sagaz pues sabe que si el protagonista estornuda en la página 48 debe de ser por una razón muy poderosa (nada que ver con la vida real donde si uno estornuda no tiene ninguna relación con la historia más o menos interesante que está viviendo —y rara vez lo es, interesante, me refiero—), tan distinto de las novelas, en las que si alguien estornuda en la página 48 es porque ha contraído, como mínimo, una pulmonía de órdago y ese personaje infeliz está condenado a morir dos capítulos más tarde. En las historias de ficción nada es accesorio. En la vida real lo es casi todo. Por eso, entender lo que ocurre y entender a los demás no es tan simple y nadie es Sherlock Holmes de su propia vida: hay demasiada paja mezclada con el grano, muy confuso, realmente. Y aunque se ponga muchísima atención con la esperanza de comprender el devenir de las cosas, uno nunca está seguro de si lo que recoge son datos importantes o simples filfas.

Incluso, cuando alguna vez se consigue casar un dato inconexo con otro recogido, quién sabe, diez años atrás para que una intuición clarividente diga: "ya lo tengo, esto sucedió *así*, está clarísimo, elemental, querido Watson", tampoco sirve de mucho. Pues es cosa habitual que cuando, al fin, uno consigue juntar todas las piezas del puzzle para entender qué fue exactamente lo que aconteció, ya es demasiado tarde y le han sucedido todas las calamidades que pretendía evitar con tan juiciosa actitud. Las cosas no son tan simples en la vida real, todo es equívoco y desordenado; por eso yo, hasta ahora, al hacer el relato de lo que pasó en L'Hirondelle D'Or (e incluso cuando decidí contarles el sueño que tuve la noche pasada), les he ido dando la información tal y como se hace en las novelas, con orden, paso a paso: primero fíjense en esto, luego en aquello, observen a una bella *petite arriviste* de nombre Isabella, ¿han apuntado también lo que contó una mora llamada Habibi?, y más tarde: por favor, reparen en una conversación deshilvanada en la que se afirma "... la tía lo dejó morir, está clarísimo" o en esta otra: "... la omisión es el más perfecto de los crímenes".

He aquí, en resumen, los ingredientes de esta ensalada a la que ahora me dispongo a añadir datos nuevos, mézclenlos a su gusto y a ver qué sacan en claro. Y no me miren así, como si yo fuera un cocinero tramposo que miente al dar una receta, por el momento no hay más claves, ¿o tal vez sí?, el problema es que, a diferencia de las novelas, la información vendrá, a partir de ahora, entreverada con otros datos intrascendentes como ocurre en la realidad. Ya dije antes que nadie puede ser Sherlock Holmes de las historias que le suceden a sí mismo y muy pocos lo somos de las que acontecen a nuestro lado, a menos que se engañe, se haga trampa y en realidad sepa uno de antemano cómo va a acabar la historia. Yo sí lo sé, conozco cómo acaba la historia de Mercedes Algorta con los otros personajes del hotel, por eso puedo volver atrás, reconstruirlo todo, como hacen los escritores con sus historias. Pero lo cierto es que la trama no se tejió de forma ordenada sino tal como sucede en la vida real, de un modo muy errático. Se me ocurre por eso hacer una prueba, un ensayo, durante un tiempo contaré las cosas tal como suceden en la realidad, puedo hacerlo, me resulta muy fácil desde la posición en la que ahora estoy. Puedo, además, con la perspectiva que da conocer el desenlace, entrar en los pensamientos de los personajes igual que he entrado ya en los míos para desvelarles ciertos secretos muy viejos. A posteriori resulta fácil decir: "miren, fulano pensaba esto, aquél lo otro". Y sin embargo verán, me temo, que sin trampas de novelista y sin mi ayuda para apuntar: "cuidado, no se pierdan este detalle o atención, esto es importante", lo que les espera es un relato omnisciente y prolijo de unos días apacibles además de la presentación de dos o tres nuevos personajes. Aquí viene ya el primero. Yo tardé muchas horas en ordenar todo este material y en llenar los interrogantes, pero narrado de modo lineal se trata tan sólo de la crónica de unos días de agradable "aquí no pasa nada".

¿O tal vez sí pasa?, quién sabe, la realidad puede ser tan engañosa...

Personas que uno conoce en los balnearios

1. La señorita Wasp

En una habitación amarilla vive la señorita Wasp. Las paredes son amarillas, también en la combinación de telas de las cortinas y de los sofás predomina este color. Los jarrones de flores sólo admiten narcisos. El papel de escribir tiene un tono decididamente vainilla, y los cuadros que adornan las paredes reproducen a veces camellos, otras patitos de plumón, en ocasiones chinos mandarines o dunas del desierto, siempre que unos y otros sean gualdos.

Mucho antes de que el color amarillo lograra infestar desde las páginas del *Arquitectural Digest* o el *House & Garden* todas las casas elegantes de Europa y América, la habitación de la señorita Wasp ya era amarilla, por razones puramente prácticas.

La señorita Wasp piensa que es muy importante el ambiente en donde se desarrolla la actividad principal de las personas. Que aquellos que se rodean de tonos azules, por ejemplo, acaban volviéndose fríos y algo distantes. El verde, por su parte, suele ser sedante, demasiado quizá, en opinión de la señorita, por lo que tiende a invocar una molicie exagerada. El amarillo, en cambio, combina alegría con buen gusto, discreción con brío, y carácter con mano izquierda; en una palabra: que es el color ideal para la directora y el cerebro escondido que regenta L'Hirondelle D'Or.

Hace ya diez años que Wasp se ocupa de los destinos de L.'H. O. tal como ella suele llamarlo por economía verbal, y no han sido años fáciles. Cuando una reputada cadena de pequeños hoteles con encanto la eligió para ocuparse de éste, nadie daba un níquel por un establecimiento así. El edificio era interesante, es cierto, algo estrafalario también y no carente de personalidad, pero estaba situado en la mitad de la Nada, casi al borde del desierto, por lo que sus clientes naturales sólo podían ser chacales, víboras o aves carroñeras (no en el sentido metafórico de la palabra, precisamente). Sin embargo, los responsables de la cadena decidieron que era el momento ideal para apostar por un tipo de refugio secreto que —en las mentes avanzadas y proféticas de los gurús de la hostelería— se vislumbraba como un buen negocio: así lo señalaban todas las publicaciones especializadas del ramo: era de esperar que, cada vez con más frecuencia, los ricos de este mundo eligieran no mostrarse ni exhibirse como venía siendo la norma en la década de los ochenta sino todo lo contrario, lo chic iba a ser muy pronto ocultarse como conejos en algún lugar agradable y remotísimo donde, en todo caso, sólo coincidirían con otros iniciados de tan eremita moda: "¿adónde vais en Semana Santa?... Por Dios, nosotros a algún lugar perdido donde nadie nos vea y podamos pasearnos todo el día en alpargatas y una camiseta arrugada, ya no aguanto más tanto festejo...".

Y la señorita Wasp, en 1987, había aceptado el reto, aunque los comienzos fueron bastante accidentados. No sólo porque todavía estaba en plena efervescencia una cierta actitud ricachona y exhibicionista a la hora de vacacionar, sino porque aún no se habían producido dos fenómenos, uno externo y otro interno, que estaban destinados a cambiar la suerte de

L'Hirondelle D'Or. El externo iba a ser una serie de escándalos, desventuras y descalabros internacionales que aconsejaron a muchos personajes importantes adoptar una actitud casi de camuflaje ("que no me vean, que no me escruten, estoy harto de la prensa hurgando hasta en los precios de mis corbatas") y el segundo fue un accidente fortuito sucedido cuando L'Hirondelle no era más que un hotel tranquilo y remoto en un punto exótico de Marruecos pero sin ningún aliciente especial que hiciera que los clientes se interesaran por él. Sucedió que un día, cuando el edificio acababa de ser decorado del modo más imperceptiblemente elegante, cuando se tenían ya contratados los servicios de un chef argelino experto en comida árabe, y cuando todo estaba a punto para recibir a un grupo de huéspedes, si no demasiado ilustres, a tono, al menos, con las exigencias del hotel, sucedió que el surtidor de la piscina de invierno comenzó a manar un agua inmunda como en las peores maldiciones bíblicas. Un líquido rojo y hediondo que casi logra que la señorita Wasp perdiera los nervios. Corría aquella sustancia a borbotones, se extendía como una gran mancha de sangre destinada a emborronar para siempre la buena reputación del hotel, cuando la señorita Wasp decidió dar un golpe de efecto y ensayar una jugada arriesgadísima que decantaría el futuro del establecimiento, convirtiéndolo en un sitio muy solicitado.

Durante tres días los empleados observaron con inquietud cómo la directora se encerraba en un despacho desde donde sólo se comunicaba con ellos por teléfono. Con ellos y con medio mundo, pudieron comprobar los empleados de orejas más sensibles, pues, adosando tal apéndice a la puerta, lograron oírla hablar, a veces en alemán, muchas en un inglés muy pausado, y hasta en una ocasión se la oyó proferir un juramento en italiano. También se adivinaban tras la puerta largos períodos de silencio, como si la directora dedicara muchas horas a complicados cálculos o estudios.

Cuando emergió por fin de su encierro todo iba a cambiar. Entonces se supo que con un primer golpe de teléfono, la señorita se había puesto al habla con un experto en aguas de la turística ciudad de Fez quien le aseguró que las arcillas rojas de la región eran conocidas desde tiempos remotos por su alto valor en sales minerales, un remedio mágico para afecciones de lo más diversas —un prodigio según el hombre de Fez— y que si tal sustancia había brotado de modo espontáneo en L'Hirondelle D'Or, Alá fuera loado, debía de ser por una razón muy poderosa que la señorita Wasp haría bien en no pasar por alto.

Convicciones religiosas aparte (la señorita Wasp, siendo suiza y criada en la más estricta moral calvinista de un pueblecito al pie de los Alpes, sólo se consideraba moderadamente creyente), lo cierto es que vio una señal de Alá o de Dios o de quienquiera que se ocupara de estos menesteres, para enderezar sus pasos —sus malos pasos iniciales— hacia otra actividad hotelera.

Y lo primero que hizo para sorpresa de todos fue despedir al chef argelino que tan experto era en cocina árabe y mandar llamar a otro, experto esta vez en cocina dietética. Desde un despacho y conectada al mundo exterior sólo por medio del teléfono y de su instinto hotelero, la señorita Wasp había calibrado que la suerte estaba de su parte y que no se necesitaba mucha intuición para sumar dos más dos: por un lado, de su jardín brotaban aguas arcillosas, y por otro, una fiebre hedonista invadía cada vez más el mundo —así lo apuntaban todos los estudios de hostelería que con tanta atención leía en sus ratos libres—. Muy bien, ella nunca había sido una belleza ni creía tampoco en pamplinas como cremas faciales, bálsamos de juventud y ni siquiera en los poderes mágicos de las aguas sulfurosas que manaban en su piscina recién estrenada. Pero eso era lo de menos. La gente sí creía. La gente estaba dispuesta a pagar fortunas por un tratamiento que prometiera salud y belleza. Incluso estaría dispuesta a viajar al límite del desierto para hospedarse en un hotel rojo y extravagante como era L'Hirondelle D'Or.

Fue así, por una casualidad adversa, que aquello acabó convirtiéndose en un santuario de la vida sana. En un lugar con organización y horarios tan medidos que los huéspedes no tenían más remedio que olvidar por unos días la frenética actividad de sus ciudades para emplastarse la cara con barro rojo o de cualquier otro color (el barro negro, por ejemplo, fue una introducción posterior de la señorita Wasp, una mezcla menos natural que imaginativa pero realizada con excelentes productos de farmacia suiza). Y así, embadurnados en sales curativas y controlados por una disciplina alimentaria que reunía las virtudes de ser dietética y *cordon bleu* a la vez, se procuraba que los huéspedes vivieran en una especie de limbo: silencio, método, paz y orden, la señorita Wasp vela por todos nosotros.

Pero la diferencia del método Wasp con otros igualmente estrictos, como aquellos que hacen furor en Estados Unidos, es muy notable. En estos últimos, la disciplina viene de la mano de unos monitores sonrientes e inflexibles que a todas horas dirigen la maniobra: ahora gimnasia, ahora masaje, ahora, señor, su zumo de zanahoria... En L'Hirondelle, en cambio, los celadores brillan por su ausencia, se funciona a base de empleados nativos que no interfieren con los huéspedes evitándose la presencia de masajistas enérgicos o *maîtres* charlatanes que recomiendan la *mousse* de hinojo sobre la crema de pepino, nada de bla bla, es parte del tratamiento, todo ello ha sido sustituido por la larga e invisible mano de la señorita Wasp. Método tan sabio está claramente explicado en un decálogo que cuelga en el despacho de la señorita desde el mismo día en que se inauguró el hotel. No es que ninguno de los huéspedes haya tenido ocasión de verlo pues se encuentra en una zona reservada, pero baste con decir que se trata de diez mandamientos que se resumen en dos. Relajar al cliente por sobre todas las cosas (para eso paga una fortuna) y controlarlo todo sin jamás ser vista.

Y dicen que cuando hubo creado esta estrategia única en la historia de la hostelería, la señorita Wasp descansó. Y fue entonces cuando decidió reservar este habitáculo amarillo y sagrado para su persona, desde donde dirige el establecimiento con mano serena, lo cual tiene mucho mérito en los hoteles y aún más en L'Hirondelle, un oasis en medio de la Nada donde en ocasiones hay imprevistos que escapan al control mirífico de la señorita que ahora se sienta y habla por teléfono y dirige hasta los mínimos detalles, aunque esta misma mañana un incidente lamentabilísimo ha venido a perturbar la perfecta maquinaria suiza que todo lo mueve, y ahora el lamentable incidente, si es que así puede llamárselo, está encima de su mesa de despacho envuelto en un plástico húmedo.

—¿Sabes lo que es esto, Karim? —dice la señorita que acaba de colgar el auricular para dirigirse a un joven vestido de jardinero, de unos veinticinco años, moreno, nervioso, con la tez cuarteada por el sol y dueño de unos ojos aterciopelados que en ese momento miran a la señorita Wasp llenos de inquietud—. ¿Sabes lo que es esto?

—Un murciélago, *madame*.

—¿Y sabes dónde estaba este murciélago, Karim?

Karim mira al animal que yace en una especie de cubetera metálica y quirúrgica cubierto por un plástico, pero aun así, a través del envoltorio, alcanzan a distinguirse ciertos detalles muy desagradables del bicho, como unos dientecillos afilados, y una oreja que escapa hirsuta para apuntarle como un dedo acusador, fino pero muy tieso. A Karim le parece excesivo que *madame* tenga encima de la mesa el testigo de su pecado y que lo exhiba en una cubetera, pero no dice nada de esto sino que la mira.

—Este murciélago, Karim, halló su muerte en la piscina de invierno de L'H.O. —dice la señorita haciendo uso de su conocida economía verbal: siempre frases cortas, afinadas, encuentros breves, incluso regañinas breves, son más contundentes—. Ahogado en la piscina de L'H.O., Karim, lo encontramos flotando en el agua esta mañana. Creo que en otras ocasiones ya hemos hablado tú y yo de ratones, ¿verdad, Karim?

Karim recuerda muy bien la ocasión aunque preferiría olvidarla, pero la señorita Wasp quiere asegurarse de que Karim sabe exactamente a qué se refiere, es muy importante que Karim sepa a qué se refiere y para dar más realismo a su discurso, ahora desenvuelve el plástico de modo que se vea bien el murciélago sobre la cubetera quirúrgica y lo señala con un palito que a Karim le parece de helado, pero no está seguro, tal vez se trate de un instrumento más a propósito para examinar cadáveres de bichos, y aquella oreja tiesa del muerto vuelve a apuntar a Karim cuando la señorita dice:

—La rata, Karim.

Karim la mira con ojos aterciopelados pero la señorita Wasp es inmune a los ojos aterciopelados.

—La última vez que se vació la piscina apareció atrapada en el desagüe una rata enorme, tú la recuerdas bien.

(Un silencio).

—Succionada por el agua —añade la señorita, y para reavivar la memoria de Karim empuja con su palito al murciélago que gira rígido y entonces Karim recuerda, no el cuerpo hinchado y duro de una rata que en una ocasión quedó embutida en la cañería por la fuerza del desagüe, sino el pie de la señorita. El pie de la señorita en aquella lejana ocasión removiendo el gomoso cadáver una vez que hubieron sacado la rata a tierra mientras ella le repetía: "Karim, Karim, es repugnante que ocurra esto, pero se trata de un accidente"—. Tú no habías puesto la cinta fosforescente para alertar a los huéspedes de que estábamos vaciando la piscina, ¿verdad, Karim?

—Sí, *madame*, estaba puesta...

—Es un olvido muy peligroso...

—Estaba puesta, *madame*.

—... Porque si no estaba puesta la cinta fosforescente, Karim —continuó la señorita como si no hubiera oído sus palabras—, esta rata muerta podría ser un huésped del hotel y tú, el responsable...

Karim no entiende que por un desagüe pueda irse un huésped pero, como es natural, no dice nada. De aquel suceso anterior sólo recuerda que se trataba de una rata asquerosa. No es que él sea especialmente remilgado en materia de bichos, al fin y al cabo, en su vida ha habido muchas ratas muertas, pero ninguna como aquella: grande como una liebre, con las patas rosadas apuntando al cielo y la cabeza aovada por causa de la presión del agua que la succionó y que casi logra que los ojos se le saltaran como canicas de sus órbitas, esos ojos tan blancos e inmóviles que miraban a Karim mientras la señorita iba diciendo:

—No más accidentes, Karim, tampoco quiero ver más ratas, ni pájaros, ni murciélagos, ni siquiera insectos en la piscina, espero que lo entiendas —y por las dudas, en aquella lejana ocasión, había removido un poco más el cuerpo hinchado con el pie. Y Karim pudo ver entonces cómo la puntera del zapato tan sobrio de la señorita se cubría por un momento con los pelos húmedos del animal, y todo eso lo recuerda Karim ahora a causa de este otro minúsculo testigo de su pecado sobre la mesa.

—No volverá a ocurrir, *madame*, se lo aseguro.

—No volverá a ocurrir —repite la señorita antes de estirar la mano hacia el teléfono, lo que el jardinero entiende como una señal de que puede, por fin, retirarse.

—Un momento, Karim.

—Sí, *madame*.

La economía en el lenguaje es una de las características más agradables de la señorita Wasp, pero ella aún lo está mirando: en una mano el teléfono que Karim ve como liberador y en la otra un gesto vago que todavía señala al ratón volante:

—Llévate este bicho y tíralo en la incineradora, ¿quieres?

La señorita le entrega la cubetera y también el palito de helado que le ha servido de puntero.

—Gracias, *madame* —dice Karim y ella:

—Cuando te hayas deshecho de él y después de lavarte *bien* las manos me harás el favor de acercarte a la cocina.

—Sí, *madame*.

—...Y le dices al chef que ahora tengo que hablar con él. Eso es todo, puedes irte, hijo mío.

Y Karim ya se aleja con el cuerpo de su delito, y al cerrar la puerta aún tiene tiempo de respirar hondo y compadecerse del chef que también ha sido llamado al cuarto amarillo como él. Se detiene un momento antes de disponerse a bajar las escaleras y con el palito envuelve el bicho muerto en su plástico. Si alguien en ese momento le preguntara por qué lo hace, Karim juraría por Alá y su profeta que es por razones de higiene pues él sabe que la asepsia es algo fundamental en L'Hirondelle; pero la razón no es ésa, lo hace para evitar que el muerto siga apuntándole con la oreja hirsuta. Baja por las dependencias del servicio camino de la incineradora, entra al cuarto de calderas, abre una compuerta y por fin arroja el animal a las llamas. Sólo entonces Karim vuelve a pensar en el chef, tiene que avisarle cuanto antes, pues si ha sido convocado al cuarto amarillo, debe de ser por alguna metedura de pata muy grande, algún desliz tan imperdonable como el suyo, ya que la señorita normalmente se comunica con los mortales por teléfono y si ha llamado al jefe de cocineros a su presencia debe de ser por algo muy grave.

"Tal vez se le haya quemado el cordero de la cena —aventura Karim—, pobre hombre." Crepita el murciélago y aún está allí Karim meditando unos minutos más hasta que un desagradable tufo a carne chamuscada le hace volverse veloz y cerrar la puerta de la incineradora con un propósito muy firme: que mientras él sea jardinero nunca más se verá ninguna rata ahogada, ningún bicho o murciélago muerto cerca del recinto de los barros y tampoco en el invernadero de cristal, que es donde se encuentra la piscina cubierta de L'Hirondelle D'Or.

Otras personas que uno conoce
en los balnearios

2. Sánchez

"Cuando se encierran dos ratas en un laberinto de 50x50 centímetros, acaban copulando aunque pertenezcan al mismo sexo.

Cuando se meten cuatro (o cinco como máximo) cada una guarda su distancia y procura no invadir el territorio de las otras.

Cuando se juntan seis ratas, tarde o temprano, se comen las unas a las otras, es un hecho científicamente probado."

Comprobado o no, hace demasiado calor como para interesarse mucho más por los asuntos del suplemento de divulgación científica del diario *El País*. Sánchez pasa rápidamente otras páginas hasta llegar a los anuncios clasificados, una de sus secciones favoritas:
"... Zenda, tu prisionera, santuario del sado, 284 18, 70..." "Paloma Sumisa, griego, lluvia, beso negro, 878 45 80..." "Gabinete sexual, te sorprenderá, 98 85 87 88..." ¿Qué tendría el número 8 para que se repitiera constantemente en los catálogos del mercado de la carne, tan redondo, tan blando, siempre tan sinuoso? A Antonio Sánchez López le encanta el paseo diario que suele hacer por la sección de contactos eróticos para descubrir distintas miserias humanas, es una

vieja costumbre adquirida en sus comienzos como escandalizador de moda.

"...Viuda, madurita, senos generosos, 38 88 64..." "Víctor, sólo hombres de verdad, 98 06 89 89..."

Siempre hay un anuncio nuevo, varía tanto la oferta, él lo sabe bien, lleva muchos años buceando en éste y otros estercoleros, y no porque le interesen como cliente, sólo le atraen como espectador de desdichas, pero también como fuente de donde extraer material interesante para sus programas, "odia el crimen y compadece al delincuente", ¿era así?, u "¿odia al delincuente y compadece al crimen?". Quién sabe, resultaba difícil distinguir después de tanto tiempo predicando desde las ondas, hablando de esto y de lo otro, en sus comienzos, de vergüenzas anónimas; ahora ya no, ahora era mucho más rentable hablar de política y, sobre todo, de políticos. A la gente le importa un carajo de qué hable con tal de que él aproveche para echar un poco de basura sobre los poderosos. Sí, así era, en los últimos años Sánchez había cambiado con éxito de cloaca pero el método continuaba siendo el mismo, por eso, todas las mañanas, después de dar buen repaso a las noticias de primera fila, reservaba un ratito para revolver en el detritus de sus primeros logros radiofónicos, como una rutina, como un antiguo zampalimosnas que, acostumbrado al sabor de las cucarachas, lo sigue paladeando aunque ahora siempre coma caviar.

"Torsos, el eterno masculino..." "Disciplina inglesa, culitos, 266 88 99..."

"Sexo en vivo, *video-nasties*, sólo recomendados, 488 78 31..."

Pero aún había otros focos inspiradores e igualmente inmundos. Sonaban inofensivos (su misión primordial era aparentarlo en la forma), pero no podían engañar a un consumado desenterrador de infamias:

"... Fórmulas africanas, magia negra, solucionamos tu problema para siempre jamás". "Cartas, caracoles, filtros, 288 64 59..." "Baratísimos cachorritos todas las razas, gato, perro, precioso hamster adiestrado para fines muy concretos..."

Y de ahí fue tan fácil que Antonio S. volviera a pensar en la página 25 del diario *El País*, por pura asociación (no tan) libre:

"Cuando se encierran dos ratas en un laberinto de 50x50 acaban copulando aunque pertenezcan al mismo sexo..."

Sin embargo, hace demasiado calor realmente y la vista tarda muy poco en saltarle de la letra impresa a las pantorrillas de Ana Fernández de Bugambilla que está tumbada a su lado envuelta en Ambré Solaire protección 15 y el olor a sexo de la siesta minutos antes. Sánchez abandona entonces un momento la lectura para acariciarle su curva favorita, la hondonada suave que forma la espalda antes de convertirse en culo, y ella se vuelve, tan sumisa, como las gatas que saben fingirse satisfechas: "tesooooro".

3. Ana

Los bikinis de última moda son un incordio a la hora de bañarse o de tomar el sol. Al menos eso piensa Ana Fernández de Bugambilla del suyo. Tal vez Grace Kelly, o Rita Hayworth o cualquier otra mujer de épocas más abnegadas en cuanto a las modas, hubiera resistido aquello sin queja. Alambres por todos lados, ballenas curvas que se le clavan en las costillas con la intención muy meritoria de realzar su pecho exiguo, y un poco más abajo puede verse un pantaloncito cubierto por una falda breve que tarda añares en secarse amenazando con un catarro o un ataque de cistitis. El resultado estético, en cambio, es impecable: tan luminoso el bikini, tan bien formadas las piernas y después viene el tronco, más arriba el pecho, luego el cuello, muy tenso para no fomentar arrugas, y por fin la cara, oculta por unas gafas de sol oscurísimas de esas que aseguran la intimidad, al menos, en lo que respecta a pensamientos.

"Más tragaderas que un desagüe, Ana", se dice ahora con una amargura que es nueva en ella. "... Resulta imposible imaginar siquiera las cosas que eres capaz de llegar a hacer una vez que has sacado los pies del plato", se habría dicho de haber intentado un análisis de todas las transgresiones inimaginables cometidas en los últimos meses, desde su separación matrimonial, pero el análisis filosófico no concuerda con su forma de ser. Es mejor no reflexionar, nada de sacar conclusiones, sería muy desagradable hacer un estadillo de las cosas y pensar, por ejemplo: "Dios mío, pero ¿cómo es posible que yo haya aterrizado aquí, en L'Hirondelle D'Or, con un tío como Antonio Sánchez?".

No, no, nada de cábalas, es ejercicio mental desagradable —y peligroso— el de discurrir demasiado, tanto como lo es el pretender observarse desde fuera igual que si ella no fuera ella sino una persona ajena. Porque si uno se permite la temeridad de filosofar, ésa es la sensación que produce el haberse pasado de la raya: verse como a un extraño, con el estupor azorado de quien nunca se creyó capaz de ciertas bajezas. Por esta misma lógica, a Ana tampoco se le pasa por la cabeza recordar lo que ha ocurrido minutos antes, a la hora de la siesta. Hay cosas que una vez hechas es mejor no pensarlas. Como el revoltijo de dos cuerpos en sábanas húmedas uno sobre el otro, "qué calor, qué

calor pero no mires, Ana, no mires hacia su pelambrera alborotada y pegajosa, tampoco te fijes en esa gota
de sudor que le resbala por la nariz y se balancea ahí,
amenazante", qué terrible es el efecto de la gravedad
sobre las caras desencajadas por el deseo, y esta cara
que la miraba desde arriba a la hora de la siesta era especialmente espantosa pues sus labios se hacían salto-
nes, gruesas las venas de la frente y la gota, la gota,
a muy pocos milímetros de sus propios labios, "no
quiero tragarla, por Dios, debo girarme como sea, volver la cabeza, taparme la cara y la boca con el pelo así,
así...". Y luego un cambio de postura: Ana a cuatro patas y Ana sobre un cuerpo grasiento, "algún rincón habrá donde poder fijar la vista, tal vez cerrar los ojos
para no ver a Ana", no puede ser, no podía ser Ana
aquella figura de perra con la espalda arqueada, susu-
rrando cosas oídas en alguna película: (jadeo, jadeo)
"¿qué tal si digo esto o mejor esto otro...?", "¿quedará
bien?: oh sí, dame más, sí, sí, ¡así!" (jadeo, jadeo...), es
mucho mejor no pensar, mejor no recordar nada.
Y nada recordaba salvo la frase que lo resumía todo:
"Más tragaderas que un desagüe, Ana".

El sol, que es intenso, nunca podrá borrar las
marcas de aquella siesta pues no están al aire libre, sino
en el recinto habilitado para los baños de barro. Sobraba el Ambré Solaire protección 15, sobraba su mejor
bikini de ballenas, cualquier pingo hubiera sido más
adecuado ya que en sitios como aquél nadie mira a los
demás ni se interesa por ver cómo pasean los huéspedes
embadurnados de una pasta oscura antes de tenderse
sobre las tumbonas, las piernas y brazos muy abiertos
pues es parte del tratamiento. Una gran cúpula de cristal, gemela a la que encierra la piscina de invierno,
lo cubre todo. A la izquierda hay un jacuzzi de agua
caliente y a la derecha una especie de pileta o batea de

la que mana un barro espeso a borbotones rojos. Ana nunca se meterá allí, no quiere parecerse a los chicos alemanes que ahora chapotean como cerdos colorados en el fango, es parte del ritual: se embadurna uno con la pasta maloliente, relaja el cuerpo, la cabeza, no piensa en nada, pero hace tanto calor y el destello incierto de la pileta baila allá arriba sobre la cúpula de cristal reflejando raras sombras de los que están abajo. Primero Antonio Sánchez, luego Bernardo, y Bea, más allá Mercedes Algorta, que los había saludado muy amable, pero que prefirió instalarse en otra esquina del recinto. Todos ellos ajenos, lejanos por el silencio, nadie habla aunque sus sombras se junten en el techo, "no aquí abajo, afortunadamente", piensa Ana con la vista perdida en lo más alto, sin atreverse a bajar los ojos, o mirar a su izquierda, ni siquiera ahora que ya pasó todo, superada está la prueba de la siesta, y ella libre por fin aquí, en el recinto de los barros, con su bikini de ballenas y sus gafas de sol tan oscuras que resultan inescrutables. Pero Ana, a pesar de la calma no se atreve a mirar a su izquierda por miedo a tropezar con Sánchez, con la visión de los pies de Sánchez en la tumbona de al lado, y más concretamente con la visión de su dedo gordo. Sánchez se ha embadurnado el cuerpo con barro, no el de color rojo, sino de otro fango negro que es desinfectante y vitamínico y altamente curativo. Todo lo cubre el emplasto desde el muslo hasta el pie, todo aquello que Ana no desea ver salvo el dedo gordo que escapa ("por qué, Dios, cómo, de qué repugnante manera") al tratamiento y se muestra tan ufano en toda su desnudez, mucho más gordo de lo que aconseja ningún canon estético, eso por no mencionar la uña oscura, gruesa, que ahora se mueve, no hay modo de apartar la vista de las cosas más horrendas, la uña mocha que se empina sí, al compás de la lectura, pues su amante ("mi amante, Dios mío, este tío es mi amante") ha vuelto a pasar las páginas del periódico que lleva más de media hora estudiando y se detiene otra vez en la página 25, la sección científica donde puede leerse:

"... Cuando son cuatro (o cinco como máximo) las ratas en un laberinto, cada una guarda su distancia y procura no invadir el territorio de las otras..."

4. Bernardo

Las tumbonas se alinean a lo largo de todo el contorno del recinto termal, como las teclas de un gran piano. Blancas en su mayoría (las vacías), negras u ocupadas tan sólo cinco. De vez en cuando un camarero acude a alguna llamada y deposita en unas mesas bajas y cercanas una bebida color miel en la que flota una hoja posiblemente de menta, y sigue el silencio. En la tumbona más apartada, Mercedes Algorta lee una revista y luego, mucho más cerca a las de Ana y Sánchez, están las de sus amigos. En una, Bea hace difíciles ejercicios para tensar estómago. En la de más allá dormita Bernardo Salat.

A él el calor no le hace justicia. Con frío y vestido de calle, Bernardo aparenta una dignidad que el calor le niega. Tal vez el efecto se deba a la forma en la que el pelo húmedo se le pega al cogote en ocasiones como ésta, o quizá la culpa la tenga una zona blanca y desprovista de vello que se extiende desde sus rodillas hasta los tobillos delatando el uso inmisericorde de calcetines altos (sólo los mejores y los más caros poseen tan curioso efecto depilatorio), pero lo cierto es que parece un pollo a medio desplumar. Sin embargo, Bernardo Salat dormita ajeno a coqueterías de bañistas, o al menos lo intenta, mientras sus gafas de sol reflejan en el techo dos manchitas luminosas e inmóviles. Inmóviles e inexistentes, tanto, como pretendía que lo fueran sus pensamientos. Y es que realmente no es momento de pensar en nada o en nadie que esté fuera de aquel recinto, en nada lejano, o de trabajo, o familiar, sólo en cosas aburridas y ajenas, el mejor antídoto contra cualquier preocupación. No pensar. Y no hacerlo es casi imposible. Abre un ojo, tiene una pierna vencida en ángulo agudo hacia un lado, la otra estirada y así puede verse de medio cuerpo para abajo: "simpático traje de baño...", piensa, lleno de cebras, azules, rojas, blancas..., "es regalo de mi mujer, ayer mismo, justo antes de salir para el aeropuerto", se le escapa la innecesaria reflexión pues acaba de ser asaltado por un primer pensamiento levantisco, pero por suerte consigue acallarlo antes de que continúe por ese camino: "las prendas de vestir no hablan", se tranquiliza, "no son chivatas ni van con el cuento", aunque supersticiosamente uno piense que es una especie de provocación mezclar churras con merinas y estrenar regalos conyugales junto a una amante de fin de semana.

Bernardo cambia de postura. Así son los pensamientos cuando uno se deja ir: deseamos pensar en cosas triviales y acabamos abrumándonos con las ideas más inconvenientes.

...Vamos a ver: el golf. Ése sí podía resultar un tema apropiado. El *putt*, el *drive*, el *swing* de Sánchez, temas banales, y no es que le divierta especialmente jugar con Sánchez según había comprobado una vez más esa misma mañana paseando por el campo los dos muy temprano, no, no le divierte en absoluto. Antonio S. es un tío importante, muy inteligente también, pero como compañero de golf, un coñazo. "Se nota que el tío acaba de descubrir el deporte y parece haberlo abrazado con el fanatismo de los conversos", piensa Bernardo, "qué tesón indesmayable, qué persistencia, me tiene machacado...".

Verdaderamente tampoco éste es un pensamiento agradable, pero en algo hay que ocupar la cabeza.

"Sobre todo, sobre todo, recuerda: pase lo que pase estos días, no queda más remedio que aguantar el tipo, Bernardo."

Sí, eso se había dicho justo antes de que una placentera modorra intentara tumbarlo y entonces, ya indefenso, le atacaron todas a una otra ristra de ideas incómodas que esperaban una ocasión así: se habían equivocado de hotel, ésa era la primera contrariedad. Bueno... pero de nada serviría salir corriendo ahora. Tampoco era conveniente intentar algún tipo de disimulo frente a las miradas indiscretas, allí estaban todos juntos: Bea y él (él con su bañador de cebras regalo de Myriam, maldita sea), y también, nada menos que Mercedes Algorta, una prima hermana de su mujer, todos en el mismo hotel, ¿y quién iba a evitar que ella comentara el encuentro fortuito a su regreso a Madrid? "¿... A que no sabes con quiénes me he encontrado en Marruecos? Nunca te lo podrías imaginar..." Mierda, no hay nada tan estúpido como que a uno lo pongan en evidencia por culpa de un amor viejo, por una pasión acabada siglos ha, Bernardo...

El sol africano calienta hasta en el mes de octubre a pesar de que no están al aire libre sino en un gran invernadero, una caja de cristal que los engloba a todos: a Sánchez que lee el periódico, a Ana que no piensa, a Bea que ejercita el trasero, a Mercedes que sueña, cada uno a su bola, "ventajas de los balnearios", piensa Bernardo, "el culto al cuerpo es la única actividad social en la que está permitido el silencio, no hay obligación de mantener una cháchara constante, qué conveniente, porque hace tanto calor y no me gustaría tener que departir con Sánchez de golf ni hablar con Bea más de la cuenta". Innecesaria Bea. Indesechable también; más tiran dos tetas que dos carretas, qué gran mentira es ésa, al cabo de unos años de amores supletorios lo que realmente tira es la costumbre, las promesas incumplidas, todas las estupideces que se dicen en la cama y que sólo son verdad el tiempo que dura una erección. Él las olvidaba, cada vez, antes incluso de meterse en la ducha. Pero eran ciertísimas durante ese rato como lo son todas las mentiras de amor... "El auténtico valor de la verdad amorosa sólo puede ser puntual: *ahora* te quiero, *ahora* te necesito, instantáneo nada más, ¿quién sería el cándido que calculó que pueda existir una verdad eterna en los sentimientos amorosos?, sin duda un necio con mucho poder de convicción..., era el tipo de gilipollez que solía predicar Sánchez desde las ondas antes de convertirse en un Savonarola de moda, pero basta, Bernardo. Basta..., tienes que pensar en otras cosas."

Intenta mirar por encima de su cuerpo quieto, más allá, al otro lado del jacuzzi, por encima de las bateas de barro e incluso un poco más lejos. Se aparta un mechón húmedo de la frente, pero hace un calor viscoso que lo deja pegado a la tumbona, sudando, la colchoneta de plástico hace de ventosa con su cuerpo de modo que, al separarse, imita la textura y el sonido de un beso obsceno, algo así como un SMACK SMUAACK. No hay manera de librarse de ese abrazo... mira... las cebras de colores —unas son azules, otras rojas— parecen tan inocentes arrugadas, y húmedas también, es realmente bonito su traje de baño... ¡regalo de Myriam, coño!... y otra vez el plástico: SMACK SMUAACK le atrapa en su abrazo pegajoso. "¡Basta!"

Bernardo se hubiera levantado en ese momento para remojarse en el jacuzzi caliente, caldoso, se hubiera sumergido allí o en las bateas de barro, daba igual, lo importante era desaparecer un rato... lo hubiera hecho... si ello no implicara pasar por delante de Bea y volver a pensar...

5. *Bea*

Tumbada boca arriba sobre su hamaca con los brazos extendidos y las piernas en tensión, Bea piensa en un amigo al que hace siglos que no ve llamado J. P. Bonilla. La gimnasia es buena para las ideas, las ordena y el ejercicio de glúteos tiene una cadencia marcial muy conveniente —uno, inspira; dos, espira—, muy despacio, otra vez inspira... Bea piensa en J. P. Bonilla y en su voz en el contestador que había podido oír minutos antes de abandonar Madrid.

"Coño, a qué tanto canguelis, sólo se trata de un mensaje grabado", se dice, pero lo cierto es que está intrigada, hace lo menos tres años que no oía esa voz que significaba: dinero. "... Bonita, llámame nada más llegar a casa, tengo algo fantástico para ti, algo importante, seguro que te va a gustar mi propuesta..." Inspira-espira-inspira.

La gimnasia de brazos y pecho, en cambio, resulta más entrecortada y por alguna razón invita a recordar tiempos un poco lejanos. Con el ojo inmisericorde de un tratante de ganado, Bea mira los pellejos de su antebrazo antes de aplicarle seis o siete vigorosas contracciones... cinco... seis... siete... y continúa pensando.

En los tiempos en que ella se dedicaba a hacer de garganta profunda para un cronicastro de sociedad llamado Juan Pedro Bonilla, aún no se le habían descolgado los músculos. De todo solía contarle entonces confidencialmente para que él lo publicara más tarde en su columna de cotilleos mundanos: amores prohibidos o próximas separaciones, cifras a pagar por los divorcios más caros, escándalos inminentes, historias, siempre de gente conocida, con pelos y señales. Bonilla pagaba muy poco, pero tenía algo de dulce venganza el vender la vida de sus amigas por un plato de lentejas; después de todo, eran los felices 80 y cualquier cosa estaba permitida entonces. ¿Que luego el gallinero quedaba revolucionado durante una semana con un "… ¿quién será el canalla que da información a los periodistas?…, ¿quién les informa?, ¡mira por favor!, mi vida privada en los papeles, qué ho-rror… Dios mío, dónde vamos a parar, etcétera, etcétera", no importaba demasiado. Bea estaba segurísima de que jamás llegaría a averiguarse que era ella la lenguaraz, y en el fondo, coño, a qué tanta mandanga, podía decirse que les estaba haciendo un favor a sus amigos importantes, todos se pirraban por ser carne de *paparazzi*: en aquellos dulces años, uno no era nadie si no se lo mencionaba semanalmente en dos o tres revistas de información general.

El pecho. El pecho sí lo mantiene lozano, gracias a Dios y a un discípulo del doctor Pitanguy ahora desaparecido camino de tierras más fértiles. Un prodigio de naturalidad, nadie diría que era postizo, luce redondo, moderadamente duro pero, aun así, no está de más darle un meneo: juntar las palmas de las manos, compresión-relajación… Inhalación profunda sujetándose los codos con las manos, de este modo se consigue una tensión perfecta… El caso es que se veían muy poco últimamente ella y J. P. Bonilla, le había perdido la pista hacía unos años; más o menos desde que su amigo dejó de ser mercachifle de noticias negri-rosas para convertirse en alma y cuerpo de una editorial de temas de gran impacto. "Todos prosperan", piensa Bea dando un vigoroso tirón de músculos, "los desenterradores de miserias humanas, también los mercachifles de escándalos, mira Antonio Sánchez, mira Bonilla..." Sí. Debió de ser más o menos en el 92 cuando su amigo J. P. dio el salto a la respetabilidad, ¿no fue acaso ese mismo año cuando, tan tierno él, le había propuesto matrimonio? Pobre J. P. Bonilla, adorable J. P. Bonilla con sus trajes Giorgio Armani color mostaza o verde hoja, o gris ala de mosca..., claro que ella no estaba entonces tan desesperada como para apechugar con semejante ejemplar, aún no se le habían comenzado a caer las carnes.

Las pantorrillas son la parte del cuerpo más agradecida. Unos tironcitos suaves con la punta de los pies apuntando firmes hacia delante es todo lo que se necesita para mantenerlas perfectas: estirar-relajar-estirar. Alguien le había contado últimamente que J. P. Bonilla comenzaba a cotizarse alto entre sus amigas separadas. De-sesperadas sería más propio. O "desperadas", que dicho en inglés suena incluso respetable. Bea pensaba en ellas a menudo. Reproches aparte —y muchos había habido en su larga relación con Bernardo Salat—, justo era reconocer que ese amor, que ni siquiera alcanzaba el más decoroso estatus de romance (demasiados años, demasiados rencores, como para que pudiera reconocerse como tal), al menos la había salvado de un terrible purgatorio. Aquel por el que vagan las mujeres desparejadas, las sin marido, que son legión y cuyo número se multiplica en forma inversamente proporcional (¿cómo es posible?) al número de hombres disponibles.

Si se forma un círculo completo con los pies bien estirados, esto activa automáticamente todo el riego de la pierna: dos veces hacia la derecha, ahora hacia la izquierda. Había que reconocerlo: si ella no contara con Bernardo para que la paseara de vez en cuando, también formaría parte del club de las desparejadas, obreras de cócteles y fiestas, condenadas a no perderse ni la más insignificante de las reuniones. Ubicuas cuarentonas: los martes de ocho a nueve y media aguantando bostezos en la conferencia de mengano o fulano. Los jueves acudiendo a la presentación de un libro basura con autor iconoclasta. Los lunes almuerzo en Guisando "a ver a quién se ve". Los miércoles estreno de teatro. Tanto trabajo, todo con objeto de que, de vez en cuando, alguien las convidara a una fiesta privada. Y, por qué no, a menudo caía alguna invitación imprevista pues no hay nada como estar en todas partes para seguir estando en todas partes.

Ahora le toca el turno a los músculos faciales, los más delicados. Es fundamental que la cara esté cubierta de una generosa capa de crema para que la piel no sufra cuando uno estira la boca hasta formar una enorme "A", y luego una "O" grandísima pero silenciosa. PA-VA-RO-TTI era su palabra favorita para ejercitar el contorno de los labios. A Bea le importa un carajo que alguien la esté mirando mientras ella pone esas caras. ¿Y quién iba a mirar si casi todos presentan aspectos igualmente ridículos? A-GU-JE-RO también cumple su misión estiratoria, incluso tironea algún músculo de la mandíbula. Es cierto que los labios adquieren entonces las proporciones de una trompa o corneta, no precisamente una mueca agraciada, pero nadie se ocupa aquí del prójimo: los alemanes se han marchado hace unos minutos, ya no quedan extraños en las termas, tan sólo Bernardo, Antonio Sánchez junto a Ana, y más allá Mercedes. Cuatro personas y todos conocidos en aquel recinto acristalado que parece una caja de bombones. Bombones rojos y negros se han paseado por ahí en el curso del día, Bea los ha podido ver, primero al grupo de alemanes que hace un rato chapoteaban en las elegantes bateas, una de barro oscuro y otra de un color muy parecido al guinda, luego sus amigos... pero más que golosinas, Bea piensa que todos parecen ratones, sólo les falta el rabo; por eso la sorprende tanto, al volverse hacia la izquierda, ver que Antonio S. está leyendo algo relacionado también con los roedores.

"... Cuando se juntan seis o siete ratas en un mismo laberinto, tarde o temprano se comen las unas... a... las...", lee con dificultad, "coño, también en esto ha de notarse la vejez, no veo un carajo", y entonces, se vuelve porque es mejor seguir con la gimnasia y ensaya otra palabra útil para mantener los músculos tensos y jóvenes: MUR-CIÉEE- LAA-GOO, también es adecuada, y sumamente efectiva: la sílaba MUR prolongada, CIE que contrae los músculos del cuello, LA...

La puerta se abre. Bea no puede ver quién entra pues los ejercicios faciales han de realizarse tumbada y ella está boca arriba mirando el techo. Pero un reflejo fugaz cruza la cúpula y dos sombras se proyectan por unos segundos sobre el vidrio. La primera le resulta familiar, lleva sombrero y no puede pertenecer más que al pintoresco y solitario individuo que les había deseado *"Gute Nacht"* la noche anterior en el restaurante. La otra sombra, en cambio, es mucho más voluminosa y se mueve con una agilidad de lo más deportiva. Y Bea, que acaba de pronunciar un segundo MUR-CIÉ-LA-GO, se incorpora para ver a quién puede pertenecer tan prometedora figura.

"Buenos augurios", piensa, "un huésped nuevo que llega, ojalá se trate de un personaje interesante. Somos muy pocos en esta ratonera y nos conocemos demasiado".

La llegada de un huésped inesperado

Un huésped inesperado que llega a una cacería deberá tener cuidado de observar las siguientes reglas elementales: 1) No hablar ni en el punto de tiro ni cuando se está yendo hacia él. 2) Preguntar a la persona que está cazando exactamente dónde prefiere que se sitúe (idealmente será detrás del cazador y bastante cerca de él). 3) Al acabar la cacería tanto el anfitrión como los cazadores suelen agradecer que el huésped inesperado sea capaz de colaborar llevando la cuenta de las piezas que se han matado en la batida.

Etiquette & modern manners. Debrett's, London, 1995.

El nuevo huésped (Molinet y Bea observan)

PAPRIKA Y ENELDO
Cócteles, cenas y demás reuniones
(lo mejor no tiene por qué ser más caro)

Madrid, 20 de octubre

Querido tío Rafael:
Si mal no recuerdo, éste es el quinto fax que te envío en los últimos días. No había escrito

tanto desde que estaba en el colegio y las monjas nos mandaban hacer redacciones con títulos tan interesantes como "La Primavera", "Mis vacaciones ideales" o "Por qué quiero ser madre de familia", todo ello según la edad y la madurez mental de nosotras las niñas. Ahora sólo escribo cheques y sospecho que se me nota: estilo telegráfico, caligrafía cabreada y firma ilegible.

En fin, a lo que vamos: esta vez me pides información sobre un hombre recién aparecido en tu hotel y tal como he hecho en otros faxes (el 1º., info sobre Valdés, Mercedes etcétera, el 2º., info sobre los cuatro mosqueteros, Sánchez, Bea, Bernardo, etc.) te haré un perfil de tu nuevo personaje (por cierto, ¿me quieres decir qué demonios pasa en ese hotel que parece una sucursal de la Gran Vía?, ¡ni que se hubiera puesto de acuerdo todo Madrid para pasar una semanita perdiendo kilos y dirhams en el mismo paraíso remoto!)... pero volviendo al nuevo huésped —si es el Santiago Arce que yo pienso y no puede ser otro por la descripción física que de él me haces—, apunta: el tío es —y por este orden:

1) guapísimo

2) recién separado de mujer imposible

3) guionista de cine, lo cual hasta ahora no solía tener especial *glamour*, pero al darse los requisitos 1 y 2, y al haber tenido la suerte de que su película hecha con dos duros haya resultado un exitazo imprevisto, se ha convertido en el chico del momento y se lo ve fotografiado por doquier. Todo el mundo tiene su cuarto de hora de gloria, Rafamolinet, qué voy a contarte que tú no sepas, y me parece que Arce está dispuesto a aprovechar el suyo al máximo. La película

que le ha hecho famoso se llama *Bajo el baobab*, yo aún no la he visto, pero me cuentan mis amigas más obnubiladas que es maravillosa y "te hace sentir como si te estuviera hablando a ti". También comentan que Arce "tiene una manera tierna de decir las verdades más duras, como si viera la realidad con otros ojos", yo qué sé, eso dicen al menos. Los críticos lo detestan, naturalmente, pero no lo consideran un mal cineasta sino un "fenómeno de masas", lo cual es una manera de decir: te perdonamos, chico, por tener tanto éxito. Él por su parte parece adorable, lo dice todo el mundo, y ya sabes cómo son las muletillas que se ponen de moda, preguntes a quien preguntes la respuesta es siempre idéntica: "¿Santiago Arce?, chica, es a-dorable" (no simpático ni encantador ni ningún otro atributo sinónimo); "¿Santiago Arce?, es a-dorable."

Y la verdad es que tiene aspecto de serlo, ¿sabes esa clase de hombre al que dan ganas todo el tiempo de proteger, de ponerle una bufanda o de tejerle un chaleco para que no se acatarre?, yo no sé qué demonios es un baobab pero estoy dispuesta a enterarme por si coincido con él en algún festejo. Por cierto, ¿qué crees tú que hace tan solito en un hotel de Marruecos?, ¿no tiene con él a ninguna rubia ojos-como-platos o una intelectual de BMW que lo acompañe?, me parece rarísimo. A ver si en tu próximo fax me explicas un poco lo que pasa por ahí. De momento no haces más que exprimirme como un limón y obligarme a escribir cartas larguísimas con todo tipo de datos sin que me facilites ningún chismorreo a cambio. Por ejemplo, me interesaría saber varias cosas de tus cuatro mosqueteros, impresiones, comentarios, y algo de observación que a ti se te da muy bien, veamos: a) ¿has notado si Bea desprecia públicamente a Sánchez?; b) ¿Bernardo habla con Mercedes o la esquiva todo lo que puede? (el *shock* que se habrá llevado al encontrársela allí debió de ser morrocotudo, el pobre tonto piensa que nadie sabe lo suyo con Bea después de siete años juntos, o sea, como diría un italiano: *ma figurate!*); c) también me interesa saber de Ana, la pobrecilla, ¿cómo se comporta?, me da pena, está atravesando esa primera fase por la que pasan las recién separadas sin experiencia y con cerebro de mosquito ¡y hay que ver la de imbecilidades que se cometen en tales circunstancias! Otra cosa: ¿te sirvieron mis datos en faxes 3 y 4 para hacer tu propio retrato de cómo es cada uno? No me cuentas nada y eso no es justo. Ahora quiero saber cosas de Santiago Arce, todo lo que hace y si se habla con los otros o

Una araña de patas decididamente verdes hizo su entrada por una esquina del fax y se detuvo justo sobre la palabra "ARCE" coronándola con un halo cabalístico. Pero nadie se ocupó de barrerla con una mano apresurada para continuar la lectura. Si Molinet hubiera estado presente en aquel momento, tal vez la hubiese dejado donde estaba, a pesar de la repugnancia que le producen los insectos. Porque luce muy bien sobre el apellido, como una coronita heráldica concediendo un punto de distinción a un nombre innecesariamente pomposo más propio de un general de brigada o un gobernador de provincias ultramarinas que de un guionista famoso gracias a un baobab.

Pero Molinet no está. Hace ya un rato que ha abandonado el fax de Fernanda sobre la mesa de la manera más descuidada (¿ahora una araña verde?, hubiera comentado, seguramente, al verla, ¿ahora una araña?, hace dos días me llevé la desagradable sorpresa de encontrar una cucaracha en el fondo de mi vaso de leche, que as-co, protesté muchísimo, claro, pero estos son inconvenientes del Tercer Mundo, qué se le va a hacer, aquí nunca se puede estar del todo a salvo de desagradables accidentes...). Sin embargo, Molinet no ve la arañita verde, tampoco hace, pues, comentario alguno, porque unos minutos antes ha tenido que interrumpir la lectura para acercarse a la ventana atraído falsamente por el eco de unas voces.

Los domingos, el desayuno en L'Hirondelle se sirve en un porche cubierto por una parra. Y las hojas de la parra son algunas verdes, otras levemente lilas, muchas rojas, también las hay amarillas, incluso menudean las jaspeadas mitad verde mitad ocre, porque todo en aquel hotel parece un decorado. Hasta los pájaros que cantan en las enramadas no hacen tuit, tuit, tuit, sino más bien uhu, uhu, lo que ha inducido a Molinet a un error pensando que alguien allá abajo susurra algún secreto.

Y es que en los días que sucedieron a la llegada del señor Arce la vida continúa su tedio en L'Hirondelle, no ocurre nada. Al menos nada que Molinet pueda observar desde fuera. Oh, es verdad que hubo un momento de desconcierto aquella primera mañana cuando el cineasta hizo su entrada en las termas revolucionando la ratonera, y Molinet estaba ahí para tomar nota.

"¡Coño!, quién está aquí, Santiago Arce, pero si esto parece un guateque... No me digas que tú también creíste que L'Hirondelle era un hotel que no lo conocía ni Dios en Madrid..., joder, pues únete al club, a todos nos ha pasado lo mismo. Esto empieza a parecerse peligrosamente a una novela de Agatha Christie, espero que no acabe con algún mueeerto..."

Pero poco a poco todo vuelve al estado normal y sedante de un hotel que tiene la virtud de anestesiar a los huéspedes (¿serán los barros?, serán las 1.500 calorías, ni una más ni una menos, con las que se nutren, pero ¿dónde está el contacto humano?, ¿dónde la vitalidad?). Y no ocurre nada. También piensa Molinet que el enfrentamiento tan prometedor entre la viuda y los cuatro mosqueteros se ha desinflado un poco. Ya no escucha comentarios cáusticos, todos hablan de calorías y de acelgas y de las virtudes del hinojo, ¿cómo es posible?

Y por los pasillos, los largos y desiertos pasillos de L'Hirondelle donde se cruzan los huéspedes, unos en batas de felpa camino de los baños y otros vestidos de deporte, a nadie le resulta ya molesto encontrarse a todas horas con una cara conocida. Molinet piensa que no hay nada tan pesado como un "conocido" en un hotel, alguien con el que uno se siente en la obligación de charlar de vez en cuando, pero ni a Bea ni a Bernardo ni a ninguno de los otros parece importarles la contrariedad de toparse a todas horas, están demasiado ocupados, es la ventaja de tener la vida programada al minuto; y cuando se tropiezan camino de la gimnasia matinal o del barro de las siete... Buenos días, buenas tardes es suficiente, se saludan como los demás del hotel con la misma deferencia indiferente.

De este modo, todo transcurre tranquilo, cada uno a lo suyo, muy lejos de las orejas de Molinet que siguen alertas pero que no oyen nada de nada.

En vista de que los oídos le sirven de poco, Molinet ha tomado la costumbre de observar desde esta misma ventana donde ahora está asomado. Por encima de la parra multicolor, puede ver el campo de golf y sabe, por ejemplo, a qué hora salen a jugar Bernardo y Antonio S. Ayer mismo se había cruzado con ellos a la salida del vestuario de caballeros. Iban andando de ese modo ciego con el que la gente importante se dirige a su destino y, al franquear la puerta, casi se dan de bruces con Molinet. De hecho Sánchez llegó a pisarle con sus pesados zapatos de golf antes de pasar de largo ofreciendo disculpas —no a él— sino a un olivo que había justo a su izquierda: "oiga, perdone", le oyó decir dirigiéndose impertérrito a una rama joven. "Qué tipo tan desagradable", pensó entonces Molinet. "Verdaderamente me-molesta".

Aparte de este minúsculo incidente, Rafael Molinet se mantiene alejado de los golfistas. Prefiere observarlos desde su ventana, y le da fatiga verlos partir tan temprano como quien se embarca en una sagrada misión vestidos, no de tiroleses (por Dios, no es el momento), sino con atuendos de colores vivos, y así resulta muy sencillo descubrirlos desde cualquiera de las ventanas del hotel. A veces son dos puntos que brillan en la lejanía —rojo uno y amarillo el otro—, allá por los confines, cerca de alguna palmera muy distante. Otras veces, sus siluetas se distinguen azul y verde turquesa sobre una loma remota, tan alejados que parecen un espejismo, como el hotel, otra ilusión óptica sin duda, pues un poco más allá, al traspasar las lindes ya no hay nada. Y mientras unos juegan al golf otros descansan. Como Ana, que reposa junto al jacuzzi de agua caliente y olvida. Olvida las noches de amores tórridos tras sus gafas oscuras. De vez en cuando se incorpora un poco pero sólo para enjuagarse de la garganta los besos más infames con una Coca-cola light. Y siempre que puede aprovecha el agua clara del jacuzzi para darse uno, dos, mil baños purificadores como si aquello fuera el Ganges y ella una monja budista muy pecadora. Lo que no le gusta son los barros. A su modo de ver, tiene algo de obscena esa costumbre de los huéspedes de pasearse por el recinto recubiertos de fangos de colores turbios "desde la época de los romanos...", así dice un cartel bastante grande que muchas veces ha leído perezosamente y por puro aburrimiento cuando ya no le queda material de lectura, ni una revista de modas, por ejemplo, ni siquiera el prospecto farmacéutico de pastillas para adelgazar, y entonces lee:

"Desde la época de los romanos se conoce el valor curativo de las tierras azufrosas para problemas de piel, acné, psoriasis...", todo esto aparece escrito en cuatro idiomas que Ana no conoce aunque algo recuerda de inglés, un poquito, reliquia de un veraneo en Irlanda en el que, por cierto, aprendió escasamente el idioma nativo y sí muchas ternezas en italiano gracias a un tal Gian Franco que la hubiera desvirgado, *"ti voglio tanto bene"*, si tan trascendental trámite no lo hubiera consumado el verano anterior un primo carnal que vivía —y aún vive— en Pamplona.

"Los barros negros son ricos en sales de zinc y resultan ideales para los trastornos circulatorios", explica más abajo el mencionado cartel, y a continuación: "También demuestran su eficacia en los casos de alopecia leve".

¿Será leve el caso de Antonio Sánchez?, ¿podrá el zinc poner freno al pelo que mengua en favor de una coronilla siempre perlada de una sustancia grasa? Al menos, cubierta de barro su cabeza no resultaría tan desagradable y Ana siente ganas de hacerse con una buena dosis de fango para una noche hacer desaparecer —no la cabellera— sino la calva de Antonio S. como una nueva Dalila silenciosa y vengativa. Sin embargo no se mueve de donde está, bebe un poco más de Coca-cola light y no hace nada.

Tampoco Bea añade nuevas actividades a su tedio. Ya van dos días que no realiza sus ejercicios con el brío de antes, pero no porque descuide su aspecto, sino porque teme que la sorprenda alguien en una pose poco ortodoxa. El nuevo huésped quizá, un tipo fascinante del que Bea sabe muy poco, sólo que escribe guiones y luego hace películas llenas de sentimiento que consiguen "que te sientas como si te estuviera hablando a ti", eso al menos dice todo el mundo, y Bea acaba de comentárselo a Ana para que ella también lo sepa, ya que Ana nunca se entera de nada. "Un chico a-dorable", ha añadido a continuación y seguramente lo es, no hay más que verlo, con tan poco aspecto de escritor (¿a quién le interesan esos tipos blancuzcos, raros, a los que les da pánico subirse en un ascensor, que visten chaquetas de *sport* estudiadamente arrugadas y bostezan cuando se habla de algo que no sean ellos mismos?). Arce en cambio es distinto, Bea lo ha visto en las revistas, sólo hay que fijarse en el modo en que posa para saber que no se trata de un escritor al uso; ni una sola vez aparece fotografiado junto a una desordenada biblioteca como hacen todos, o acunando con tres dedos la cabeza como si tuvieran miedo de que la sabiduría que albergan sus sesos resultara un peso excesivo para un cuello humano. Santiago Arce más bien parece un actor, eso es, un actor encarnando a un escritor. Pero tampoco le recuerda a Bea a los típicos actores que se eligen para hacer el papel de un novelista, no se puede decir que tenga un aire cínico burlón a lo Hugh Grant, ni los ojos penetrantes de Anthony Hopkins, tampoco el aspecto entre sexy y tísico de Jeremy Irons. Arce es distinto y original, fuerte, sano, inocente, de mandíbula muy cuadrada y con un modo de sonreír que recuerda a un vaquero del viejo Oeste, por lo que Bea no sabe con quién compararlo, de ahí que sólo opina que es un hombre adorable, a-dorable... "y ojalá aparezca por aquí y me explique qué coño es eso de un baobab".

Pero Santiago Arce no aparece. Ni en el restaurante a las horas de comer, ni le interesan los barros, ni mucho menos jugar al golf o al tenis... Se diría que no está o que está igual que "... Martin Amis encerrado en L'Hirondelle D'Or con el fin de terminar su última novela", así rezaba textualmente el prospecto del hotel que Mercedes Algorta y también Molinet han leído con bastante interés en su primer día como huéspedes. Con una neurona aquí y otra en pensamientos de corte más profesional (corrupciones, escándalos, coprofagia, etc.) lo leyó Sánchez en su primera mañana mientras se entregaba a un ritual fisiológico muy necesario. Bernardo y Ana también han hojeado el prospecto hace unos días, pero no tienen ni idea de quién es Martin Amis, por lo que no recuerdan el dato. En cambio Bea sí lo recuerda: "... estará como Martin Amis encerrado en L'Hirondelle D'Or para terminar su novela (o guión sería más exacto decir, qué apasionante... y ojalá lo contraten pronto para Hollywood, ¿por qué no?, estas cosas pasan hoy en día...)".

A esta razón se debe que Bea ahora suspire tumbada como está, muy cerca de las bateas de barro: le encantan las celebridades esquivas, y ya no le importa que Santiago Arce se haga tanto de desear pues empieza a entrar en la categoría de los divinos misteriosos, una categoría muy interesante en los hoteles, que hace que todo el mundo esté pendiente de las puertas para ver si aparece ese personaje en algún momento, y esperan —como Bea espera— una ocasión para acercarse y decirle: "Hola, ¿tú eres Fulano?, me encanta tu película", o algo así.

Y mientras tanto Santiago Arce no está, se esconde o lee o fuma o escribe guiones con, al menos, un par de ojos —dos pares en realidad— muy pendientes de su ausencia.

El otro par de ojos pertenece a Molinet que, muy lejos del recinto de los barros, encerrado en su habitación, ha tenido que abandonar hace unos minutos la lectura del fax enviado por Fernanda porque le ha parecido oír la voz de Arce en el jardín y por eso se ha apresurado a asomarse a la ventana. Mira, mas no ve a nadie, tan sólo se escucha el uhu-uhu de los pájaros. "Voy a tener que buscar otro sistema para averiguar qué está pasando en L'Hirondelle", piensa, pues ya no le es posible recabar más información husmeando desde lejos, el hotel es como un gran secante que absorbe todo movimiento o sonido para que parezca que nada está ocurriendo.

Molinet decide que muy pronto tendrá que abrir nuevas líneas de investigación si no desea que tantos interrogantes queden en vía muerta... Hablar, sí, pero ¿con quién?, con el más locuaz, naturalmente, ésa ha sido siempre la mejor política; y se dice que uno de estos días, tal vez mañana o dentro de dos días lo máximo, interrogará a Bea o, tal vez, a Ana, la rubia temerosa que parece tan feliz de que Sánchez dedique la mayor parte del día a jugar al golf porque así ella puede entregarse al bálsamo de no pensar junto a las bateas de barros curativos o en la piscina de invierno. Molinet mientras tanto continúa asomado a la ventana. Está a punto de volverse para completar la lectura del fax de su sobrina Fernanda, que abandonó tan descuidadamente sobre la mesa, cuando de pronto oye otra vez el uhu-uhu desde el jardín, casi está a punto de no mirar, "son los pájaros", piensa, "aunque se parezca tanto a un cuchicheo humano, son los pájaros", y sin embargo se vuelve: entonces, por un resquicio de la parra, entre hojas lilas y verdes descubre dos figuras humanas en las que antes no había reparado.

Sólo tiene que ponerse las gafas de ver de lejos para comprobar que se trata de Mercedes y Santiago Arce que hablan bajito en un rincón del jardín.

Ya nunca más intenté escribir ni sobre Buenos Modales tal como quería mi amigo J. P. Bonilla, el editor de Alfa Temas de Impacto, ni tampoco como aquella tarde en que tomé papel y lápiz para anotar mis primeras impresiones sobre L'Hirondelle D'Or. Difícilmente sería capaz de hacerlo ahora pues el panorama ha cambiado mucho. De ser un hotel secreto habitado sólo por huéspedes inofensivos o extravagantes como era a mi llegada (dos belgas, unos alemanes demasiado jóvenes para mí y ese curioso personaje a quien yo llamo el marqués de Cuevas), L'Hirondelle se ha convertido en una verbena. O en un cóctel o en una mascarada de barrio, aunque nunca me ha gustado exagerar.

Lo que sí pienso es que es una lástima que, cuanto más trata una de alejarse de sus fantasmas, más difícil le resulta. No habían pasado ni dos días de mi llegada, cuando aparecieron por aquí los exponentes más claros de todo aquello que yo pretendía dejar atrás. Si una mano bromista hubiera pretendido seleccionar a cuatro tipos de personas, representantes cada una de aquello que yo menos deseo ver en estos momentos, las habría elegido a ellas: Bea, una antigua compañera de colegio; Bernardo, su amante (todo el mundo sabe que lo son, todo el mundo, además *sabe* que *se sabe* que lo son, excepto los dos interesados que siguen disimulando, escondiéndose y haciendo los encuentros mucho más incómodos para ellos y también para nosotros, que ni nos van ni nos vienen sus amoríos). Además de estos dos, hay un charlatán de radio interesado en la vida del prójimo y una tonta, no sé cuál resultará más peligroso.

Sospecho que a los cuatro les molestó tanto como a mí la coincidencia. Se trata de la típica situación falsa: la proximidad hace que nos tropecemos a todas horas y, aunque no puede decirse que seamos amigos, la verdad es que nos conocemos más de lo que sería deseable como para estar topándonos en cada esquina sin que resulte incómodo. A veces me intranquiliza imaginar lo que estarán pensando: ellos aquí, yo un poco más allá sola... pero ésa es la gran ventaja que tienen los hoteles para adelgazar. Todos tenemos la santa misión de luchar contra los kilos, lo cual excusa tantas cosas... No hay, por ejemplo, necesidad de matar el tiempo jugando a la canasta (estamos adelgazando y cada minuto cuesta un Congo, mejor aprovechar para hacer pesas); tampoco se hace necesario compartir mesa a la hora de las comidas, porque cada uno es víctima de su propio pescado a la plancha o su verdura al vapor o su cordero en caldo corto, de modo que la dirección aconseja que los huéspedes mantengan su lugar en el comedor y así, con coartada tan práctica, resulta muy fácil declinar cualquier ofrecimiento amistoso hecho con la boca chica. ¿Pero qué sucede cuando de pronto aparece alguien con quien una sí quisiera hablar? Todo es demasiado reciente como para decir si la persona recién llegada puede interesarme o no, pero al menos debo reconocer que me intrigó muchísimo verlo entrar aquella mañana en el invernadero. Yo estaba en una esquina, lejos de los otros, cuando Santiago Arce, que así se llama la persona a la que me refiero, hizo su entrada al mismo tiempo que mi marqués de Cuevas. Al principio me pareció que llegaban juntos, pero en seguida descubrí que Cuevas buscaba a su perrito embarcado en alguna correría, y Arce sólo inspeccionaba el lugar. Todos nos volvimos para mirarlo, pasan tan pocas cosas en este bendito hotel; nos miró, lo miramos..., tenía ese aire entre despistado y receloso de quien entra por primera vez en un sitio y tiene que hacer su composición de lugar, como si buscara algo sin saber muy bien qué. Pero la mirada investigadora le duró muy poco, pronto se convirtió en sorpresa (y no me atrevería a calificarla de agradable) cuando vio que todos los que estábamos en el recinto, excepto el marqués de Cuevas, éramos gente de Madrid. Así es que no hubo más remedio que saludarse, un poco de charla formal, algunas sonrisas y después Arce dijo que iba a subir a su habitación a ponerse el traje de baño, pero ya no volvió. Tampoco lo vimos a la hora de la cena, ni al día siguiente al desayuno, lo cierto es que durante un tiempo desapareció de nuestras vidas como si se lo hubiera tragado el desierto. Hasta hace exactamente dos días, cuando volvimos a vernos.

Fue la mañana del domingo. Recuerdo que ese día decidí bajar a los baños tempranísimo. Todo el mundo se levanta tarde los domingos y nunca se me ocurrió que pudiera encontrarme con alguien, menos aún a Bea, mi antigua compañera de colegio, quien, con albornoz amarillo y aire decidido, estaba ya sentada a la puerta, a la espera de que comenzara la actividad diaria que, con puntualidad británica —o suiza debería decir—, se inicia a las nueve en punto.

Bea fumaba, pero a mí a esas horas me hubiera sido imposible inhalar un inofensivo *light* y menos un Habanos, que es lo que ella me ofrecía con una gran sonrisa. No es lugar aquí para analizar a las personas por la marca de cigarrillos que fuman, incluso dudo que haya mucho de verdad en este tipo de análisis, pero siempre me ha llamado la atención que existan dos tipos de mujeres a las que les gusta el tabaco negro: unas son las recias, esas que sin ser necesariamente hombrunas hablan con voz ronca y llevan las uñas o el pelo muy corto; y otras, las mujeres indefinibles. Bea sin duda pertenece a este grupo. Aunque la conozco desde niña, jamás he logrado decidir si es buena chica o por el contrario un tanto atravesada; ignoro si, llegado el momento, sería capaz de hacerme un favor o por el contrario no. Sólo sé que la mayoría de la gente tiene de ella mala opinión, supongo que porque habla como un camionero al tiempo que parece una Barbie (y no sólo en el aspecto externo, no, lo digo sobre todo por su textura, que es realmente algo sintética, no sé bien cómo explicarlo).

Indefinible pues, contradictoria incluso. Durante estos días en que hemos coincidido casi a diario, Bea se ha mostrado muy amable, distante y correcta, lo que para mí es ideal, de modo que no tengo nada que decir de ella, sólo que fuma Habanos, incluso muy temprano, antes de las nueve de la mañana. Eso es todo. No opino. Porque sucede que últimamente he sido tantas veces juzgada y con tanta ligereza por otras personas que ya no me atrevo a emitir un juicio sobre nadie, expongo mis impresiones sin saber en qué pueden traducirse, nada más.

La cuestión es que allí estábamos las dos, a la puerta del balneario; el tiempo comenzó a alargarse y la puntualidad suiza estaba a punto de quedar en entredicho por lo que Bea y yo empezamos a hablar un poco y la conversación rápidamente se fue encaminando hacia Santiago Arce: que dónde estaba..., que por qué no se lo veía... Bea era de la opinión romántica de que había venido secretamente a L'Hirondelle para escribir un guión sobre un hotel como éste, y así nos entretuvimos hablando unos minutos del personaje hasta que por fin se abrió la puerta y pudimos pasar dentro para nuestra sesión matinal de barros junto con un matrimonio belga muy amable que también había decidido madrugar en domingo.

Me encantaría conocer alguna vez a la persona que rige los destinos de L'Hirondelle D'Or con mano tan invisible para felicitarla por lo bien que funciona todo. Según creo se llama señorita Wasp y debe de ser alguien muy interesante. Nunca la he visto, pero basta ver cómo funciona la organización para apreciar la enorme diferencia que hay entre este establecimiento y el resto de balnearios famosos en los que más que huésped o paciente una se siente como un recluta en una escuela militar. (Conozco dos o tres de ellos bastante a fondo, solía ir con Jaime, mi marido... pero no, no, ésa era otra vida muy distinta y no debo recordarla, ya pasó, Mercedes, se acabó, olvídalo.)

Como iba diciendo, ese día, y a pesar del madrugón, nadie se empeñó en llevarme de un sitio a otro; masaje aquí, chorro terapéutico allá..., todo transcurría con una lentitud plácida, tanto que, de pronto, sentí hambre y le pregunté a uno de los encargados qué ocurriría si, en contra de todas las reglas, interrumpía el tratamiento para desayunar volviendo al cabo de media hora más o menos. El encargado me dijo que le parecía perfecto, que muchos clientes hacían una pequeña pausa y se acercaban al comedor envueltos en sus batas, muy normal. Yo nunca lo había hecho pero la idea me pareció buena, acababa de embadurnarme la cara y parte del pecho con una pasta oscura bastante olorosa, mezcla de algas, supongo, con alguna arcilla local. Me lavé pues la cara aunque decidí dejar de cuello para abajo la pasta negra que, por cierto, cada día descubro que es más eficaz para blanquear las pecas. Y así eché a andar hacia el comedor.

No había recorrido mucho trecho cuando alcancé a ver, delante de mí, al matrimonio belga que, por lo visto, también había tenido la misma idea, y atravesaban el corredor vestidos ambos con sus albornoces de felpa amarilla. Flip, flop, hacían las chinelas de plástico amarillo al pegar y despegarse de sus talones, flip, flop hacían las mías igual de horrendas, eso es lo que recuerdo de la escena, y también que, como el pasillo es largo, estuve un buen rato prestando mucha atención a las chancletas de los belgas y al modo en que se elevaban sus talones callosos para volver a juntarse con el plástico mientras la suela arrastraba haciendo un ruido como swuuuush, swuuuush, que los fue llevando —nos fue llevando—, swuuush, swuuush hasta la puerta —no del comedor sino a la de la terraza que es donde suelen instalar el buffet del desayuno los domingos.

"Buenos días", saludo del caballero belga (innecesario: ya nos habíamos saludado antes). "Magnífica mañana", comentario de la señora belga. "Pase usted primero", amabilidad mía. "No, por favor, usted primero", y por fin entraron ellos, entré yo, aún era tempranísimo, posiblemente inauguraríamos el buffet pensé, tres patos amarillos, en chinelas y albornoz, ellos sin rastro de barro, yo con el emplasto frontal asomando por el escote de la bata como el oscuro vello de un forzudo.

Y, de pronto, allí estaba él: Santiago Arce, sentado a una mesa bajo la parra a sólo un paso de donde yo me encontraba. "Mala suerte", pensé, "pero qué mala suerte"; y de haberme sido posible hacerlo con disimulo, seguro que habría reculado hacia la puerta para reaparecer más tarde con un aspecto más presentable. Nada pude hacer de todo esto, él se levantó para saludarme, sonrió, supongo que tomando buena nota de mi... original... aspecto y yo no tuve más remedio que decirle buenos días, aunque eso sí, sólo con la cordialidad distante que es la norma aquí en L'Hirondelle. Luego, a pesar de que resulta dificilísimo caminar sin arrastrar los pies cuando una calza chinelas, de alguna manera logré llegar hasta mi mesa y pedir un yogur y un té con la mayor dignidad, con toda la dignidad que permite el hecho de estar embetunada hasta el cuello en un barro sulfuroso que huele, me temo, a sardinas. Intenté envolverme aún más en el albornoz, estaba furiosa conmigo misma por no haber acertado con algún comentario gracioso respecto de mi pinta infame, pero el embarazo que a veces se trastoca en ironía, otras no sirve más que de mordaza y ahí estaba yo más muda que otra cosa, intentando cubrir el emplasto oscuro de mi pecho con el albornoz y sin mucho éxito, por cierto.

Desde mi mesa podía apreciar varios detalles de Santiago Arce. Y de no haber estado tan azarada, estoy segura de que me habría fijado en algo más que en sus pantalones, que eran de color arena muy bien planchados, en su camisa de ese azul pálido que tanto favorece a los hombres y en el libro que le ocultaba —afortunadamente— gran parte de la cara. Arce estaba leyendo *Les malheurs de Sophie*.

Siempre me ha intrigado qué lee un escritor —o un guionista de cine en este caso— aunque supongo que no puede considerarse indicativo de nada, ya que tanto unos como otros tendrán que leer cosas de lo más variadas. A pesar de eso, me hizo gracia descubrir que Arce había tomado prestado de la biblioteca del hotel el mismo libro con el que yo intenté parapetarme la primera noche que cené sola en L'Hirondelle y que desde entonces, por pura inercia, continué leyendo dos o tres noches más (hubiera leído cualquier cosa con tal de fingir que no prestaba ninguna atención a Bea y sus amigos: se sientan demasiado cerca de mí en el comedor). *Les malheurs de Sophie* es lo último que yo hubiera esperado que leyera Santiago Arce, un libro infantil, ni siquiera de chicos sino de chicas, y me hizo tanta gracia que debí de quedarme mirando más de la cuenta, pues al cabo de un rato, cuando ya me había olvidado de mi aspecto de patito enlodado, cuando disfrutaba mirando las parras y pensando que la vida no está del todo mal si uno se concentra no en lo grande sino en las pequeñas cosas: el canto de los pájaros, el sabor del té de hierbabuena; en fin, cuando me entregaba a ese tipo de pensamientos encantadores que produce el contacto con la naturaleza, una sombra ennegreció mi mesa para decir:

—Oye, perdona, Mercedes.

Visto de cerca, de abajo arriba como yo lo veía entonces, Santiago Arce era todavía más atractivo. Tengo la mala suerte de que los hombres guapos me desazonan de una manera espantosa. Nadie diría que tengo cuarenta y dos años, un larguísimo matrimonio, algún flirteo inocente y... en fin, que no soy una colegiala como para echarme por encima el té de hierbabuena sólo porque un tío guapo diga: "Oye, perdona, Mercedes".

Por suerte no se me derramó (pero casi) y el incidente me dejó intranquila todo el resto de la conversación sin atreverme a levantar la taza por si el pulso decidía delatarme y temblequear de la manera más espantosa. La nuestra fue una conversación intrascendente. Creo que de lo que más hablamos fue de las desventuras de Sophie, porque, ya que una tiene una coartada tan perfecta como un libro común, no es cuestión de desaprovecharla. Es posible que se considere un topicazo caer en conversaciones tan superficiales, pero los tópicos son estupendos. Dan tanta tranquilidad.

De modo que si no fue un comienzo afortunado (yo estaba horrenda, lo cual le resta a una mucha inteligencia, sí, inteligencia, se dicen enormes tonterías cuando no se está segura de su aspecto), digo que si no fue un comienzo afortunado, fue al menos un comienzo, y a partir de ese día empecé a coincidir con él a todas horas. Desde entonces hemos superado con éxito la tediosa fase de: "¿Tú qué haces aquí?". "Yo acabo de tener una experiencia desagradable y he venido a olvidarme un poco de todo, ¿y tú?" "...Yo también a algo parecido, supongo"... "Ah, ¿entonces no estás escribiendo un guión sobre balnearios? Como hace días que no se te ve, una amiga y yo hemos calculado que estarías escondido planeando una película sobre L'Hirondelle, quién sabe, una de asesinatos o así." "¿...Asesinatos?, ¿guiones?, no quiero ver un folio en los próximos seis meses, acabo de terminar mi última película y no sabes lo que es eso, lo único que se te ocurre es asesinar a todo el equipo de rodaje: un día matarías al actor principal, otro al regidor, todas las mañanas acogotarías al director (risas); no, no estaba trabajando en ningún guión pero tampoco me escondía, lo que ocurre es que he estado malísimo, con la maldición de Moctezuma."

A partir de ahí todo fue más fácil, mucho más divertido. No sólo porque me enteré de que la maldición de Moctezuma es una manera elegante de llamar a la colitis que afecta a los turistas en un país extranjero (ah y no sólo en México, en cualquier otro lugar del globo, por lo visto), sino también porque tengo la sensación bien nítida de que mi amistad con Arce despierta un cierto interés morboso. Ahora que solemos quedar todas las mañanas para dar un paseo, juraría que hay varias personas que nos miran. El espionaje no me sorprende tanto en Bea y sus amigos pues imagino lo que pensarán: "hay que ver lo rápido que se consuela ésta de haberse quedado viuda", o algo por el estilo; lo que me intriga mucho más es la vigilancia de... de mi marqués de Cuevas.

Qué hombre más extraño, jamás me ha dirigido la palabra, pero tengo la sensación de que conoce mi vida punto por punto (es imposible, nadie la conoce, *nadie*, de eso he tenido buen cuidado), pero qué digo, no hay nada que conocer, estoy segura de que si Cuevas —o ¿cuál será su verdadero nombre?— llegara a conocerla le iba a parecer sumamente aburrida, eso es, aburridísima, a pesar de las habladurías que corren por ahí. Y en el fondo, ¿qué más da?, la gente piensa siempre lo peor, ¿no? Muy bien. Que digan lo que quieran. En verdad... ¿qué sabe nadie de mi vida?

Es extraño, antes de morir Jaime me preocupaba mucho lo que la gente pudiera opinar, ahora en cambio me da igual: es tanto más divertido pasar por una chica mala; ya estoy harta de ser una chica buena..., creo que lo he sido durante demasiados años. Por cierto, mi marqués de Cuevas no es el único que me observa, hay más gente que se interesa. Me miran de lejos, con más disimulo pero se nota, te das cuenta enseguida de estas cosas en los hoteles. Además es tan fácil entrometerse en la vida del prójimo..., ese hombre, Antonio Sánchez, por ejemplo, estoy segurísima de que me observa más de la cuenta, supongo que en su caso se trata sólo de deformación profesional, él es un famoso locutor de radio, pero lo cierto es que cada vez que lo descubro mirándome doy un respingo. La mala pata es que tenemos habitaciones contiguas y los encuentros son... demasiado frecuentes. Oh, es cierto que rara vez hablamos y cuando lo hacemos nuestras conversaciones versan invariablemente sobre vitaminas o productos dietéticos, nada muy importante; sin embargo sé muy bien que se pregunta qué demonios hago yo sola en este hotel. "Hola, bonita", saluda cada vez que coincidimos por un pasillo, y yo lo veo juguetear con el llavero de su habitación que se llama... *Rose de thé*. Bonito nombre, tan dulce.

...Antonio *SSSSSSS* en *rose de thé*... suena como una serpiente alojada en una bombonera... Tonterías, yo no debería decir estas cosas de una persona a la que no conozco más que de oídas, es injusto y a mí no me gusta nada exagerar.

Cómo utilizar el lenguaje secreto de las flores

Al ofrecerlas a alguien como obsequio hay que tener muy presente que las rosas amarillas significan traición. Este significado se remonta a Aisha, la esposa preferida de Mahoma. El profeta sospechaba que su esposa le era infiel y pidió consejo al arcángel Gabriel. A su vuelta, Aisha lo recibió con rosas rojas y, siguiendo las instrucciones del arcángel, Mahoma le ordenó que las tirara al río, sabiendo que si cambiaban de color sus sospechas se verían confirmadas. Las rosas se tornaron amarillas.

El lenguaje de las flores, Sheila Pickles.

Rose de thé

Existe una extraña cualidad en las habitaciones de un hotel por la que éstas logran asimilar muy rápidamente la personalidad de sus amos eventuales. Ellas se adaptan, se transforman, y al cabo de poco tiempo, hacen creer a los clientes que las han hecho suyas. Porque las habitaciones de hotel son putas viejas y se las saben todas: mientras están habitadas, fingen ser un fiel reflejo de quien las ha alquilado, y sólo cuando el ocupante ha desaparecido vuelven a asumir su verdadero carácter con un silente despego que suena a: "Oh, ¿qué hubo?, pero ¿qué pasó?", "no, por Dios, si no ha sido nada importante..." cual daifas aburridas que se alisan la ropa o se abanican a la espera del próximo amante.

Y la habitación *Rose de thé*, que es la tercera puerta según se sube la escalera de L'Hirondelle, no desmerece en absoluto su condición de cortesana: en sus horas de reposo Rose de thé es una estancia alegre, iluminada por un sol tibio al que le gusta entretenerse jugando con los ocres del tapizado hasta convertirlos en naranja. Sus muebles son neutros, desnudos, sus colchas perfectas, sin personalidad alguna a la espera de un cliente que las haga cálidas. En las horas vacías, además, el lugar suele oler a una mezcla de Ocedar abrillantador de muebles con un excelente producto jabonoso que la señorita Wasp hace traer especialmente de Italia y que se llama Saponetta Macaccini: un aroma suave, un ambiente sosegado y aséptico: así es Rose de thé, sí, pero sólo cuando se encuentra desocupada.

En estos momentos, en cambio, todo es muy distinto: hace ya varios días que el perfume de Ocedar con Macaccini ha cedido hasta desaparecer, sometido y proscrito, por otros dos mucho más personales. Un rastro del primero, por ejemplo, puede apreciarse en una bata de piqué blanca que está sobre la cama, pero aún puede identificarse mucho mejor en el cuarto de baño pues emana de un frasquito diminuto oculto entre distintos productos de cosmética: una barra de labios levemente rosa, un maquillaje antialérgico, cremas, tubos, amén de un curioso bosque de frascos medicinales que incluye diversos tipos de aspirinas americanas, algún producto contra el dolor de cabeza y píldoras para adelgazar. "C'Est la Vie" de Christian Lacroix, así se llama este femenino perfume:

¡C'Est la Vie!

El segundo aroma es también muy personal. Lo llevan diversas prendas que se encuentran diseminadas por toda la habitación y puede distinguirse muy claramente en una camiseta que yace sobre una silla: como está algo sudada, tal vez la hayan usado esa misma mañana para hacer jogging u otro deporte violento antes de abandonarla de cualquier manera: sobre la zona del pecho lleva una inscripción que dice: "Big Spender". También hay otras cosas sobre las que persiste este segundo aroma y que están tiradas por ahí. Como un braguero anatómico de los que usan los atletas masculinos para correr que ha ido a aterrizar justamente debajo de la televisión. O un traje de baño húmedo que enseña sus entrañas de redecilla rosa sobre el bidet. Y unos calcetines ejecutivos cortos, negros, traslúcidos... sí, todo ello huele al último grito en esencias varoniles, oleoso el perfume: "Egoïste" de Chanel, su marca. Antonio Sánchez, su propietario.

Pero, con ser grande, no es el desorden el rasgo más destacado de la habitación Rose de thé, sino otros detalles que han convertido su acogedor vientre de cortesana a imagen y semejanza de sus actuales visitantes. Es digno de atención, por ejemplo, el uso que se les da a los muebles, complacientes y consentidores, dispuestos a dejarse transformar según los gustos de sus temporales dueños. Así, cada una de las mesillas de noche es fidelísima a su particular cliente: en la de Ana Fernández de Bugambilla, puede verse un ejemplar de ¡Hola! y sobre éste una agenda de cocodrilo con poco uso flanqueada por dos frascos de aspirinas y unos tapones para los oídos. La de Antonio Sánchez, por su parte, acoge un cortaúñas, una caja de preservativos y poca cosa más, pues realmente es en otros muebles, en otros rincones, donde ha ido a desplegarse la verdadera personalidad de su dueño.

Sin embargo, antes de llegar a la mesa de despacho que es donde habrá que detenerse por razones prácticas, un ojo curioso estaría encantado de echar un vistazo a un punto de la habitación donde la forma de ser de los dos ocupantes de Rose de thé libra singular combate. Se trata del vestidor, y en él pugnan dos personalidades muy distintas condenadas a convivir por unos días: lo que dure la estancia de Ana y Sánchez en L'Hirondelle.

El espacio es amplio pero se reparte de forma desigual, de modo que en el rincón izquierdo del cuadrilátero campea un vestuario masculino florido, con mucho niki turquesa, distintos pares de zapatos carísimos, corbatas, camisas, además de un equipo completo a lo Coronel Tapioca que consiste en: cuatro saharianas, tres pantalones de loneta de infinitos bolsillos, también unas botas comando, amén de un sombrero australiano como el que usa Greg Norman para jugar al golf. Pero tampoco falta la ropa más seria representada por varias chaquetas, todas de cachemir, todas nuevas, que bravuconean: "soy Armani", "soy Ralph Lauren", "soy Versace", desde las perchas. Y es tal la profusión de vestuario que, a veces, gracias al desorden, comienza a desbordarse amenazando con invadir el único rincón reservado a la ropa femenina, que es el derecho, justo debajo de una cañería. Aunque la esquina contraria avanza cada vez más, en realidad no importa mucho que ese segundo flanco sea alcanzado pues en él, discretos y altivos, cuelgan apenas dos trajecitos femeninos de buena marca, un *blazer* y cuatro blusas de seda que contrastan con la exuberancia casi tropical de su contendiente.

Sin embargo, es en la mesa de despacho donde el notable acoso de una personalidad sobre la otra se hace aún más visible. Si la idea inicial fue compartirla: "esta esquina es mía, aquélla puede ser tuya si eres buena chica y no ocupas mucho espacio", el paso de los días ha visto cómo avanzaba claramente un ala sobre la otra, lenta pero implacable con la contumacia de un *panzer* y la movilidad de un *chinook*. De este modo, sobre la madera clara puede verse ahora el último reducto en el que aún resiste la personalidad de Ana Fernández de Bugambilla: ocupa una porción lateral de la gran mesa y viene a representar algo así como un quinto de la superficie total, aunque muy bien aprovechada, ya que en ella se amontonan en difícil equilibrio cuatro revistas de modas puestas de canto para ahorrar espacio, un *game boy* Nintendo, otros dos frascos de aspirinas americanas y uno de sales de fruta Eno —frágil avanzadilla en territorio comanche— que aún parece gritar: "No pasarán".

El resto de la mesa es todo de Sánchez. A la derecha campa una pila de periódicos, luego un ordenador portátil IBM y a la izquierda el *Diccionario de Argot Español* de Víctor León abierto en estos momentos por la página 125, cuya primera entrada es el vocablo "Picha", debajo del cual, un iluminador amarillo ha tenido a bien subrayar dos utilizaciones de la palabra: "ver menos que una picha con flequillo" y "hacerse la picha un lío". Curiosamente, y en contraste con el estado de otros rincones de la habitación, sobre la mesa todo luce muy ordenado, pues hay, además de los enseres antes descritos, media docena de lápices con punta afilada, seis rotuladores Pilot, un teléfono portátil en su funda de piel, así como un par de gafas de media luna muy nuevas y brillantes, todo en perfecta formación de revista.

Si fuera otra hora del día y no las seis de la tarde, Rose de thé mostraría algo de la actividad de sus ocupantes. Temprano en la mañana, por ejemplo, la habitación de tan florido nombre ha sido testigo de un ritual que se ha hecho fijo en su rutina desde el día en que la poseyeron sus actuales clientes. Un despertador chillón pone en marcha toda la ceremonia: salta de la cama Antonio S. con aire decidido y los pelos en desorden mientras Ana Fernández de Bugambilla, que evita mirarlo tan temprano, se debate entre el asombro: "Dios mío, he sobrevivido una noche más, ya sólo me quedan cinco", y el placer que le produce la idea de tener la habitación para ella sola durante buena parte del día. Sin embargo, aún falta una media hora hasta que Sánchez desaparezca de su vista: durante un buen rato deambulará por la habitación entrando y saliendo del cuarto de baño. También tendrá que transcurrir el tiempo necesario para que haga sus seiscientas o setecientas llamadas a Madrid con ánimo de informarse de las últimas noticias, los últimos escándalos. Y luego, misión cumplida, limpios los dientes, evacuado el vientre, lustrosa la coronilla calva sobre la que ha untado una capa de vaselina, saldrá al fin Sánchez en albornoz y chinelas camino —no de los baños termales como todo el mundo— sino de la piscina de invierno que a esas horas está siempre desierta, para comenzar allí su diaria dosis de deporte —40 largos exactamente, 15 a braza y el resto a distintos estilos: *crawl*, plancha, incluso un largo por debajo del agua para probar la resistencia de los pulmones— (todo ello antes de cambiarse al atuendo de golf para acudir a otra cita deportiva, esta vez con Bernardo Salat, y allá se irán los dos, tirando de un carrito hasta perderse tras las palmeras que marcan las lindes del L'Hirondelle D'Or).

Y otras horas son testigo de otras actividades en Rose de thé, como las horas francas en las que Ana se enseñorea de la habitación, son horas deliciosas, las diez de la mañana, las doce del mediodía, también el rato antes de la comida que es cuando baja a la piscina para encontrarse con Bea. Lástima que poco después llegue la tarde con horas que se arrastran lentas, como la de la siesta, la temida hora del sexo que Ana ha logrado esquivar en los últimos dos días a base de grandes dosis de aspirinas, "perdóname, Antonio, tengo un dolor de cabeza a-troz, no te lo puedes imaginar, un ho-rror, me voy a dar un paseo...", y a continuación llega la hora que está a punto de dibujarse sobre la esfera del despertador chillón: las seis y media.

Y es en este momento cuando Sánchez tiene por costumbre volver a su Rose de thé para realizar una pequeña tarea profesional. Normalmente se trata de apuntar notas deshilvanadas que puedan serle útiles en un futuro para sus programas de radio, pero esta tarde Antonio S. tiene que hacer algo más complejo. Le han encargado que escriba cuarenta líneas, coño, qué pereza, pero no hay más remedio, se trata de un compromiso, una de esas brillantes ideas de los periódicos: para el número extraordinario de un suplemento dominical de gran tirada, han pedido a veinte personalidades relevantes de la vida pública —escritores, políticos, actores, empresarios, famosos locutores de radio como él— que escriban algo que ilustre lo que es la sociedad española de nuestros días. Algo impactante, novedoso. "Como si hubiera en realidad algo novedoso", se queja Sánchez, "cuanto más avanza una sociedad menos cambia en lo esencial", opina el gran hombre aunque eso esté mal decirlo, suene carca y no sea digno de alguien tan perspicaz como él. "Todo tiene que cambiar para que todo continúe igual" mal cita y suspira, pero decide poner a un lado sus apreciaciones filosóficas y buscar un tema concreto para su colaboración periodística. Debe ser algo de interés nacional como el ruinoso estado de los valores éticos, por ejemplo; "y para eso", piensa, "nada mejor que hablar de políticos corruptos".

Sánchez se sienta a la mesa, pero antes, echa un vistazo reprobatorio a la esquina donde se apilan los enseres de Ana Fernández de Bugambilla, en especial al Nintendo: "... no tendrá esta chica nada mejor que hacer que ocupar la cabeza en máquinas que lo llevan a uno a mundos evanescentes, pobre idiota...", pero él tiene cosas más importantes a las que atender como su artículo para el dominical ("qué lata, lo mío no es la letra impresa sino la palabra, pero en fin vamos a ver cómo me sale, no será tan difícil, supongo").

Abre su IBM "think pad" 29x20 centímetros de pura tecnología: he aquí un invento puesto al servicio de la mente y no viceversa, "pobre idiota", vuelve a pensar recordando a Ana, pero enseguida, Sánchez dedica un segundo recuerdo a las piernas de Ana que son francamente divinas y al fin y al cabo, eso es lo único importante, que siga entonteciéndose la cabeza todo lo que le dé la gana con el Nintendo mientras conserve piernas de diosa. Sánchez abre su ordenador portátil. El minuto y medio que tarda en aparecer el programa sirve de ejercicio de calentamiento en el que el usuario se sorprende viendo su cuerpo prepararse para el arte de crear. Es notable cómo los pensamientos se alinean, milagros de la mente en conjunción astral con IBM, y mientras esto ocurre, mientras la cabeza se prepara, Sánchez cruje sus falanges igual que un pianista a punto de atacar una polonesa. Espera. Acecha. Pasan las letras del programa, el aparato comprueba que no hay ningún virus en el sistema, y, cuando llega al menú, Sánchez ya ha resuelto sobre qué va a escribir. Será sobre una diputada puta que ayer mismo ha tenido la osadía de fastidiar una votación del Congreso saltándose la disciplina de partido con lo que ha logrado decantar el resultado en favor del Gobierno, maldita bruja. Son cuarenta líneas nada más pero a Sánchez le gustaría poder escribir algo que imite la lúcida prosa de Paco Umbral pero que sea, al mismo tiempo, denso y viscoso, difícil combinación, de ahí que haya recurrido al *Diccionario de argot*, de ahí que éste se encuentre abierto por la página 125, donde tiene subrayado el vocablo "Picha".

Entra en Windows, le pone nombre al documento, una sola palabra admite el programa, así que lo llama "Puta", total, el nombre sólo sirve para su archivo particular y ésa es la manera más fácil de recordar su contenido: Puta. Luego, vuelve a hacer crujir los dedos de pianista al tiempo que aparece en su imaginación la figura de la diputada tránsfuga que es muy adecuada para todo tipo de chanzas, rubia, pechugona, dueña de unas ancas muy abundantes. "Maldita tránsfuga", piensa, "gorda tramposa".

Sin embargo, a pesar de los aires de vulgaridad que corren hoy día en los medios de comunicación, Antonio S. tiene un escrúpulo: le parece de pésimo gusto meterse por escrito con el aspecto físico de las damas. Lástima. Uno de sus éxitos radiofónicos en la época en que se dedicaba —no a la política— sino en general a todo tipo de temas, era utilizar los rasgos más característicos de las personas para hilar con ellos un sermón contundente. Pero no, él ahora está muy por encima de los locutores de radio, es un Periodista, con mayúsculas, y verdaderamente no le parece de buen tono explotar en un artículo político, que será leído por tantísima gente, el físico de una mujer por muy propicio que éste sea: hay cosas que pueden decirse de viva voz, al fin y al cabo las palabras se las lleva el viento, pero no está bien ponerlas negro sobre blanco, no, no, de ninguna manera, nada de machismo de baja estofa, no es digno de él, respeto, ante todo res-peto, de ahí que Sánchez después de pensar un ratito en silencio escriba:

"Menos que una picha con flequillo demuestra ver Doña Rosarito Rivero dando un triple salto mortal al grupo mixto. Cuidado, guapa, no sea que te escachifolles intentando emular a Burt Lancaster en el filme

Trapecio, pero en cualquier caso, una cosa puedo decirte, bonita: la cagaste, Burt Lancaster..."

Rose de thé no es una habitación agresiva de esas que se cierran sobre sus ocupantes ni avasallan desde las paredes con recuerdos inoportunos, lejos de ello. Y sin embargo, diríase que al conjuro de las últimas palabras —o tal vez sea sólo la mención de ese nombre—, Burt Lancaster, Sánchez se ve obligado a hacer una pausa y levantar la vista.

Apenas ha escrito cinco líneas de su artículo y aunque el enfoque del asunto le parece muy apropiado, la mirada acaba de desviársele del ordenador hacia la pared de enfrente y allá se pierde entre un grupo de rosas amarillas. Se le ha ido el hilo, la idea central de lo que quería decir, y su atención se queda, tontamente, colgada del papel floral, como si hubiera habido una interferencia que le impidiese pensar en la diputada tránsfuga.

Antonio Sánchez ha oído muchas veces comentarios supersticiosos que atribuyen a los ordenadores cualidades inquietantes, raros casos de personas que creen escribir al dictado de sus máquinas, como si éstas tuvieran ideas propias. Sabe también que quienes así piensan desarrollan un santo respeto por sus aparatos, los temen, los miran con recelo esperando el momento en que se despendolen y empiecen a escribir por su cuenta, como si esto fuera posible. Tonterías, paparruchas, "cibernética ficción" lo llaman los periódicos pero tan sólo se trata de la última cretinada de las revistas de ciencia, ni más ni menos. Puede que él utilice algún día esos testimonios para elaborar uno de sus programas radiofónicos de gran audiencia, pero de eso a creérselo..., cibernética ficción, vaya gilipollez.

Sánchez junta las yemas de los dedos hasta formar una postura que se parece mucho a una meditación y espera.

Si no hubiese dejado de fumar hace seis meses, éste sería el momento ideal para encender un pitillo inspirador, pero resiste la tentación como un valiente y, tras unos segundos de recogimiento, los dedos de pianista comienzan a acercarse de nuevo al teclado.

No hace ni dos semanas que le han regalado este aparato IBM tan ultramoderno, y aún no se acostumbra a usarlo. Al fin y al cabo, él no es un hombre de papel y tinta, es un hombre de verbo, de ahí que le cueste más esfuerzo concentrarse en la pantalla: no hay duda, ésa es la razón de su parálisis, no puede haber otra. Además, todo es cuestión de práctica, muchas veces ha oído comentar que escribir con ordenador es casi, casi como hablar, que las ideas fluyen solas sin que haya que llamarlas; y *hablar* es precisamente lo suyo, tiene, pues, que insistir un poco más, permitir que la mente vaya donde le dé la gana y seguro que acabará escribiendo un gran artículo a la altura de sus maestros más admirados. (Y esto, claro, nada tiene que ver con la cibernética ficción, a quién se le ocurre, se llama ins-pi-ra-ción.)

Regresan los ojos a la pantalla, relee, verdaderamente, no está nada mal lo que lleva apuntado, ingeniosa la última parte con Burt Lancaster, y, con ánimo de tomar carrerilla, Sánchez decide borrar las dos líneas del final para volver a escribirlas exactas, así: "... no sea que te escachifolles intentando emular a Burt Lancaster en la película *Trapecio*...", continúa tecleando un poco más, aparecen dos nuevos párrafos bastante contundentes y entonces...

Ahora está seguro. Es a la mención del nombre Burt Lancaster cuando comienzan a producírsele todo tipo de interferencias en el ordenador IBM; porque cada vez que escribe "Burt Lancaster" o "la cagaste, Burt Lancaster" nota de pronto cómo surge una asociación, eso es, una asociación de ideas entre la cuadrada mandíbula de tan excelente actor y otra mandíbula muy similar que en días anteriores ha cosquilleado el subconsciente de Antonio Sánchez, locutor de masas.

Primero, esa quijada angulosa se le ha representado ante la vista como una sombra, a continuación como un esbozo o apunte, y ahora el fenómeno es francamente chocante porque, acto seguido, sobre la pantalla del ordenador le parece ver reflejada la pared de atrás llena de flores amarillas y entre ellas, no la mandíbula, sino toda la cara de uno de los huéspedes del hotel: la del guionista de cine Santiago Arce, lo cual hace que Sánchez gire la cabeza como buscando al fulano, imposible, qué va a estar haciendo Arce entre las flores de la pared. Y no hay nadie, como era de esperar, pero el incidente ha bastado para que toda su inspiración se pierda de nuevo, esta vez entre las cortinas cuajadas de rosas de té aunque nada tienen que ver las flores, ni Santiago Arce con su actividad de articulista político.

Una mandíbula angulosa se asemeja mucho a otra, es cierto, y una mente sensible como la de Sánchez es lógico que haga conexiones imprevistas. Burt Lancaster y Santiago Arce puede que se parezcan en la forma de la quijada pero ahí acaba el parecido, dicho lo cual, razona, es mejor que obligue a su inspiración a volver, sin más retrasos, a centrarse en el caso de la diputada tránsfuga que es lo único que debería preocuparle en estos momentos. "Vamos, vamos, cualquiera diría que no eres capaz de hacerlo, venga, joder, sólo son cuarenta líneas y se publicarán junto a las opiniones de las gentes más importantes del país, venga, tío..."

Antonio espera, la pantalla se ilumina con un reflejo tenue de lo más prometedor, pero nada, ni una idea le asoma por la cabeza... Y sin embargo no puede decirse que la imaginación de Sánchez sea poco fértil. De ahí que haya que buscar la razón de su fracaso en otra parte, y una vez puesto a indagar no necesita ni dos segundos de meditación para que él mismo llegue a la más lógica de las justificaciones. El problema, la razón de tanta interferencia es muy simple: le aburre horriblemente el tema de la diputada traidora. Y no sólo este caso sino, para ser francos, todo el panorama político español, todo el bla-bla habitual, qué coñazo, qué vaina, por mucho entusiasmo que se ponga en ser aguijón de la conciencia de un pueblo, lo cierto es que después de unos años de democracia todo es lo mismo y amuerma tanto escándalo repetitivo.

Sánchez se aburre muchísimo. Son ya varios años, diez por lo menos, y aunque es cierto que ha recorrido un gran trecho desde sus comienzos, no puede evitar reconocer cuánto le cansa esta profesión. Hablar cada noche por la radio de escándalos políticos, de corrupciones, discutir con tertulianos vociferantes de todas esas mandangas un día y otro y otro más resulta muy pesado, pero ponerlo por escrito es aún más tedioso. Escribir no es lo suyo, definitivamente no lo es, y buena prueba de ello está en lo que acaba de sucederle hace unos minutos. Se le va el hilo sin remedio. Intenta concentrarse, ha buscado además un tema de indudable interés nacional, una diputada traidora, pero la idea se le tuerce sin solución. No. Es más que eso. En realidad, no es que se le tuerza la idea, el fenómeno va más allá y se parece mucho a una pulsión (¿pulsión?, qué palabra tan cojonuda, ya verá la forma de incluirla seis o siete veces en alguna prédica futura)... parece una pulsión, como si al dejar que las manos corran libres por el teclado, con la querencia que dan tantos años de ocuparse de la vida del prójimo, sus dedos acabaran galopando irremediablemente hacia la cuadrada mandíbula de Santiago Arce. Una lata, de este modo nunca terminará el trabajo, pero aun así hace un nuevo intento por volver al tema de la diputada tránsfuga, la muy puta, y una vez más vuelve a leer:

"Menos que una picha con flequillo...", y luego continúa hasta llegar a la parte que dice: "... en cualquier caso una cosa puedo decirte, bonita: la cagaste, Burt Lancaster...".

Pero he aquí que al escribir este nombre otra vez la inspiración vuela hacia Santiago Arce (no precisamente hacia el tema de su quijada sino al de su vida amorosa y hacia la atracción que indudablemente siente el tío por Mercedes Algorta, aquí hay tomate, está clarísimo) y ya no hay quien detenga los dedos de Sánchez, como si en conjunción con el ordenador IBM tuvieran, en efecto, ideas propias.

¿Qué hace uno en estos casos?, dejarse ir, es natural, aunque debe quedar muy claro que él no cree en zarandajas de cibernética ficción. En todo caso, son sus ideas, o mejor aún, sus dedos, los que escuecen porque se les deje libres sobre el teclado; muy bien, libres son, a ver qué pasa (¿y luego qué hará con lo que ellos escriban si no tiene nada que ver con lo que le han encargado, un reflejo de la sociedad española de nuestros días?, su prestigio actual no le permite ocuparse de asuntillos menores, de cotilleos de alcoba..., no importa, ya verá la forma de hacerlo parecer como algo de gran importancia, una representación de los vicios nacionales, por ejemplo). Sí, ésta es una magnífica idea porque los vicios nacionales pueden retratarse muy bien a través de una historia que él, Antonio Sánchez, está viendo representada delante de sus propias narices en L'Hirondelle D'Or.

Veamos: los ingredientes son inmejorables, una viuda rica que después de la sospechosa muerte de su marido se cita con su amante en un lugar apartado de Marruecos, ¿por qué se han ido a encontrar tan lejos?,

¿qué esconden?, ¿cuál es su *verdadero* pecado?, magnífico tema, ésa sí que es una encarnación real de la falta de valores morales de una sociedad, con mucho más gancho que la anécdota de la diputada traidora, sin duda; la gente está harta de políticos pero en cambio le encantan las historias de amantes.

Ahora los dedos corren libres, y ya no hay quien los pare. E igual que a un espectador ajeno, a Sánchez sólo le queda echarse hacia atrás mientras deja hacer a sus manos, y así, ante la pantalla IBM, comienza a aparecer veloz e imparable algo mucho más divertido que lo que antes estaba escribiendo:

"El crimen no paga."

(No está mal como comienzo, la cosa promete, a ver qué más.)

Toda una parrafada vibrante surge poco a poco sobre la pantalla y al detenerse con un jadeo, Sánchez comprueba cómo el estilo, ni remotamente parecido al de Paco Umbral que había decidido imitar en su artículo político, ha cedido ante otro tono diferente, algo que a él le recuerda la concisa prosa de Ernest Hemingway pero con una particularidad, con el toque canalla y lumpen de un periodista inquisidor y ludópata de quien Sánchez admira sobre todo los adjetivos, pues sus dedos han escrito:

"El crimen no paga. El crimen es un arte. Una refinada forma de cambiar el Destino. Pero nadie, ni siquiera los asesinos más vesánicos son inmunes al sentido de culpabilidad." (¿Un poco moralizante esta última afirmación?, ¿poco digna de Hemingway y menos aún de su admirado periodista inquisidor?, a ver cómo salen sus dedos del apuro.)

"...Y es que se da el caso (aparece ahora escrito sobre la pantalla) de que el sentido de culpabilidad se asemeja mucho a un viejo exhibicionista pacato y también miope." (¿Exhibicionista m-i-o-p-e?, qué delirio. Tal vez deba interrumpir este flujo de conciencia, refrenar el índice y también el dedo corazón que vuelan descontrolados pues seguramente ellos no han querido decir "miope" sino otra cosa, pero al final Sánchez renuncia a detenerlos y lee:)

"Es cierto. La culpa es como un follador fuñique que, después de años escondiéndose en los parques, acechando a lindas niñitas rubias con lazos en el pelo pero sin osar mostrarse por prudencia, va un día y la arma, falondres, en el sitio menos adecuado. Como ya no puede aguantar las ganas de dejarlo todo colgando, exhibicionista frontino, viejo cegato esparrancado, tantea su paso con bastón de ciego hasta un lugar profundo y oscuro. Lejos de todo. Y allí, gatillero impenitente, ve de pronto cómo se le empina, qué bueno, qué bueno, sin saber, pobre topo, que ese lugar profundo y oscuro que ha elegido para abrir su jarafellina y mostrar sus vergüenzas no es otro que el metro de Callao. Y que en sitio tan público inevitablemente menudean los 'maderos'. Los chorvos de uno ochenta. Los cortapichas."

Toda esta introducción de la culpabilidad como un viejo exhibicionista venía al hilo de las revelaciones que sus dedos se disponen a hacer a continuación. Pero a partir de aquí, y a medida que teclea, Sánchez descubre, poco a poco, cómo el tono a lo Hemingway entreverado con el de su querido colega ludópata y fresador de adjetivos comienza a dar paso a otro tono más sencillo para decir:

"Ésta es una historia de nuestros días que ilustra la falta de solidaridad y de valores morales que impera en la sociedad española. Pero aún hay algo más inquietante y si no, vean: Mercedes Algorta, mujer notable de la sociedad madrileña, acaba de quedar viuda (¿de qué manera?, ¿fue un accidente provocado?,

Dios mío, cuánta contradicción hay en las historias de las niñas ricas, cuántas mentiras); supongamos —sólo de momento— que fue un accidente lo que la libró de su marido hace unos meses. Sin embargo ahora Mercedes Algorta, con el cadáver del esposo aún tibio en la tumba, acaba de cometer la misma torpeza que el muestrapichas ciego en el metro de Callao."

¿De qué forma, se preguntaría en este punto un profesor de Literatura y Lengua, unirán los talentosos dedos de Sánchez, a lomos de su IBM, la historia del exhibicionista miope con la de Mercedes Algorta? La manera más sencilla sería que éstos dedicaran seis o siete líneas a explicar cómo, desde el primer día de su llegada a L'Hirondelle, Sánchez, que es muy observador, comenzó a interesarse por la presencia de dos huéspedes que inmediatamente levantaron sus sospechas.

"Aquí hay un lío del copón entre Mercedes y Arce", dice, "y ha sido una torpeza indigna de dos personas inteligentes elegir L'Hirondelle D'Or para reunirse pocos meses después de la extraña muerte del marido. Tanto ella como él son gente de mundo y deberían saber que la regla de oro de los amantes clandestinos (más aún de los que quizá... quién sabe..., sean cómplices en un hecho inconfesable) es no citarse jamás en un lugar escondido. Tontos, miopes, mira que venirse aquí... Una cita en un local muy frecuentado siempre parece más inocente, pero ya se sabe, la culpa es un exhibicionista cegato: asoma sus vergüenzas en el lugar menos oportuno."

Sí, ésta podría haber sido la explicación que los dedos de Sánchez eligieran para continuar con el artículo, pero no lo fue. En realidad sus falanges parecen haberse olvidado ya del exhibicionista miope, pues cuando los ojos de Sánchez vuelven a la pantalla ha desaparecido también el tono directo y sencillo que había tomado por un momento la explicación, no queda ni un atisbo del estilo anterior que ahora parece haberse transformado en un tono nuevo e imprevisto, tan distinto y al tiempo tan reconocible, que el mismo profesor de Lengua y Literatura antes mencionado (si es que existiera) no tendría dificultad en quedar como los ángeles diciendo: observen, señores, qué interesante, he aquí un tono "muy Nathaniel Hawthorne".

Y es que resulta que lo próximo que escriben los dedos de Antonio S. lleva ahora una impronta intensa y sofocante, su prosa es sencilla en apariencia pero pútrida por dentro y parece resonar a puritanos de Salem (¿o a cazadores de brujas tal vez?), también a pecado que grita ¡castigo! y a chisporroteo de carne pecadora chamuscada crepitando: "culpable, culpable", amén de otras imprecaciones del mismo corte, lo cual tiene mucho mérito porque ni Sánchez ni sus dedos han oído hablar jamás de Nathaniel Hawthorne y su obra maestra *La letra escarlata*.

Aun así, puede leerse:

"La voz popular, que de esto sabe mucho, empieza ya a apuntar que Mercedes Algorta es culpable del peor de los crímenes. ¿Cómo lo hizo?, ¿cómo llevó a su marido a una muerte segura? Muy sencillo: no hizo *nada*. Al menos eso es lo que se comenta en voz baja por todo Madrid y yo sólo me ocupo de recogerlo; cuentan que aquella noche la mujer encontró al esposo en un trance desesperado y, simplemente, no lo auxilió. Nada más fácil. Nada más inocente... Y sin embargo ¡¿puede haber delito más horrendo que la omisión?! La omisión que mata, la omisión que mira impasible el sufrimiento ajeno y ve cómo el agonizante se debate en busca de ayuda donde piensa que debería encontrarla, mas sólo halla una sonrisa helada..."

Y al llegar a este punto las extremidades de Sánchez no escatiman frases vibrantes ni imágenes crudas, como el momento en que sus dedos veloces fabrican esta frase:

"... y el pobre Valdés ya en su último suspiro aún puede ver cómo Mercedes cierra impasible la puerta de la habitación: afuera queda la vida, la mujer con la que casi ha fornicado minutos antes, Isabella, su amor imposible, su deseo; adentro, junto a él, sólo la mala esposa que con irónica perversidad juega a deshacerle el nudo de la corbata cuando ya la muerte, vieja alcahueta de tantas infamias, ha marcado su hora".

Cómo corren ahora los dedos sobre las teclas. El artículo le está saliendo un poco errático y en definitiva demasiado extenso, es cierto, muy literario tal vez, pero no importa, ya habrá tiempo de recortarlo. Naturalmente tendrá que redactarse de otra forma —no porque lo que haya escrito sea falso en absoluto, es real como la vida misma, verídico a carta cabal, y la prueba clarísima: los dos amantes están aquí, ergo ella mató al marido, no hay más que hablar—, habrá que darle a la narración otro estilo mucho más conciso y añadir algunos ingredientes impactantes tal como él acostumbra a hacer en sus programas de radio. Sin embargo, todo eso puede esperar. De momento lo único que desea el gran hombre es ver qué otras ideas geniales salen ahora de este aparato mágico.

Sánchez pasa entonces un dedo admirativo sobre el lomo de su ordenador y, cuando mira la pantalla comprueba que, una vez más, el tono ha cambiado. Ameno. Versátil. Así es el hilo de su pensamiento, "qué estupendo es ser un hombre talentoso", piensa, seguro que esto no le ocurre a nadie más que a los genios, el talento es algo que parece ajeno a uno y le sorprende; muy bien, a ver qué viene ahora, clac, clac, clac... y al releer, comprueba que sus dedos han elegido esta vez un delicioso tono de revista rosa con un toquecito maledicente a lo Elsa Maxwell para decir:

"La cuadrada mandíbula de Santiago Arce, guionista de moda, hombre atractivo y deseado por todas, hubiera descendido unos veinte centímetros, más o menos, en dirección al suelo, de haberse atrevido su dueño a proclamar abiertamente lo que sentía:

¡Qué metedura de pata tan estrepitosa! ¡Qué fallo imperdonable!

Cierto. Después de realizar juntos, su amante y él, el más perfecto de los crímenes, después de apiolar al marido de Mercedes..." (tono *in crescendo* nota Sánchez complacido, ya sus dedos *asumen* que han sido ambos, Mercedes y Arce, quienes han matado al marido, bravo, ahora se trata de un homicidio a dos, cuando él utilice estas notas para dar forma a su artículo, evitará decirlo claramente, pero hay maneras de sugerir las cosas que resultan mucho más eficaces que las afirmaciones). ¿Y la verdad?..., ¿y si por casualidad es cierto que el tío aquel se ahogó por las buenas sin que nadie pudiera realmente ayudarlo?..., ¿y si el encuentro entre Mercedes y Arce es sólo fortuito y ellos no se han visto antes en la puta vida?... En tal caso la historia no interesaría a nadie, eso ya lo sabía Elsa Maxwell en sus tiempos, pero ella era una gran maestra y nunca dejó que la realidad le estropeara una buena historia: así opinan también los dedos de Sánchez, que, fieles discípulos, escriben:

"En efecto, señores, el Todo Madrid sospechaba su pecado, se cuchicheaba en voz baja en los salones, pero los amantes se habrían salido con la suya de no ser por un pequeño detalle. Es muy lamentable: muchas veces los crímenes perfectos fallan porque, una vez realizado el gran esfuerzo, sus autores deciden beberse una copa de *champagne* sobre la tumba del muerto o bailar una rumba sobre sus huesos lo cual no es una profanación sino simplemente una solemne estupidez. No, amigos míos, no es que el bello Arce y su divina amante decidieran cometer literalmente tan horrendo sarcasmo *post mortem*, pero es que hay formas y formas de beber *champagne* o bailar rumbas sobre la tumba de un muerto y la suya fue ésta: una vez perpetrado el censurable acto, hombre y mujer cometen la torpeza de marcharse juntos de vacaciones a un hotel lujoso de Marruecos para festejar el éxito de su vil maniobra. Porque nadie tiene la prudencia de aguardar el tiempo suficiente después de un crimen.

¡Descubiertos!

¡Desenmascarados!

Lástima... pero el destino no tiene piedad con los asesinos impacientes... Un triste final para un crimen perfecto, me temo, pues he aquí el irónico epílogo de sus andanzas: pocos días más tarde, una vez libres, confiados e indefensos en su dorado escondrijo, Arce y la bella Mercedes fueron a toparse con la única persona que podía ponerlos en evidencia desmontando su farsa, revelándola al mundo entero. Y la *única* persona es..."

"Servidor" hubieran escrito los dedos de Sánchez, sólo que "Servidor" no pega nada con el estilo a lo Elsa Maxwell. Es por eso que los dedos se detienen cuando deberían rematar la historia explicando cómo su amo (el mismísimo Antonio Sánchez López en persona) ha descubierto la *verdaz* sobre Mercedes Algorta, mosquita muerta de buena familia, viuda alegre y rica heredera. Una historia deliciosa con todos los ingredientes, unos reales y otros no tanto, pero qué importa, todo hace caldo, como dicen por ahí.

Sánchez, sin aliento, mira el texto, tan extraño, tan ajeno, un poco deshilvanado, ésa es la verdad, pero así son las corrientes de la conciencia, imprevisibles, anárquicas, "geniales", piensa. Retrocede en la pantalla hasta la primera línea: "El crimen no paga". Qué comienzo tan inquietante, hasta ahora no se había dado cuenta cabal de las magníficas posibilidades periodísticas que reúne la historia de Mercedes Algorta (de momento piensa escribirla sin facilitar nombres, así dará mucho que especular: (¿quiénes serán...?, ¿quiénes no serán...?), magnífica idea, eso va a hacer, además de buscarle un buen título, algo así como "Crímenes de gente bien" o "(Cham)pán, amor y alevosía", de puta madre, perfecto, buen gancho. Naturalmente le sobra material, lo que ha escrito es larguísimo, pero no hay prisa, el encargo es para la semana que viene, tiene tiempo de sobra para pulirlo a conciencia, aunque... el trabajo del día no ha terminado del todo. Aún le falta un detalle, un requisito indispensable que a otros podría parecerles estúpido, pero que él respeta, pues es la clave de su éxito: desde sus comienzos en la radio, Antonio Sánchez ensaya sus sermones. Alguien, una persona corriente que represente al común de los mortales (quien, según Sánchez, es bastante imbécil), debe escuchar primero la historia entera contada por él de viva voz, pues es la manera de afinarla más, de exagerar los puntos de mayor aceptación y de borrar otros que no causan impacto. Y el truco, como es natural, servirá también para lo escrito; de modo que ahora sólo necesita una oreja estándar, corriente, "normalita", piensa, y acto seguido se dice que qué suerte, realmente, pues tiene a mano la más idónea.

Mira el reloj, son las siete de la tarde, aún falta más de una hora para la cena, lo cual es muy conveniente pues así le dará tiempo de sobra para contarle el contenido de su artículo a Ana Fernández de Bugambilla cuando ésta suba a cambiarse para la cena.

"¿Quieres que te cuente la verdadera historia de una hija de puta, cielo?"

Claro que *esa* frase queda descartada, ya la ha utilizado antes como introducción y Antonio Sánchez no es de los que abusan de una buena coletilla. Esta vez el introito será muy distinto, solamente apuntará algo así como: "Siéntate aquí, bonita" y luego empezará a hablar mientras aprovecha para acariciarle la curva del escote o una de sus divinas pantorrillas.

Sánchez se pone de pie, pulsa la tecla de grabar y antes de apagar el procesador de textos piensa:

"A la diputada gorda que la jodan", pues ahora ya no le cabe la menor duda de que el comentario que le han encargado para un suplemento dominical de gran tirada tendrá muchísimo más éxito si trata de una historia de cuernos y asesinatos en la alta sociedad.

"Lo siento por vosotros, pero la cagasteis, Santiago Arce y compañía", afirma cerrando al fin la tapa de su IBM: "Realmente la cagasteis".

Los deportes

¡Ojo!, para jugar al paddle-tenis, no se le ocurra nunca ponerse ropa de tenis, es una paletada. Los hombres salen muy bien del paso con unos pantalones viejos cortados a medio muslo (más cortos solamente los usan los turistas franceses de camping) o simplemente con un traje de baño y una camiseta (a ser posible también muy usada). De hecho, parece haber una consigna muda por la cual los mejores jugadores resultan ser los más desaliñados y costrosos.

Yuppies, jet set, la movida y otras especies,
Carmen de Posadas, 1987.

Paddle, teléfonos portátiles y zapatillas de deporte
(dos días más tarde muy lejos de L'Hirondelle d'Or)

Los pájaros que cantan en el Club de Golf La Moraleja de Madrid no hacen uhu-uhu como los de L'Hirondelle D'Or sino tuit-tuit desde tiempos inmemoriales. Y desde tiempos inmemoriales han estado acostumbrados a continuar con sus trinos, a menudo en circunstancias muy adversas, no deteniéndose más que para un breve descanso hacia las cuatro de la tarde. Es a esa hora, cuando el benigno sol de octubre suele ver desfilar camino de sus oficinas a los deportistas con horarios inflexibles o simplemente esclavos del deber, que, de entre unos pinos y en ruta hacia las pistas de tenis, emerge la figura de J. P. Bonilla. Porque las cuatro de la tarde es también la hora en la que algunos afortunados que no tienen horarios, personas que a base de mucho esfuerzo han logrado situarse por encima de las tiranías de la oclocracia, eligen acercarse a su club favorito para (en el más riguroso secreto) adquirir ciertos conocimientos, ciertas gracias sociales, que ellos no han tenido la suerte de mamar en la infancia. En otras palabras: las cuatro de la tarde es la hora que J. P. Bonilla, editor y alma de Alfa Temas de Impacto, aprovecha para aprender a jugar al paddle con su profesor José Carlos Fernández Santabárbara, quien hoy lo espera con especial desasosiego y dolor de cabeza después de una noche francamente movidita.

Cuando los Fernández Santabárbara ennoblecieron su buen nombre allá por la primera guerra carlista, posiblemente nunca imaginaron que sólo tres o cuatro generaciones más tarde, un apellido curtido en tantos servicios patrios, valdría ya de muy poco, tan sólo de cebo con el que atraer a los J. P. Bonilla de este mundo a través de un anuncio tan pequeño como mal redactado que aún hoy puede verse en la revista *Segundamano* y que reza así:

"Soy J. C. Fdez. Santabárbara doy clases de paddle. Llamarme de 12 a 2 de la tarde al número Tal."

Y el número Tal corresponde a la casa familiar donde la madre de José Carlos, Teresita, ha adiestrado a la asistenta para que apunte con todo detalle los nombres de los posibles clientes, porque no en vano el ser profesor de paddle es lo más aceptable que ha sido su hijo en los últimos años después de distintos experimentos fallidos —relaciones públicas de discotecas, socio de un gimnasio, pésimo actor de cine y miembro de un conjunto musical llamado "Abanda" que sólo una vez consiguió una actuación, y fue en las fiestas patronales de Vergara, sarcasmo que la madre de José Carlos, por fortuna, nunca llegó a captar—. Ahora, José Carlos, ataviado con una camiseta que en alguna vida anterior debió de ser azul y unos pantalones de tenis muy arrugados, observa cómo se acerca J. P. Bonilla por entre los pinos raqueta en mano y un cuarto de hora tarde como es su costumbre. Pero si tuerce el gesto no se debe al retraso. Tampoco a la forma en la que su pupilo ha elegido hoy disfrazarse de Andrea Agassi sin olvidar el detalle del pañuelo a lo pirata ni los calzones de ciclista bajo el *short* de deporte, no, si tuerce el gesto se debe a que en ese momento suena el teléfono portátil de su alumno: "... Síí, síí, ¿quién eres? ¿Bea?, coño, hace días que intento hablar contigo, por fin apareces, espera... voy a sentarme un minuto, tengo algo urgentísimo que decirte..."

J. P. Bonilla toma asiento en un banco habilitado frente a las pistas para los mirones. José Carlos entonces decide entrar en una cancha para practicar el saque liftado porque intuye que la conferencia va para largo, para larguísimo lo más probable, y ojalá tuviera un Alka Seltzer a mano que lo haría todo más soportable, incluido a su alumno J. P. Bonilla.

La habitación *muguet*, que es la que ocupan Bea y Bernardo en el hotel L'Hirondelle, hace honor a su nombre hasta en los detalles más encantadores. Lirios de los valles en la porcelana de los sanitarios, discreto empapelado en el que se repiten una y mil veces corolas blancas aquí, estambres allá, mientras unas florecillas tiernas salpican la colcha de la cama... Y en ellas se detiene Bea para arrugarlas o alisarlas según se desarrolla su conversación con J. P. Bonilla.

—Te oigo fatal, espero que no estés hablando desde un restaurante, porque te recuerdo, J. P., que es una horterada sacar el Nokia aunque estés almorzando solo, cosa que dudo, dado lo solicitadísimo que me han dicho te has vuelto en los últimos tiempos.

Bonilla le asegura que se encuentra jugando al paddle y como no quiere agotar su hora deportiva hablando con Bea, pasa inmediatamente a explicar a qué se debe el mensaje dejado unos días atrás en el contestador. Entonces dice que si la llamó fue para ofrecerle un trabajo a su medida, "una bicoca, chica", que —según asegura— "te va a en-cantar, sencillo, muy bien pagado, un chollo, sólo se necesita hablar inglés, estar bien conectada y saber hacer de ángel de la guarda".

El índice de Bea no se impresiona con exposición tan entusiasta sino que apunta a una cajetilla de Habanos que hay sobre la colcha, enciende uno, aunque tabaco tan recio no entona del todo bien con la delicadeza del *muguet*, y escucha:

—¿Conoces a Harpic Arvhaubi, bonita?

—Ni zorra idea, ni siquiera creo que sea capaz de pronunciar el nombre, ¿es alguien importante?

—Tía, baja al planeta Tierra, estos días se habla de ella en los periódicos del mundo entero, Harpic Arvhaubi es la escritora más mentada de los últimos tiempos.

El *muguet* de las paredes con el humo del Habanos forma un jeroglífico sumamente aburrido.

—Le habrán dado un premio o algo así...

—Ni falta que hace, su libro ya está el primero en la lista del *New York Times*, ¿no has visto su foto con Clinton el otro día en la Casa Blanca?, se trata de una víctima de la intolerancia de este mundo, una mujer amordazada.

—¿Buena escritora? —inquiere Bea pensando que es la pregunta pertinente (y también en lo carísima que le va a salir esta conferencia a Bernardo).

—Bonita, te digo que se trata de una escritora a-mor-da-za-da, una perseguida política de Borrioboo-la-Gha, ¿nunca has leído a Dickens?

—Ni por el forro...

—...Lástima, entonces sabrías la importancia que tiene ocuparse de los temas de esos lejanos países miserables y salvajes. Borrioboola-Gha —continúa Bonilla, y al pronunciar la palabra no puede menos que notar que tiene un sonido tenístico: "Borrioboola-Gha es exacto al zumbido del esmach cruzado que realiza en ese momento su profesor en la pista (... rrioboola gha... rrioboola gha...). J. P. Bonilla a partir de entonces continúa con la conferencia telefónica pero decide poner gran atención a los movimientos de muñeca que realiza Fernández Santabárbara en la pista, a ver si de mirar se le pega algo, así dicen que aprendió Manolo Santana, después de todo... —. Alguna foto de la Arvhaubi has tenido que ver por ahí: una chica de unos treinta años, algo fuerte, lleva meses dando la vuelta al mundo para promocionar su libro, que es una mezcla de novela erótica subidita de tono con un toque rosa.

—No entiendo qué tiene de especial, novelas de ese tipo hay miles, millones que yo sepa.

—Ya, pero ninguna escrita en Borrioboola (gran esmach de Santabárbara contra la pared de la pista, gran esmach)... Claro que eso le ha traído muchos problemas y algún que otro inconveniente, ya sabes cómo está el mundo, bonita, una salvajada, una verdadera salvajada, qué te voy a contar, pero vamos a lo que importa: la cuestión es que nuestra escritora llega a Madrid a finales de mes. Quiero contratarte para que seas su ángel de la guarda, también su anfitriona y la acompañes a todos lados, que te ocupes de que la inviten a alguna fiesta de esos amigos tuyos tan alérgicos a las cámaras..., en dos palabras, que seas su intérprete y amiga: Harpic Arvhaubi ha elegido España para presentar en Europa su libro *El ombligo azul*.

—¿Y por qué azul?

José Santabárbara en pista ha pasado a ensayar unos nuevos golpes que requieren mucha destreza de codo. Él también ignora lo que ocurre en Borrioboola-Gha. Ignora las complejas estrategias de márketing literario y las cosas que hay que hacer para promocionar un libro, nada sabe de la enorme importancia de que se haya elegido Madrid para presentar la obra de Harpic Arvhaubi, que es número uno de ventas en el *New York Times*. Como José Carlos Santabárbara sólo lee el *Marca*, ignora además la gran escandalera levantada entre los fundamentalistas islámicos por la publicación de *El ombligo azul* y cómo esta escandalera ha sido retransmitida puntualmente desde Borrioboola al mundo entero a través de la CNN. Por no saber, Fernández Santabárbara no sabe ni dónde queda Borrioboola y mucho menos que, después de la publicación de la novela, la instantáneamente famosa autora ha tenido que abandonar su tierra por otras ajenas a su patria como Londres o Nueva York o París. En fin, sitios muy apartados y remotos, para conjurar un peligro inminente, pues hay quien afirma que en su país, un grupo fanático ha quemado todos los ejemplares del libro, que eran como unos trescientos más o menos, y han ido aún más lejos, pues amenazan con acabar —si no con su vida— sí al menos con una parte de la anatomía de Harpic Arvhaubi, una oreja, por ejemplo, lo cual es una salvajada simplemente por haber escrito una novela entre erótica y rosa, de ahí que la CNN se haya ocupado de dar a conocer el abuso a todo el mundo. Y ahora J. P. Bonilla ha conseguido traerla a Madrid donde, amén de guardaespaldas, Harpic Arvhaubi ha exigido los servicios de un ángel protector, una mujer, una amiga que la aloje en su casa y le presente gente importante. Todo esto ignora Fernández Santabárbara pues sólo podría haberse enterado leyendo los periódicos o escuchando la explicación telefónica de Bonilla, cosa que no ha hecho, naturalmente; él con sus alumnos sólo habla de voleas y reveses, gracias a Dios, bastante pesada resulta ya la conversación como para introducir temas que involucren neuronas suplementarias.

En su lejana habitación de L'Hirondelle D'Or Bea sí ha tomado buena nota de lo dicho, e incluso ha escuchado la propuesta económica de Bonilla, que es muy tentadora. Tanto que, en un cálculo sobre las florecillas de la pared, se da cuenta de que para ser un trabajo de tres días, está mejor pagado que muchos que duran un mes.

—¿Qué me dices, bonita?, me estoy perdiendo mi clase de paddle; si no te importa, te vuelvo a llamar en media hora, dame tu número...

Una pausa acuerdan Bea y Bonilla. Una tregua para que el Nokia no se quede sin pilas. Para que Bea piense la oferta. Y para que José Fernández Santabárbara tenga la oportunidad de echar otra ojeada al pañuelo pirata de J. P. Bonilla, brillante de un sudor que no se debe precisamente al deporte sino a las muchas ideas que bullen en la cabeza de su dueño, quien ahora olvida el trabajo y se vuelca en ensayar el revés al tiempo que sigue todas las instrucciones de su profe al que llama Jose, así sin acento, y Jose esto, Jose lo otro. Mientras, lejísimos de Madrid, en medio del desierto donde todo se ve más remoto: las vanidades de la ciudad, el éxito, la temida carrera de ratas..., Bea piensa en la propuesta de Bonilla y en lo bien que le vendría un dinerito extra, pues mantener el estatus de mujer separada sin bajar el escalón resulta cada vez más difícil.

Cuando termina de fumarse su Habanos ya ha decidido aceptar, y no sólo por el dinero que, desde luego, es muy atractivo. Pero es que además se trata de una experiencia diferente, "los escritores son gente rara", reflexiona Bea, "misteriosa, siempre apasionante de conocer". Y ahora, mientras espera que Bonilla vuelva a llamar para comunicarle lo encantada que está con su propuesta, ociosamente empieza a pensar en otro escritor —o guionista, mejor dicho— que anda por ahí cerca, tal vez esté ahora mismo abajo, en el jardín, y de pronto se dice lo agradable que hubiera sido que le propusieran ser la introductora de embajadores y ángel de la guarda de Santiago Arce, por ejemplo, pero claro, la gente como Arce nunca necesita ángeles guardianes ni embajadores.

"Aterriza, Bea, demasiada suerte es ya que te hayan ofrecido cuidar de una escritora de... ¿Bodriobola?, ¿dónde coño quedará eso?, y hay que ver lo poco prometedora que resulta una novela rosa escrita por alguien de un país llamado así." El teléfono no suena, el tiempo se estira, pasa muy lento y Bea vuelve a acordarse de Santiago Arce. Extraño realmente, pues hace tiempo que no le dedica ni un pensamiento, dos o tres días lo menos...; total, ¿para qué?, si ha perdido toda esperanza de entablar una amistad con él. Por eso ya no lo espera en las instalaciones de los barros con la intención de preguntarle qué es un baobab. Se saludan brevemente por el pasillo, sí, pero no hay que ser un lince para descubrir que el interés de Arce está decantándose hacia otra mujer, hacia Mercedes Algorta, claro, se ve a mil kilómetros y Bea, que lo reconoce, lo acepta sin más. Enciende otro Habanos. Fumar es malísimo para el cutis pero eso, como diría Scarlett O'Hara, ya lo pensará mañana. De momento fuma y piensa, no sin cierta complacencia, que ella sabe perder. Es cierto, siempre ha sabido hacerlo con estilo, es una de sus grandes bazas en la vida.

Quizá no sea el momento ideal para hacer un recuento de pasados fracasos, pero es la pura verdad. Bea perdió, por ejemplo, al separarse de su marido hace ahora casi nueve, ¡nueve! años. Perdió cuando tuvo que dejarle la custodia de los niños porque, si una se enamora de un monitor de esquí de Baqueira Beret y se va a vivir al pico de un monte, no es justo pretender que los chicos crezcan emulando a Heidi..., entre otras cosas porque sus hijos, que contaban ya con doce y catorce años, algo tuvieron que decir sobre la eventualidad de convertirse en personajes de Juana Spyri. Y Bea supo perder también cuando Rafa, su monitor de esquí, se enamoró de una heredera americana que no se sabe qué coño hacía en los Pirineos españoles cuando es sabido que todas las americanas ricas esquían en Vale, Colorado. Pero el caso es que ahí estaba una tal Kate Goldsmith en diciembre de hace siete años en Baqueira Beret y no en Vale, Colorado, y precisamente allí es donde se encuentra ahora su Rafa muy bien montado, por cierto, con un restaurante sensacional que se llama Ralph & Kate's Den.

Con Bernardo Salat, Bea perdió desde el principio. Siempre supo que no iba a separarse de su mujer pero el hombre, al menos, le proporcionaba una vida agradable, eso había que reconocérselo aunque ella, de vez en cuando, se viera en la obligación de hacerle sentir culpable por sus promesas incumplidas, tantas desde que comenzara su relación. Y Bea ya no piensa en Bernardo Salat, tampoco en J. P. Bonilla sino que piensa en Arce, al que en estos últimos días ha visto acercarse muy poco a poco a Mercedes: estaba cantado que ocurriría, gente que se encuentra en un mismo hotel, una mujer guapa, rica y sola..., y Bea sonríe.

Ahora es Antonio Sánchez quien acude a su memoria y recuerda una historia inverosímil que su amiga Ana Fernández de Bugambilla le ha contado esa misma mañana en la piscina. Ella no había prestado demasiada atención, Ana era tan confusa contando cosas, pero, según afirmaba, Sánchez se estaba dedicando a hacer horas extras en sus ratos libres pues le había hablado a Ana de un artículo que pensaba escribir precisamente sobre Arce y Mercedes. ¿Cómo era la cosa?, ¿cómo había vestido al muñeco? Según él se trataba de un ejemplo perfecto de la falta de moral de la sociedad de nuestros días, sólo que ilustrado con una historia verídica: a una viuda rica y objeto de miles de cotilleos mundanos muy recientes la pillan en un hotel remoto de Marruecos junto a un tipo guapo, interesante y autor de moda. Con esos ingredientes y mezclándolos al estilo Sánchez el resultado era... "basura, lo más probable". Bea fuma. El humo se enrosca alrededor de un haz de luz que viene de la ventana y forma figuras extravagantes, una gran pluma de avestruz, volutas, una cornucopia. Qué aburrimiento. Los pensamientos, tan volubles como el humo de su Habanos, siguen ahora una trayectoria en espiral: "Sánchez siempre ha sentido una irresistible atracción por las historias de cuernos", se dice, "no puede evitarlo, los cotilleos de alcoba, los adulterios, sobre todo si tienen que ver con eso que él llama la gente pija. ¿Que ahora se dedica a hacer un programa de radio riguroso al servicio, según él, de la *verdaz?* (porque Sánchez era de los que hablan mucho de la *verdaz*). "Paparruchas", piensa Bea, "la cabra siempre tira al monte, a él lo que realmente le excita son las historias de sangre y semen, otra cosa es que las disfrace de esto y aquello para que parezcan noticias serias." Entonces Bea recuerda todas las historias de alcoba que Antonio Sánchez y otros colegas han desenterrado en los últimos años para convertirlas en problemas nacionales: marquesas desbragadas, infidelidades conyugales que hacen tambalear grandes imperios económicos, cortesanas pluricasadas que se aúpan hasta convertirse en ídolos de marujas, sexo y dinero, sexo y poder. Bea bosteza. Sólo gente con poco mundo como Sánchez sería capaz de agitar de ese modo el avispero de las bajas pasiones hasta transformar casos privados en temas de interés nacional, "pero lo cierto es que lo han conseguido, han conseguido convertir a todo un país en un patio de vecinas".

¿Y la historia de Mercedes Algorta? Bea se dice que, a su modo de ver, el caso no tiene ni la mitad de tirón que otros desenterrados en el pasado, pero da igual, gente rica, gente guapa, gente famosa, basta con esos ingredientes para escribir un artículo escandaloso o hacer un programa de radio. Por supuesto que su amiga Ana Fernández de Bugambilla se había tragado todo lo que Sánchez le contó "y seguramente no será la única que se lo crea", piensa Bea, "porque las explicaciones enrevesadas gustan muchísimo más que las simples: creer, por ejemplo, que Valdés murió por un accidente estúpido es un coñazo, más divertido pensar que lo apiolaron de un modo inverosímil. Segundo ingrediente: que Arce y Mercedes hayan coincidido en L'Hirondelle por pura casualidad es otro coñazo aún mayor, adornémoslo un poco y digamos que ambos son amantes y que han quedado en encontrarse aquí para comenzar su nueva vida de amor y lujo con la pasta del difunto, todo cuadra estupendamente... sólo que es mentira. Si no fumara tanto llegaría a ser hasta sabia", dice como si en vez de Habanos se estuviera metiendo en el cuerpo algún opiáceo de esos que se sospecha que devoran diez mil neuronas por minuto, pero lo cierto es que Bea se cree bastante sabia, o al menos no tan gilipollas como para tragarse las versiones de los hechos al estilo Antonio S., que siempre tienen el mismo corte: morbosas, llenas de casualidades redondas como un folletín venezolano. Y Bea no cree en la versión del locutor de radio, sencillamente porque el guión es malo. Y la vida puede ser cualquier cosa, una mierda, una ironía, un sarcasmo, pero no tiene malos guiones. Por eso Bea está segurísima de que Mercedes y Arce nunca se han visto con anterioridad. Porque —además de saber perder— tiene otra virtud (bastante inútil por cierto) pero virtud al fin y al cabo: Bea sabe identificar inmediatamente las caras de aquellos que acaban de conocerse. Su sabiduría es el resultado de multitud de idilios incipientes pues ella tiene suerte en lo que se refiere a los comienzos (luego todo se jode, pero ésa es otra historia). En cambio, ha saboreado miles de romances alevines, de ahí que reconozca sus síntomas a un kilómetro, sin necesidad de oír siquiera las palabras que se dedican dos que se atraen. A los ojos de una experta como Bea les basta con identificar las expresiones de la cara. Por eso, reconoce mil indicios en los rostros de Arce y Mercedes: como anoche cuando coincidió con ambos antes de la cena, o esta mañana cuando los vio por el pasillo hablando de naderías, pues lo importante no es lo que dicen, sino sus caras, y Bea ve en ellas todas las trazas de un romance que comienza, lo nota en sus sonrisas demasiado elásticas que se estiran, se estiiiran incluso con el comentario menos interesante, caras dubitativas ante las primeras confidencias o falsamente seguras de sí mismas como si fueran esculpidas en granito, miradas fugaces o bocas que se estremecen apenas en las comisuras (¿me río ahora o mejor sólo separo los labios, formo con ellos una pequeña *o*, los humedezco?), un guiño, un tembleque casi imperceptible, todo ello los delata, pues las caras tardan mucho tiempo en adquirir la serenidad de los amores veteranos: las caras son calendarios.

Suena el teléfono. Bea deja de pensar en Mercedes y Arce (¿y por qué demonios les habrá dedicado tanto tiempo cuando lo que tendría que estar pensando es en la escritora de Bodrio-bola?), se vuelve para atender la llamada pues supone que es de Bonilla, pero no, se trata de uno de los huéspedes alemanes que pregunta por Margaretha, *sorry*, número equivocado, y Bea se olvida momentáneamente de lo que ocurre en L'Hirondelle D'Or para centrarse en la propuesta de Bonilla que debe de estar a punto de telefonear. Entonces se dice que ha sido realmente amable por su parte el acordarse de ella después de tanto tiempo... Simpático el ofrecerle un trabajo tan sencillo y bien pagado, con lustre incluso si uno se apura, porque ¿qué no daría cualquiera de sus amigas las "desperadas" por una oportunidad así? Y es que además del atractivo del sueldo, indudablemente puede resultar una experiencia muy interesante ser la anfitriona de una escritora famosa y gorda (porque Bea se barrunta que cuando Bonilla dice "fuerte" quiere decir gorda). De pronto se imagina a la tal Harpic Arvhaubi envuelta en un sari que le cubre la cabeza pero no las ondulaciones de grasa cobriza que acumula en la cintura. Seguramente se tratará de una chica enfática, con algún diente de oro, con ademanes contundentes, que hablará inglés muy deprisa, como esos paquistaníes que venden chicles o baratijas en los mercadillos de cualquier lugar del mundo: *neece to mit yoo, miss, yes, yes*. Y Bea se ve a sí misma del brazo de Harpic presentándosela a todo el mundo en alguna fiesta privada. También junto a ella durante el cóctel de lanzamiento de *El ombligo azul* en el Hotel Villamagna. Y se imagina traduciendo todo lo que ella diga con voz inglesa, rápida y lúbrica, "hacen falta mujeres así", se dice, "valientes... porque no cabe duda de que hay que tener un par de ovarios para atreverse a escribir un libro de ese tipo en un país islámico". Y Bea se imagina ya por fin la despedida en el aeropuerto mientras que Harpic le da las gracias a J. P. Bonilla por su meritoria labor de promoción literaria de impacto: ya se están plantando los dos besos de rigor: mua, derecha, mua, izquierda; cuando en eso Bea oye, de pronto, no en la imaginación sino aquí, muy cerca, algo que ha oído tantas veces en L'Hirondelle, la llamada a la oración vespertina que emerge de algún artefacto moderno, porque cerca del hotel no hay mezquitas ni muecines que reciten como ahora la fórmula inicial del cántico que ella conoce, pues ha pedido a uno de los camareros que se la traduzca: y, según las normas del Islam, la voz habrá de repetir hasta cinco veces exactamente lo mismo: "Allah akbar, Dios es grande...".

¡Trampa! Trampa, J. P., tram-pa..., eso dice José Carlos Fernández Santabárbara en aquel mismo momento sólo que lejísimos de L'Hirondelle D'Or, a unos mil kilómetros de distancia, más o menos: T-R-A-M-P-A.

Y no es que a él le parezca mal que su alumno aprenda algunas picardías indispensables para ganar al contrario, en absoluto, pero lo que acaba de hacer Bonilla no es de recibo. Sacar una pelota del bolsillo y tirarla justo cuando no se llega a la que está en juego es el truco más burdo, más tosco que existe y el profesor debe condenar enérgicamente tal torpeza...

—Perdona, Jose.

—Si no se saben hacer bien las trampas es mejor no hacerlas.

—Claro, Jose, tienes toda la razón.

—Esto no es tu oficina sino una cancha de paddle.

—Claro, Jose.

Y J. P. Bonilla camina hacia el fondo de la pista con las orejas gachas bajo el pañuelo pirata, pero una vez allí toma nuevos bríos para ensayar el saque liftado. Pone mucha atención, respira y, al lanzar la bola, emite un sonido a lo Mónica Seles, algo así como un jadeo orgásmico OOOUGHHH, que a José Carlos le hace desear nuevamente el tener a mano un Alka Seltzer al tiempo que abre la boca con la intención de llamar una vez más tramposo a Bonilla. Pero cambia velozmente de idea pues, a pesar del dolor de cabeza, se da cuenta de que a su alumno tal imprecación no le resulta ofensiva en absoluto.

—OOOOUGHHH —segundo gemido a lo Mónica Seles.

Paciencia, falta muy poco para terminar la clase. Muy poco para que Bonilla deje las pistas del club de Golf La Moraleja y vuelva a colgarse del Nokia para llamar a quién sabe qué incauto mientras que a él, Santabárbara, lo esperan cincuenta y cinco minutos deliciosos, los mejores de toda la semana. Y es que, por una feliz casualidad, tras la clase de Bonilla, viene otra que no tiene nada que ver con un tío tan tramposo. Santabárbara consulta ahora su reloj, estos últimos minutos inacabables de clase siempre le recuerdan a su viejo colegio del Pilar y a los momentos previos al recreo: "a ver cuándo el cura toca de una vez la maldita campana...", aquí no hay cura ni campana, claro, pero la sensación es la misma, que acabe ya, que se vaya este plasta.

Isabella Steine, así se llama su próxima alumna y, al igual que Bonilla, tampoco tiene ni la más remota idea de cómo se juega al paddle.

Claro que en el caso de la chica no importa en absoluto. Porque ¿a quién puede molestarle, por ejemplo, que una alumna de las características de Isabella tenga la muñeca blanda como una baba y no logre detener ni una pelota? ¿Quién puede incomodarse porque al golpear de revés, la chica dé un saltito, dos o tres pasos errabundos y que aletee los brazos arriba y abajo como un patito huérfano? Todo resulta encantador, como lo es la camiseta ancha que usa y los pantaloncitos de tenis, tan cortos que todo lo excusan. Y a Fernández Santabárbara tampoco le molestan otras cosas no tan simpáticas que sabe —o intuye— de Isabella, como el hecho de que pertenezca a la tribu de las "inligables", por ejemplo, o, peor aún, que sea una digna representante de un grupo al que Santabárbara llama "las castas del millón de dólares", aquéllas a las que sólo se les despierta la libido ante una cuenta corriente con muchos ceros; todo es igual, que más da, pues "la belleza física es un sublime don que de toda ignominia logra obtener perdón", y no, no es que Santabárbara cite de pronto a Baudelaire en sus cavilaciones sobre Isabella Steine, lejos de ello, no sabe ni quién es ese tipo, pero él tiene ojos en la cara y sangre en las venas y oh, por Dios, que se vaya de una puñetera vez el pelmazo de Bonilla... Por fin... por fin acaba de sonar para el profesor de tenis la imaginaria campana escolar que da por finalizada la clase.

Ring...

"Allah akbar, Allah akbaar..."

Bea ha encendido un tercer Habanos aunque está rigurosamente prohibido fumar mientras dura la oración de la tarde. Menos mal que ella no es musulmana. Menos mal que se encuentra a salvo en su *chambre du muguet* y que Marruecos es aún un país relativamente tranquilo, refractario para los integristas islámicos que van por ahí sembrando el pánico, desfigurando a las muchachas que no usan el velo, matando o mutilando a quien se atreve a levantar la voz contra los mandatos de Mahoma. "Qué terrible", piensa Bea, y a continuación repara en que es por ello precisamente, por contradecir los mandatos de Mahoma, que la famosa Harpic Arvhaubi se ve obligada a pasear por el mundo con no se sabe cuántos guardaespaldas, porque ha osado escribir una novela entre erótica y rosa llamada *El ombligo azul*...

Suena la llamada una vez más. Y empieza como siempre:

"Dios es grande..."

Bea fuma y de pronto se le ocurre que Bonilla tal vez esté haciéndole trampa o no le haya contado toda la verdad del asunto Harpic. Porque, vamos a ver, ¿en qué consiste el trato? En que ella debe alojar en su casa a la autora de *Bodriom-bola*, acompañarla a esta o aquella fiesta y también hacer de intérprete en su tarde de gloria en el Hotel Villamagna desde donde la escritora se dirigirá a las mujeres del mundo para dedicarles *El ombligo azul;* todo eso está muy bien, pero ¿qué hay de las noches?, ¿del resto del tiempo que debe pasar junto a Harpic? "Su ángel de la guarda", ha dicho Bonilla, "juntas a todas horas", y el asunto Harpic ya no huele tan bien como antes.

"Allah akbar."

Bea desconoce lo lejos que queda Borrioboola-Gha de Madrid pero con toda seguridad no está lo suficientemente apartado como para impedir que la larga mano del integrismo llegue hasta el Hotel Villamagna con la intención de castigar a la tal Harpic Arvhaubi, para liquidarla o mutilarle, no sólo la oreja, como ha dicho Bonilla, que es un fullero, sino también otra parte del cuerpo más acorde con su libro, porque poco conoce

Bea de los nativos de Borrioboola pero mucho de la naturaleza humana como para saber cuánto gustan los castigos ejemplares. Entonces Bea encoge las piernas para reunir entre sus ingles todo el *muguet* estampado en la colcha, y caben muchos en la entrepierna, multitud de hojitas verdes, muchas florecillas tiernas y estambres y tallos... Sus problemas económicos no han llegado tan lejos como para arriesgarse a perder el ombligo por acompañar a una autora de Borrioboola-Gha. Definitivamente no, niet, nastis monastis. El *muguet* apretujado entre sus piernas parece saberlo muy bien: si llega a suceder la terrible infamia de que mutilen a Harpic Arvhaubi —y de paso también a su acompañante, dos pecadoras por el precio de una— la autora venderá dos millones de copias de *El ombligo azul* en un solo día, pero ella es consciente de lo que arriesga a cambio de salir en el *New York Times* saludando a Clinton o de ser figura del mes en la CNN. "En cambio yo", piensa Bea, "supongo que tendré que hacer virguerías para que me recosan en la Seguridad Social, y a ver cómo quedo, coño".

Es este pensamiento aterrador el que la hace cambiar de postura para apretujar entre las piernas la colcha de florecillas antes de que acabe el quinto cántico. Qué suerte que haya coincidido con la llamada de Bonilla porque, de no ser así, a ella nunca se le hubiera ocurrido pensar en castigos ejemplares, qué va, sólo en el dinero, qué estúpida, con lo agradecida que estaba a Bonilla hace tan sólo unos minutos.

Ahora ya está decidido: J. P. Bonilla puede gastarse el dedo hasta la tercera falange marcando el número de la habitación que ya no habrá respuesta.

Y suena.

Sobre el mismo banco de antes, J. P. Bonilla, ha apoyado un pie del 41 increíblemente agrandado gracias a unas zapatillas Reebok con cámara de aire. Mientras habla por teléfono, suspira y sus ojos se escapan sin poder remediarlo hacia la pista de paddle. Ya hay una nueva alumna junto a José Carlos Santabárbara, alguien muy interesante, tanto que el otro día Bonilla retrasó incluso una cita de negocios para coincidir con ella a la salida de los vestuarios. Hoy, por cierto, ya se han saludado mucho más amigablemente, y Bonilla, que la mira, no puede evitar aplaudir, incluso con el Nokia en la mano. "...Muy bien esa volea, bonita, muy, pero que muy bien, ¿verdad Jose que Isabella ha mejorado un montón desde el pasado jueves?"

Lejísimos de La Moraleja, en pleno desierto de Marruecos donde los pájaros que cantan en el jardín hacen uhu, uhu, Bea, que está a punto de salir, oye sonar el teléfono sin dignarse a levantar el auricular. Es la hora en la que suele bajar al balneario para otra sesión de barros, pero hoy no le apetece en absoluto meterse en ese recinto cerrado donde nadie habla, los lodos son como una mordaza blanda y tibia, muy agradable es cierto, pero mordaza al fin y al cabo. Silencio, introspección total, eso es lo que la espera durante las próximas dos horas.

Otra vez suena el teléfono, pero a Bonilla que lo zurzan, no habrá respuesta. Bea se pone en pie y alisa la colcha llena de florecillas estirándola muy bien. Definitivamente está decidido. Esta tarde se va a saltar la sesión de barros, ya verá qué hace: pasear, sentarse en la terraza, emborracharse, hablar con las columnas estucadas de la galería, coño, cualquier cosa, menos aguantar tumbada y muda junto a los otros huéspedes, todos muy serios como momias egipcias, enlodados o llenos de vendas igual que personajes escapados de *Los cigarros del Faraón*.

Justo al abrir la puerta de la *chambre du muguet*, antes de salir al pasillo, el teléfono aún suena y a Bea le da tiempo a dedicar un último recuerdo poco amable a su amigo de Madrid. "Maldito tramposo", murmura, lo que por alguna extraña razón hace que piense también en Antonio S. y su artículo periodístico de amores y cuernos. Los cuernos entonces evocan fugazmente la figura de Bernardo y de ahí, todavía con la mano en el picaporte, aún sin decidirse a salir, Bea pasa a recordar a Santiago Arce que es tan guapo, tan inligable para ella, tan inmune a sus encantos. "Hombres", dice, "la vida siempre es igual".

Decididamente, en este estado de ánimo lo ideal sería encontrar a alguien amable con quien charlar un rato, ¿pero quién?, ¿dónde?, y sobre todo ¿de qué?, en concreto ¿de qué?

Bea da un tirón al picaporte. Y al cerrarse, la puerta se encaja con un estruendo innecesario que suena muy similar a una queja: "coño, de tantas, tantas cosas...".

Golf

Golf..., golf. El Gran misterio, en el que gana quien menos tantos apunta, que como las gachas con cordero viene de Escocia. Que como el cáncer, devora el alma y, como la muerte, es el gran Igualador.

El corazón de un memo, P. G. Wodehouse.

Una conversación mirando al golf (la historia según Rafael Molinet: de cómo éste se enteró de todo lo acontecido en los últimos capítulos y del uso que iba a hacer de dicha información)

—¿Qué le parece todo lo que acabo de contarle...? ¿Y el detalle de Antonio Sánchez encerrado en su habitación dándole forma a un artículo escandaloso que ilustre los vicios de la sociedad moderna? Manda pe-lo-tas, ¿eh?... Cuando mi amiga Ana me confesó lo que se proponía casi me da un ataque de risa, ¡será cabrón!... Y todo lo demás, ¿qué le parece?... J. P. Bonilla y su partido de paddle..., una gozada, ¿eh?... Pero, espere, espere, no se mueva de aquí, me he quedado sin tabaco..., doy un saltito hasta mi habitación y luego le cuento más cosas..., porque usted no es de los coñazos que se quejan de que uno fume incluso al aire libre, ¿verdad, señor Moulinex?

Odio que me llamen señor Molinete o señor Molina o señor Moulinex como en esta ocasión, la gente debería prestar más atención a los apellidos de las personas, es una norma de cortesía elemental, pienso yo. Pero no era momento de detenerse en detalles de urbanidad, llevábamos lo menos dos horas de charla y todo lo que la rubia de nombre Bea me acababa de contar tenía su interés. Primero me había hablado de sus amigos, de qué hacían en aquel hotel y luego se había detenido largamente en explicar algo que, a su vez, le había contado su amiga Ana Fernández de Bugambilla, algo que estaba relacionado con las actividades periodísticas de Sánchez... "El señor es uno de esos caballeros que siempre conocen la vida del prójimo y si no la conocen se la inventan", me hubiera gustado contribuir añadiendo a la plática para hacerla más parecida a un diálogo, pero la rubia había tomado carrerilla y no necesitaba réplicas. De ahí, había pasado a confiarme otra conversación mucho más reciente que acababa de tener por teléfono con un tal Bonilla hacía sólo unos minutos, y todo, todo lo que me contó antes de desaparecer en busca de sus cigarrillos fue de lo más interesante. E ilustrativo además, y muy útil, pues hay que ver lo fácil que resulta formarse una idea exacta de lo que ocurre tras las puertas cerradas con sólo tener paciencia y una oreja presta a las confesiones.

La chica y yo habíamos coincidido en la terraza norte, la que da sobre el campo de golf, una zona del hotel ideal para las charlas confidenciales debo decir, pues no viene nadie por aquí ya que corre una brisita algo ingrata. Nuestra charla hubiera podido comenzar en cualquier otro lado, pero fue allí donde surgió, por pura casualidad, y ya se sabe cómo son estas cosas, cuando uno se encuentra con una persona con el ánimo locuaz no es cuestión de desaprovechar la oportunidad: corriera brisa o el mismísimo simún del desierto yo habría aguantado a pie firme mientras ella me contaba toda la información que con mucho gusto vengo de escenificar para ustedes en los capítulos anteriores. ¿Se han fijado alguna vez en lo sencillo que resulta enterarse de los secretos más íntimos de las personas cuando uno es un oyente anónimo? Supongo que mi médico, el doctor Pertini, que tanto sabe de la naturaleza humana, debe de tener para este fenómeno un nombre técnico interesantísimo que yo desconozco o en todo caso no recuerdo en este momento, pero bien podría llamarse el *striptease* del vagón de tren, sí, el nombre me gusta pues va en recuerdo de otras muchas confidencias parecidas de las que he sido depositario —y a veces víctima— estando por ahí de viaje. Oh, es verdad que en esta ocasión algo puse de mi parte para que se produjeran las confesiones, pero posiblemente hubiera sucedido de todos modos; tengo imán para este tipo de situaciones, creo que las atraigo, quizá porque soy una persona solitaria, una oreja desconocida, del todo ajena, y como tal, el candidato perfecto para que la gente me cuente su vida. Por eso no me sorprendieron nada las revelaciones indiscretas con las que me distinguió la chica, me ha ocurrido en infinidad de ocasiones a lo largo de mi vida: basta un encuentro casual con mucho tiempo por delante, qué sé yo, una espera en un aeropuerto o un largo trayecto en tren por ejemplo, para que el tipo de al lado comience de pronto a hablar y, al final, acabe desvelándome su vida hasta en los detalles más abominables porque ¡hay que ver las intimidades que se oyen a veces por este sistema!, dejan pálidas a las que acababa de contarme la rubia clónica. Aunque..., mirando ahora con cierta perspectiva, ninguna confidencia ha sido tan interesante para mí como ésta. Ninguna tan útil: ahí estaba yo una tarde de octubre en la terraza norte de L'Hirondelle D'Or a la misma hora en que a Bea se le ocurrió bajar un rato, y sólo tuve que abrir bien los oídos para enterarme de un montón de cosas, cosas que, por cierto, iban a cambiar el desarrollo de esta historia.

Aproveché su breve ausencia para mirar un poco hacia el campo de golf, pero la chica no tardó ni cinco minutos en regresar con sus cigarrillos, tan poco tiempo que apenas alcancé a fijarme en Sánchez y su amigo Bernardo allá abajo, muy afanados detrás de una pelotita. Antes de sentarse otra vez junto a mí, Bea los miró un momento, saludó (¿cuántas veces nos habríamos saludado ya a lo largo del día?) y como si no hubiera habido interrupción alguna, otra vez comenzó a contarme cosas. Sin embargo, lo malo de estas confesiones espontáneas es que degeneran muchísimo. Empiezan bárbaro, macanudo, siempre con detalles interesantes, pero al cabo de un rato resulta que la gente sigue con el mismo brío, con la misma cuerda, yap, yap, como un juguete mecánico... sólo que los temas se convierten en un bodrio. Así, después de haberme confiado un montón de datos sobre mis espiados, la chica encendió su pitillo (¿número siete? *Bon Dieu*) y empezó a derivar, divagar hacia otros temas, asuntos personales suyos, pormenores de su vida que me importaban poquísimo: a partir de ese punto cerré el kiosko, es decir, no presté más atención y comencé a pensar en cosas mías. Es cierto que de vez en cuando separaba la vista de las verdes calles de golf para mirarla y asentir con un aire de lo más interesado, pero no tengo ni la más remota idea de lo que contó sobre su vida en Madrid, pues minutos más tarde sucedería algo que iba a dar un giro total a mis pensamientos.

El campo de golf de L'Hirondelle D'Or es muy pequeño y los golfistas, al jugar, van y vienen, se acercan o alejan del edificio del hotel según el capricho del campo. Nuestra primera conversación fue tan larga, me refiero a todo lo que me contó la rubia sobre Sánchez a solas en su habitación frente al ordenador y todo eso, que yo calculo que Bernardo y Antonio S. ya habían pasado cerca de nosotros lo menos tres veces como los caballos de una calesita, vueltas y vueltas: primero se alejaron del hotel al iniciar el hoyo 1 como es lógico y normal, al cabo de un rato volvieron a pasar frente a nosotros para meterse en el *green* del 5 y, un poco más tarde, se acercaron otra vez camino del hoyo 7. Me acostumbré pues a seguirlos con la mirada como ocurre a veces cuando uno está aburrido, buscaba la ocasión para despedirme de la rubia, una forma amable de largarme de allí pero, mientras, continuaba como un tonto sentado mirando a los golfistas ir y venir.

Cada vez que se acercaban a nuestra terraza, los cuatro nos saludábamos como muñecos de guiñol: "hola", "hooola otra vez", a gritos, muy ridículo realmente, pero así son ciertas ceremonias sociales, siempre mecánicas y repetitivas para que cada uno continúe a lo suyo: Bea a hablar, yo a fingir que la escuchaba y ellos... ellos a comentar sus jugadas, supongo, aunque no podía oírlos; la brisita aquella tan insistente se ocupaba de dispersar sonidos, lo cual era una suerte pues las conversaciones de golf me resultan, la verdad, francamente pesadas.

—¿Me escucha usted, señor Moulinex?

—Sí, querida, con sumo interés, se lo aseguro. Continúe, por favor.

Bea hablaba y hablaba, algo sobre su hijo mayor creo recordar, pero yo no acerté a prestarle ninguna atención; en realidad me importaba un pito todo lo que iba diciendo, pues había una idea rondándome en la cabeza, nada definido aún, era como la sensación de que hay *algo*, un dato que empieza a tomar forma, pero, al no saber de qué podía tratarse, la incógnita me rondaba como un mal flato. Y sucede que en esos casos, uno suele permanecer quieto, incómodo pero sin atreverse siquiera a cambiar de postura, como yo esa tarde en la terraza norte, aburrido con la plática de la chica: tedio y desasosiego no son una combinación agradable pero al menos uno sabe que, sea lo que sea aquello que tiene atorado en el inconsciente, acabará por salir en su momento, paciencia.

Así, mientras Bea hablaba de su familia, de sus hijos, o de quién sabe qué, yo me entretuve en observar a los golfistas que por cuarta vez se acercaban, y, en esta ocasión, fueron a detenerse justo debajo de nuestra terraza, al pie del edificio principal, en una esquina umbría donde hay un bebedero de esos con chorrito cantarín, un sonido muy agradable y fresco para aquella hora de la tarde, todo muy Mil y una noches, ustedes ya me entienden.

A veces pienso que el aburrimiento es un estado de ánimo extraño, el único que realmente tiene la virtud de despertar los sentimientos más imprevisibles. Sí, creo que hay mucho de verdad en lo que uno descubre cuando está aburrido como una ostra, por eso nunca desaprovecho una escena que se me brinda en estas circunstancias y la que tenía ante mis ojos era la siguiente:

Sánchez estaba de espaldas a nosotros, muy cerca, a pocos metros, pero en vertical debajo de nuestra terraza y la tarde era tan clara que me permitía ver ciertos detalles muy precisos de su persona. De pronto me vi observando su calva de ese modo intenso y a la vez distraído que uno adopta cuando debe fingir que escucha con suma atención alguna charla. Intenso y meticuloso, diría yo, algo así como la atención desmedida que de niño prestábamos en misa al ocupante del banco delantero: el cura venga hablar del pecado y todas esas cosas y uno aprendiéndose de memoria cada pelo del cogote, cada hilacha o verruga de ese desconocido y circunstancial vecino, con una intensidad que rara vez se dedica a personas mucho más allegadas.

La suya era una coronita rosada y precisa. La calva de Sánchez me refiero. Yo la tenía a pocos metros debajo de mi pie y no, no es que me dieran ganas de pisarla (al menos no por el momento), sólo la observaba con el afán aburrido de quien carece de algo mejor que hacer. Estaba tan cerca y a la vez tan distante: yo arriba, él abajo y la parte pelona de su cabeza brillaba más de lo razonable, musical la fuente, clara la tarde, todo perfecto, salvo aquella calva que ahora se me mostraba aún más al doblarse su dueño sobre el chorrito de agua para beber. "¿Es posible que Sánchez se unte la coronilla con un producto oleoso?", pensé, "¿vaselina tal vez?, ¿alguna pomada contra las quemaduras del sol?" Afortunadamente conservo todo mi pelo, pero creo que, ni aun siendo calvo como una bola de billar, me permitiría embadurnarme de un modo tan grasiento *que c'est dégueulasse!*

—...Y desde aquel día aciago mi hijo mayor no hace más que catear el examen de acceso a la universidad, pero yo no puedo culpabilizarme *también* de eso, ¿no le parece, señor Moulinex?

"Molinet, señora mía, ¡Mo-li-net!", me dieron ganas de chillarle a aquella chica tan dura de oído para los nombres, pero una vez más me contuve, gracias a ella sabía ahora muchos más secretos sobre mis espiados, muchas de las corrientes submarinas que les unían de un modo misterioso, y de pronto me pregunté de qué demonios me servía todo lo que había espiado en los últimos seis o siete días, ¿para qué pensaba aprovecharlo?

—Tiene toda la razón, querida, uno no puede culparse de aquello que piensa.

—¿...Que *piensa*, señor Moulinex? ¿Cómo que de aquello que *piensa?*, ¿está seguro de que escucha lo que estoy contando?

—Con toda atención, se lo aseguro.

—Continúo entonces —dijo ella, y en efecto continuó su historia.

Entonces vi, dos o tres metros bajo mi pie, cómo la calva de Sánchez comenzaba a fruncirse en una serie de pliegues rosados igual que aquella primera noche en que nos conocimos; rara vez se tiene la coronilla de un extraño tan a la vista y es ciertamente desagradable, se lo aseguro: sobre la superficie brillante, suspendidas como ampollas, Sánchez tenía una profusión de gotas de sudor; sentí ganas de quitarme las gafas, soy bastante ciego sin ellas, lo cual es una ventaja en casos como éste, pero a veces lo repugnante atrae tanto como lo bello y continué mirando. En ese momento, para más desagrado, Sánchez hizo un gesto, se pasó una mano por la zona con ánimo de repegar un mechón húmedo que se le había movido al agacharse. Y es que el tipo estaba como doblado en cuatro sobre la fuente, el trasero en alto, la espalda curva y los labios estirados en forma de beso sobre el chorrito fresco. Había algo en su glub glub glub... y luego en otro sonido chirriante que emitía al sorber..., no sé cómo describirlo, algo que me recordaba a un desagüe, sólo que infinitamente más agudo, parecido al rascar de una tiza sobre el encerado, así: iiiwwwiiiwwwyyy, un sonido obsceno, ¡qué digo obsceno!, mucho peor: taladrantemente fino, como esos chirridos que logran colársele a uno hasta los tuétanos y amenazan con salir luego desde debajo de las uñas con el consiguiente trastorno; sí, eso es, primero glub glub y luego, oh cielos, aquí viene otra vez: iiiiwwwiiiwwwyyy... glub. A continuación sentí el mal flato. Nuevamente esa sensación de que había algo terrible que me molestaba pero sin saber qué: iiiiuuuuglugluggluglub. "Qué repugnante", pensé yo mirando a Sánchez, "no puedo soportar esos ruiditos, los detesto", la tarde era tan tranquila que el sonido... —una vez más: iiiwwwiiiwwwyyyyglub— subía hasta mis oídos de un modo imparable: y ya se sabe cómo son las tardes calmas, cualquier detalle adquiere una intensidad perturbadora, un registro mucho más insolente, como si se tratara de una profanación que rompe el aire; ahí continuaba Sánchez sorbiendo y sorbiendo como si no fuera a acabar nunca con los glub glubs y también los iiiwwwss agudos cual maullidos de gato, pues tal es el sonido de unos labios ansiosos (y muy poco educados, todo sea dicho) amorrándose a un chorro de agua. "Que termine ya", pensé, "estos ruidos horribles: iiee gluieewwyyy, dan ganas de estrangularlo. *Mais quelle horreur*, si yo sólo pudiera... dan ganas de (glubglub y glub otra vez) cortarle el pescuezo, de hacerlo pedacitos chicos, de ahogarlo como a una rata hasta que se calle para siempre, de...".

Fue en ese preciso momento cuando supe que iba a matar a Antonio Sánchez.

Hay revelaciones en la vida que lo dejan a uno como nuevo, de veras, como nue-vo. Yo no sé qué habrá sentido Arquímedes minutos antes de salir por ahí gritando ¡*Eureka!* y todo eso, pero estoy seguro de que sería algo parecido a la sensación que tuve al decidirme por el asesinato. Claro que, cuando aquel gran hombre de Siracusa hizo su descubrimiento, posiblemente sólo intuía haber desvelado algo revolucionario aunque sin saber bien qué, pues todo hallazgo genial, al principio, no es más que una ráfaga difícil de atrapar, un guiño o una centella en el mejor de los casos; vamos, que uno *sabe* que ha dado con algo importante pero no sabe de qué se trata, y no hay más remedio que sentarse y darle forma a aquello tan fantástico que una intuición velocísima acaba de revelarle como un relámpago. Por eso yo imagino que al cabo de un ratito Arquímedes habrá vuelto a casa y sin vestirse ni nada (porque el tipo iba desnudo, ¿no es así?) se habrá apresurado a hacer muchos cálculos y dibujos difíciles para descifrar en qué consistía la chispa que acababa de encendérsele. Eso mismo hice yo aquella tarde. Devanar, devanar mucho sobre mi ocurrencia. Y lo primero que se me ocurrió fue reírme (mentalmente, se entiende).

Sin embargo no era cuestión de mover un músculo, debía permanecer donde estaba, el aire era claro, la tarde ayudaba a las meditaciones. ¿Y la chica a mi lado? A simple vista no parece fácil dar forma a lo que uno piensa cuando se tiene a alguien perorando en la silla contigua, ¿o tal vez sí?... Matar a Sánchez: ¡qué descubrimiento! Noté de pronto cómo ciertas ideas empezaban a esbozarse mucho más claras; desde luego ya no tenía el mal flato rondándome por ahí desconcertante, ahora era preciso saber por qué aquella idea me producía tantísima alegría.

El arte de la conversación

No retengáis a nadie por el botón de su traje o por la manga para haceros escuchar. Si las gentes no desean escucharos, hacéis mejor en retener vuestra lengua que en retenerlas a ellas.

Los consejos de Lord Chesterfield a su hijo.

*Para aclarar las ideas nada mejor
que un diálogo de sordos*

El tipo me miró (Sánchez quiero decir), fue sólo un segundo, levantó la cabeza que aún tenía inclinada sobre el bebedero y me miró.

—Qué encantador su amigo —le dije entonces a la rubia de nombre Bea y ella hizo un alto en su soliloquio para mirarme perpleja.

—¿Habla usted de Antonio S.?

—Perdone, querida, no quería interrumpirla, continúe, por favor, me iba diciendo...

Esa tarde descubrí muchas cosas. La primera: que es muy fácil neutralizar la cháchara de un charlatán dándole vuelta a los papeles del reparto escénico, ¿que la rubia estaba empeñada en contarme su vida por capítulos?, muy bien, pero de ninguna manera evitaría que yo le diera forma a un montón de ideas inconexas y muy interesantes que me rondaban la cabeza. Al contrario, soy una persona extraordinariamente disciplinada, metódica, y por lo tanto lenta. Si la rubia quería explayarse, que lo hiciera, yo mientras iba a imaginar el mismo *striptease* del vagón de tren al que antes he hecho alusión... sólo que al revés. Por supuesto no pensaba revelarle mis pensamientos, al menos no en voz alta, pero es muy útil tener cerca un *espárring* a quien dirigirle las ideas aún confusas que uno tiene. Supongo que debe de ser recurso de personas solitarias éste de imaginar sobre una conversación real otra distinta y privada, pero yo soy una persona muy solitaria y he aquí una de las muchas imposturas que uno aprende.

Me eché hacia atrás en mi silla, esto iba a ser divertido. Bea a mi lado ponía la música de acompañamiento: bla-bla mientras fumaba, y descubrí entonces que su poco agradable condición de fumadora compulsiva tenía dos ventajas: por un lado me ayudaba a imaginar en las volutas del humo a un interlocutor más receptivo que no era exactamente ella, y por otro la incitaba a hablar. Perfecto, tendríamos un magnífico diálogo de sordos. Pero al fin y al cabo ¿qué tiene eso de raro? Todo diálogo es, en realidad, un monólogo, uno habla sólo consigo mismo y, si oye al otro, lo hace únicamente con la esperanza de exponer *su* historia a continuación. Muy bien, mi rubia estaba ahí preparada para nuestro monólogo y yo le hice la primera pregunta (mental, claro): "vamos a ver, querida, ¿qué le parecería si yo ahora le confesara que voy a matar a su amigo Sánchez porque tiene una manera atroz de beber agua de un chorrito?".

La chica encendió otro pitillo y exhaló el humo talmente como si dijera:

"Vamos, señor Moulinex (oh *bon Dieu*, el asunto del apellido había que solucionarlo, al menos en el diálogo imaginario que me disponía a mantener con ella. Después de todo, era yo quien me preguntaba y me respondía, así es que permítanme que, al menos mientras la rubia hable como mi *espárring* mental, se dirija a mí como señor Molinet, faltaría más...). Vamos, vamos, señor Molinet, no lo conozco a usted de nada, pero no me parece que esté más pirado de lo normal. ¿Sabe lo que pienso?: que cuando uno siente ganas irrefrenables de acogotar a un tío por un detalle insignificante, en otras palabras, cuando te pone fre-né-ti-ca la forma que un individuo tiene de sorber la sopa, por ejemplo, o ese ruidito horrible con el que un fulano culebrea el aire entre los dientes con ánimo de remover algún resto de comida, lo que ocurre es que tienes ganas de cargártelo por otra causa mucho más gorda y menos confesable."

(Qué chica tan lista. *Two points. Two points.*)

—Oiga, señor Moulinex, ¿usted piensa que existen respuestas simples a problemas complicados?

(Esta pregunta era de verdad, quiero decir que realmente me la acababa de hacer la rubia clónica, supongo que para comprobar que escuchaba su perorata, y yo, muy amable):

—Verá, querida, en mi opinión las cosas que parecen más sencillas siempre tienen explicaciones inesperadas. Pero inesperadas no es lo mismo que complejas, ¿ve usted el pequeño matiz?, precisamente de ahí vienen tantos malentendidos en la vida: las situaciones más obvias rara vez *son* lo que parecen, ¿me entiende?

La rubia se quedó contentísima con mi respuesta, no tengo ni idea al hilo de qué me la había hecho, pero me alegré de que cuadrara en su monólogo. Yo mientras continué con el mío:

"Tiene usted toda la razón, cuando se quiere acogotar a un individuo por una insignificancia, en realidad existe siempre otra razón más profunda; pero en mi caso hay que tener en cuenta un factor que usted ni se imagina. ¿Sabe por qué he decidido de pronto matar a su amigo? Muy bien, pues la razón no es evidente pero sí muy sencilla, voy a acabar con ese tal Sánchez (y es verdad que no lo conozco, y es verdad que el tipo no me ha hecho nada) simplemente porque *puedo;* he aquí la diferencia esencial entre mi persona y el resto de los pobres mortales..."

La miro un momento, naturalmente no hay respuesta, ella sigue con su bla bla, pero las volutas de su cigarrillo parecen reclamar una explicación más convincente, de ahí que aclaro:

"Usted no entiende bien, *madame*, y es lógico, discúlpeme, debería haberle explicado antes que yo estoy en una situación muy especial. *Fini*, ¿comprende? *Kaputt*. Acabado. He venido a este hotel carísimo con la única intención de pasar dos semanas deliciosas y después tomarme de un golpe todo un tubo de pastillas. (En este punto, me pareció que la rubia detenía su soliloquio para dedicarme una mirada admirativa, pero tal vez fue sólo un espejismo, al fin y al cabo estábamos casi en pleno desierto.) Y como he venido aquí con esa intención —continué— no hay nada que me impida hacer una pequeña arbitrariedad: no voy a ir a la cárcel por matar a un tipo que me molesta, ni tendré que dar cuenta de mis actos porque yo estoy completamente fuera de juego. ¿Se da cuenta qué situación i-deal? Puedo darme el gustazo de llevar a la práctica los deseos horribles que a todos nos asaltan de vez en cuando (sí, sí, querida, a usted también, no sea mentirosa, hasta al más cuerdo se le ocurren ideas atroces), sólo que yo puedo hacerlas realidad porque estoy acabado, ¿comprende? Fin del trayecto: Rafael Molinet está muer-to."

Al decir esto fue como si de pronto veinte o treinta piezas de un complicado rompecabezas se colocaran en su sitio ellas solitas y empezara a configurarse un paisaje que aún no entendía del todo pero que estaba ahí, augurando algo muy revelador. De veras, fue fantástico, son muy útiles estos combates mentales, uno se siente un poco estúpido al principio imaginando un tira y afloja con una persona que ni siquiera puede escucharnos, pero el método es infalible, y nada raro, al fin y al cabo, ya lo he dicho antes: aunque se esté rodeado de orejas amables, de labios muy comprensivos, uno sólo dialoga consigo mismo, ¿me equivoco?

"La deliciosa, creativa y única impunidad de un muerto", le digo a mi *espárring*, "ésa es mi posición actual y no hace falta ser muy listo para darse cuenta de que cuando uno está a punto de morir puede permitirse no sólo arbitrariedades, sino también algo mucho más inquietante. Puede dedicarse a poner las cosas en su sitio y también a dar al destino de otras personas el giro que a uno se le antoje, porque ¿a que nunca se le ha ocurrido pensar que un muerto —mejor aún un casi muerto— es como Dios? Claro que sí, *ma chère*, y un dios tiene poder para cambiar el curso de los acontecimientos y de hacer justicia a su modo particular: ¡qué revelación tan apasionante!".

—Es usted superencantador al escucharme con tanta paciencia, señor Moulinex, no sabe lo que le agradezco esta charla.

—Yo también, querida, ya verá cómo se le aclaran toditas sus ideas cuando me lo haya contado hasta el último detalle. Siga, siga, se lo ruego. (¡Buaf!, a ver si con tantas interrupciones no pierdo el hilo, continuemos.)

A partir de aquel descubrimiento tan sencillo muchas cosas comenzaron a estar clarísimas para mí: ahí estaba yo desde hacía más de una semana en

L'Hirondelle D'Or, un establecimiento distinguido, tan fuera del mundo, dedicándome al mismo entretenimiento que tantos viajeros solitarios: observar a otros huéspedes. Y había sido divertido jugar, representar el papel de un viejo chismoso y husmear en sus vidas durante todo este tiempo, pero... ¿por qué? Al principio por puro aburrimiento, claro, después porque uno de ellos, en concreto Mercedes Algorta, me recordaba a mamá; incluso el modo en que había quedado viuda —una historia tan confusa— me recordaba a mamá. Bien, hasta aquí todo razonable y normal, todo dentro de los esquemas habituales de la curiosidad humana, pero en realidad ahora me daba cuenta de que cada dato que había ido recogiendo a lo largo de estos días era un elemento más del rompecabezas: una mujer que me recuerda a otra, dos muertes accidentales muy parecidas, idénticas casi, sólo que separadas por cuarenta años de mi vida... Sin embargo, con ser estos datos dos piezas muy claras, aún no se podía entender el dibujo completo pues faltaban otras, ¿cómo encajaban en el puzzle, por ejemplo, el resto de huéspedes, Antonio Sánchez, la rubia temerosa y todos los demás?, ¿qué demonios me había hecho ver a Sánchez como un tipo abominable justo después de que Bea me hubiera contado la historia que él pensaba publicar sobre Mercedes?; y por último estaba el descubrimiento final, el más interesante de todos: si las dos historias se parecen tanto, yo puedo interferir y cambiar el final de ésta si me da la gana, puesto que estoy muerto, y un muerto es omnipotente e impune, es como Dios.

En ese momento noté que la cháchara externa de mi *espárring* comenzaba a decaer un poco. Tal vez la chica estuviera echando en falta más participación mía para continuar su soliloquio; yo por mi parte, para redondear bien la última idea que acababa de tener, necesitaba otro pequeño pugilato imaginario con ella, así es que decidí darle cuerda, vamos, que lo que hice en realidad fue propinar un empujoncito a su mechero para que cayera al suelo:

—¡Huy!, perdone querida, permítame que le encienda otro cigarrillo. (¿Yo incitando al tabaquismo? Señor, Señor, las cosas que uno se sorprende haciendo.) Ella agradeció el gesto y repegó la hebra con énfasis suficiente como para que yo imaginara sobre su monólogo otra parte, la más espinosa, de mi historia. Juro que estuve a punto de hacer la confesión en voz alta, pero una prudencia de último segundo me retuvo. Imaginen la cara de la rubia de nombre Bea si llego a confiarle, como un *stripteaser* de vagón de tren cualquiera, lo siguiente:

"Mire, querida, detrás de toda acción un poco... atípica, digamos, hay, como es lógico, su correspondiente explicación razonable, ya lo hemos dicho antes, ¿quiere saber cuál hay detrás de mi idea de acogotar al tal Antonio S.?"

"De mil amores", dijo la rubia ficticia (la real, en cambio, creo que dijo mil cojones al hilo de otra cosa, vaya usted a saber de qué), "muy bien, comenzaré por contarle una vieja historia, no entera, pues resultaría muy larga y temo que la tarde refresque demasiado antes de que lleguemos al punto que me interesa: corre una brisita muy desagradable por aquí (muy hija de puta oí decir a la rubia verdadera, pero dudo que se refiriera a la brisita). Brevemente entonces, querida: todo este asunto de Mercedes Algorta y el chismoso de Sánchez tiene una conexión extraña con mi pasado, pero no se me ponga freudiana antes de tiempo, recuerde nuestra teoría de que los hechos que parecen más evidentes son los que siempre nos sorprenden con explicaciones inesperadas, y escuche primero. La situación actual me recuerda a otra historia mucho más antigua que paso a contarle en dos palabras. En mi infancia hubo un accidente. Mi padre, que para su información se llamaba Bertie Molinet, llegó un día a casa con una furcia y muy borracho (no a nuestra casa de Europa sino a una que aún conservábamos en Sudamérica muy vieja y abandonada). Era la primera y última noche que pasaríamos allí, la propiedad había sido vendida, todo se encontraba patas arriba, apenas había muebles, la luz eléctrica estaba cortada... ¿Se sitúa usted un poco en el ambiente? Bien, pues la casa tenía tres pisos. En la planta baja estaban el comedor, la biblioteca, el vestíbulo...; en el piso intermedio el dormitorio que mi madre había elegido para pasar la noche, y en el último, un montón de habitaciones abandonadas, en una de las cuales me habían instalado a mí. Una zona inexplorada y fascinante, que conservaba aún tantos tesoros maravillosos..., baúles con bellos trajes antiguos, y puntillas, y enaguas de crinolina... y también, apunte el dato, sobre una mesa había un espejo con mango de plata... Juntando convenientemente estos elementos ¿se imagina, querida, lo que pasó?"

(Un arabesco de aquel tabaco recio que fuma la rubia de nombre Bea se enrosca ante mis ojos como un gran signo de interrogación.)

Entonces yo le cuento a grandes rasgos todo lo que la gente *dijo* que ocurrió aquella noche: cómo Bertie me encontró en una de las habitaciones con un liguero por toda vestimenta y aún con el espejo de plata en la mano. Le explico también las diversas situaciones violentas que se produjeron acto seguido y cómo, a consecuencia de ellas, Bertie cayó por la escalera sin que mi madre hiciera nada por impedirlo. Paso luego a relatar a la rubia algo sobre Gómez, el criado de mi padre, que estaba abajo y vio la caída y a mamá quieta como una estatua mientras la cabeza de Bertie golpeaba... veintiuno, veintidós... veintitodos los escalones derechito hacia el infierno.

Y el muy patán de Gómez, le dije a la rubia, se encontraba en el vestíbulo, acurrucado en una esquina tapándose —no los ojos sino los oídos— como un avestruz asustado y aún más estúpido de lo normal. Se da cuenta, querida, así (escenifico), y chillando al mismo tiempo: "Uiyuiyuiyuiyui, yo no quiedo ved ezto, no lo quiedo ved", cuando lo que hacía el muy patán era no *oír* nada... treinta y dos, treinta y tres, treinta y cuatro golpes en total da la cabeza de Bertie hasta que aterriza por fin al pie de la escalera.

En ese momento yo bajo los dos pisos que nos separan casi de un vuelo, ya estoy junto a mi padre; mamá arriba, en la planta intermedia, no acierta a moverse: "Dios mío, Rafaelito, Dios mío, ¡qué he hecho!", y yo: "nada mamá, nada, tesoro mío, espera, no bajes aún", mientras Gómez, que para entonces ya no mira a mi madre, tampoco a mí, vuelve la cabeza hacia la pared para (esta vez sí) "no ved ni oid nada de nada".

Luego paso a contarle a la rubia todo lo que se conjeturó sobre aquella desgraciada historia y cómo los chismosos y rumorólogos se encargaron muy pronto de propalar la idea de que la muerte de Bertie no se debió a un accidente sino a una... omisión de mi madre (los más gentiles hablaban de "omisión", tan cristianos). Y a partir de ahí sólo me resta explicarle lo que fue nuestra vida, sobre todo la de mamá, desde aquel día, siempre a la sombra de una sospecha: los rumores, las habladurías..., tantas cosas que acabaron por volverla una mujer aislada, voluntariamente proscrita. Y tengo buen cuidado de subrayarle a la rubia una vez más que todo lo que acabo de contar es lo que se *dijo* que sucedió, la versión que la gente elaboró a partir de lo que fue contando Gómez, ese criado chambón que estaba allí con las orejas bien apretadas todo el tiempo.

"Tantas habladurías —le apunto entonces—, tantas interpretaciones... porque a partir de un dato arbitrario puede edificarse toda una leyenda: igual que ha comenzado a suceder en el caso de Mercedes Algorta. De ahí que yo sepa exactamente lo que ocurrirá con la chica si ese tipo, Sánchez, publica su artículo: dos maridos infieles que mueren de una manera que parece poco clara, dos historias idénticas en todo separadas por cuarenta años, ¿se da cuenta ahora de por qué me molestan tanto los chismosos?"

La rubia fuma muchísimo y es una gran ayuda. Esta nueva bocanada con la que me obsequia dice así:

"Genial, señor Molinet, ge-nial, no me diga más, lo entiendo divinamente: usted está casi muerto y puede permitirse hacer lo que muchos quisiéramos: arreglar una vieja deuda... Dos historias iguales, ¡qué increíble!"

"¿Quiere que le cuente algunas cosas horribles de las que las almas caritativas acusaban a mi madre?"

"Me lo imagino muy bien, más o menos las mismas y variadas versiones que ahora corren sobre Mercedes Algorta y su historieta particular, se trata pues de una pequeña venganza con el destino: usted ve en esa chica repetidas las mismas habladurías que corrieron sobre su madre. Ahora resulta que Sánchez va a encargarse de hacer circular aún más los rumores, y todos sabemos cómo son las sospechas cuando alguien las pone por escrito, la letra impresa tiene algo de sacrosanta, ¿verdad?, tiende uno a creerse todo lo que lee aunque sea una gilipollez, pero... (la rubia fuma, la rubia duda) seamos francos: un hecho permanece, y no es que yo sea una moralista, como comprenderá..., pero su madre (y posiblemente también Mercedes, no lo sé...) aprovecharon, vamos a ver cómo lo digo finamente, un momento crucial en que la cosa se les puso a huevo (lo siento, pero es la palabra perfecta)... a huevo para mandar a sus respectivos maridos infieles al otro barrio... De todos modos, créame, no seré yo la que tire la primera piedra, a lo mejor hubiera hecho lo mismo, y ¿mis amigos?, bueno, ésos ya ni le cuento, mire, hablando en plata: casi todos los maridos y esposas que conozco alguna vez han soñado con una bicoca parecida: ¡verse libres de sus cónyuges sin mover un solo dedo!"

"Por favor, querida, cómo puede usted pensar..."

"¡... Qué romántico!, señor Molinet", me interrumpe sin miramientos un semicírculo de humo que la rubia dibuja con su mano izquierda, "pero ¡qué romántico!, ahora le entiendo todavía mejor: usted va a vengar a ambas, no porque sean inocentes, sino a pesar de ser culpables".

"Ahí es donde se equivoca."

"¿Cómo dice?"

"Son inocentes las dos."

"Pero si acaba usted de contarme cómo su madre permitió que Bertie se descalabrara delante de sus narices..."

"Querida, usted no escucha nada. Acabo de contarle lo que *dijeron* las malas lenguas en el caso de mi madre. Una caída por las escaleras, tres personas presentes y un tipo ajeno a la familia que empieza a correr rumores sobre lo que vio. Pero aquello que se ve no tiene por qué ser cierto. No necesariamente. Los hechos que parecen incontestables, los que la gente cuenta como si lo supiera a ciencia cierta, son los más desconcertantes. Es *por eso* por lo que quiero poner las cosas en su sitio. Usted me disculpará, me repito más que el ajo (*quelle horreur*), pero las cosas que parecen más obvias siempre tienen explicaciones inesperadas. De ahí que yo haya decidido ocuparme de Sánchez a mi manera: primero, porque estoy muerto y me lo puedo permitir. Y segundo, porque estoy segurísimo de que la chica es igual de inocente que mamá."

"¿Y usted qué sabe?, nadie entiende muy bien qué pasó la noche en que murió Valdés. La gente no se pone de acuerdo en las versiones y así no hay manera..."

"Querida, créame, no me hace falta saber nada, la historia es idéntica a la de mamá."

"¿Y con eso le basta para pensar que Mercedes también es inocente?"

"No se me ponga pesada, ¿o es que usted da por buena la interpretación simplista de nuestro amigo Sánchez de que dos y dos son siempre cuatro y una viuda que coincide con un hombre atractivo en un hotel remoto lleva a sus espaldas un horrible asesinato?"

(La rubia se ofende, el humo de su cigarrillo se disgusta y forma un arabesco de lo más desagradable.)

"Claro que no, señor Molinet, yo no tengo alma de culebrón ni tampoco la mala leche de Antonio Sánchez como para deducir que simplemente porque estén aquí, Mercedes y Arce son amantes, cómplices y han apiolado al tal Valdés, pero... reconocerá usted también que el hecho de que la parejita se haya conocido hace dos días (y de eso sí que estoy segura) no implica necesariamente que Mercedes desaprovechara aquella oportunidad que tuvo tan a huevo, tan a huevo..."

Comienza a refrescar mucho y no puedo dejar que mi *espárring* mental siga elucubrando posibilidades poco tranquilizadoras para mí. Por eso, vuelvo a repetirle:

"Créame, querida, la historia es idéntica a la de mamá, dos maridos infieles, dos historias pasto de rumores..., i-dén-tica, Mercedes *n'a rien fait*... Y se lo voy a demostrar. Escuche, porque ahora viene lo realmente interesante..."

—¿Lo aburro, señor Moulinex?

(*C'est la blonde qui parle, bien sûr.*)

—¿Cómo puede decir eso, querida?

—Es que está usted mirando el campo de golf con una mirada reconcentradísima, no hay nadie allí afuera, nuestros amigos golfistas se han marchado hace un buen rato, estamos solos.

—Solos usted y yo, querida, lo sé de sobra, y crea que me alegro: hace años que no tenía una conversación tan interesante con alguien, continúe, se lo ruego.

Y la rubia continuó a su bola mientras yo continuaba a la mía.

"... Imagínese, querida, que ahora le cuento lo que realmente ocurrió la noche en que murió mi padre, la verdadera historia de una chica mala" digo... y ahí me detengo..., no sé bien por qué, supongo que porque necesito hacerle a mi *espárring* mental una pregunta de esas tontas que hace la gente (la que más deseamos formular, la favorita de todo el mundo), ésta: "por favor, querida, dígame, se lo ruego, ¿usted qué opina de mí?" (¿a que es la pregunta que uno más desea hacer?, sí, sí, no mientan..., ¿usted qué opina de mí?..., cómo nos gusta). Sin embargo a veces, como en esta ocasión, por ejemplo, se hace casi indispensable el narcisismo interrogante, y mi *espárring*, la rubia fumadora, ya se apresta a contestar cuando yo la interrumpo con otra pregunta aún más precisa: "¿ahora que le he contado que pienso matar a un tipo simplemente para parar un bulo, dígame: ¿cómo me ve usted? Como un tipo extravagante, supongo, como alguien que en las postrimerías de su vida encuentra ¡al fin! un modo de vengar todo lo que sufrió su madre... y, haciendo un poco de psicología barata, incluso le pareceré un homosexual que ha vivido años a la sombra de mamá, adorándola y entrando en depresión cuando fallece, ¿me equivoco?"

La rubia ha dejado de fumar y resulta más difícil hablar mentalmente con ella sin que se note, pero igual me arriesgo: "¿es así como me imagina? Vamos, querida, no me subestime, ¿de veras me cree... tan simple?, vengar el recuerdo de un ser querido ayudando a otra persona que se le parece suena muy romántico, realmente, y yo adoraba a mi madre, hubiera hecho por ella lo que fuera, pero una vez más le digo que las cosas no son como parecen. Existen en la vida deudas mucho más fuertes que las del afecto, y ligaduras aún más prietas que el amor, como los secretos, por ejemplo. ¿De veras no se le ha ocurrido pensar que le he ocultado algún dato?..., claro que el dato al que me refiero resulta muy difícil de adivinar, lo admito, y vale más que se lo explique, pues usted solita jamás llegaría a descubrirlo. Tengo una deuda con mi madre, es cierto, aunque no la que usted se imagina. Ya le he dicho que no soy ningún santo, pero sí estoy orgulloso de algo: de haber sabido ser fiel a un secreto hasta el día en que ella murió. Ahora es distinto; lamentablemente, la persona a la que le importaba ese secreto ya no existe, y yo por fin soy libre de actuar como mejor me parezca, aun con cuarenta años de retraso. ¿Entiende usted ahora?"

[El humo de un nuevo Habanos (¿el número diez?) de la rubia no entiende nada y es entonces cuando yo hago un esfuerzo por explicarme con claridad contando una historia muy vieja.]

Es curioso. De pronto, cuando al cabo de muchos, muchos años, uno se decide a confesar algo que siempre ha mantenido oculto, un detalle del que jamás ha hablado, cuando por fin quiere darle forma... suena tan falso. Es como si a fuerza de secuestrar la verdad ésta acabara por volverse irreal: se diría incluso que

aquello de lo que nunca se habla, ni siquiera se p..
sa, acaba por no existir realmente. Tal vez por eso,
ahora que revivo nuestro encuentro en la terraza de
L'Hirondelle vuelve a sorprenderme lo hueca que
sonó mi confesión. Y no es que nadie la oyera; naturalmente, para la rubia llamada Bea yo no era más que
un interlocutor mudo con la mirada puesta en un punto lejanísimo del campo de golf, pero las confesiones,
aunque se hagan ante oídos ficticios, siempre tienen
algo de indecentes y yo tuve que volver momentáneamente la cara a un lado para decir:

"Mi padre no murió a causa de una simple caída
por las escaleras" —confieso—, y es tan extraño oírme
decir algo que nunca antes me había permitido siquiera pensar. "A Bertie no lo mató la caída ni el supuesto
'delito de omisión' de mamá, es mentira, aunque... si
quiere sorprenderse aún más le diré que incluso ella,
mi madre, siempre prefirió esa versión. ¿Se escandali-
za usted, querida? Pues es cierto. Incluso cuando empezaron a correr los rumores, cuando la gente cuchicheaba sobre cómo se había producido el 'accidente'
ella callaba y por tanto asentía. '...Hubo un testigo
presencial', decían con mucha autoridad las lenguas
largas, '¿cómo se llamaba el fulano? Gómez o Sánchez
o algo así... él contó todo lo que vio...' 'Cómo, ¿de veras que no sabes la verdadera historia de Elisita?, no
tiene nada que ver con la versión oficial..., ya, ya sé que
dictaminaron que fue un accidente desafortunado sufrido por un borracho y que ella no pudo evitar que cayera, eso al menos juró Rafaelito, pero nadie aparte de
la policía ha creído en la palabra de ese maricón, adora
a su madre...' Y cuanto más corrían los rumores más
callaba ella, ¿qué le parece?... Usted dirá que es estúpido, que al menos podría haberse aferrado a la explicación oficial en vez de dejar que la gente se imaginara

lo peor, pero mi madre hizo lo contrario: casi alentaba las habladurías... Vamos, querida, no me mire así, me parece que va a aprender usted mucho sobre la naturaleza humana esta tarde, esté atenta pues ya falta muy poquito para la sorpresa final. Como le digo, es mentira, mi padre no murió del modo que se rumoreó... pero tampoco fue un accidente, los Berties de este mundo son muy duros de pelar", añado y siento ganas de reír. (Me parece que incluso llego a hacerlo en voz alta porque la rubia de nombre Bea me mira.)

—¿Le hace gracia lo que le acabo de decir, señor Moulinex? Será mejor que dejemos nuestra charla, empieza a hacer frío.

—Fúmese un último pitillo, querida —insisto. Y es sobre esta nueva voluta que yo acabo mi confesión.

"...Usted no se imagina lo largos que son los minutos posteriores a una tragedia, las cosas que da tiempo a hacer cuando reina la más absoluta confusión. Imagínese la escena: mi padre vencido en el suelo del vestíbulo, el reloj de pared apresurándose hacia las cinco menos diez, mamá inmóvil en lo alto de las escaleras con los ojos de Gómez aún fijos en ella y, mientras tanto, yo bajo de un salto a ver qué ha pasado, hasta ahí todo normal, ¿no cree?... Tic, tac, sólo es el sonido del reloj, preciso y lento pero mucho más veloz que el tiempo real, que se vuelve eterno en un momento así. 'No quiedo ved, no quiedo estad aquí', dice Gómez antes de volver definitivamente la cara hacia la pared. Por eso él no vio que, una vez en el suelo, yo tuve que asegurarme de que mi padre jamás volviera a abrir los ojos. Y fue tan fácil, pues sirve para tantas cosas un espejo de mano...; una mansión a oscuras, mi madre allá arriba, Gómez vuelto hacia la pared como un perro huérfano aún con las manos sobre las orejas pensando que ya había ocurrido lo irremediable... y lo irremediable ocurre un poquito más tarde cuando nadie está mirando... ¿Qué le parece, querida? —añado con una sonrisa—, tal vez ahora que he ensayado esta confesión con usted como *espárring* mental, bien podría contársela, punto por punto, a la viudita que tanto he observado durante estos días para que ella también sepa que nada es como parece... Y ¿por qué no?, así conocería de primera mano la historia de una verdadera chica mala. No como ella, a la que creo inocente de lo que insinúa Sánchez. Tampoco como mi madre, cuyo único delito fue quedarse paralizada de miedo en un momento trágico, yo me refiero a *otra* chica mala, una que nació y murió esa noche en la casa del Prado..., ¿no se imagina quién, querida? Claro que se lo imagina, me refiero a aquella a la que sorprendieron en una habitación oscura llena de trajes antiguos, de enaguas de crinolina. Y ahora dígame: ¿qué piensa usted de mí?"

(Ya no se ríen las volutas de humo de la rubia fumadora, noto que ya no le parezco ge-nial sino más bien terrible porque dicen):

"¿Cómo ha podido, amigo Molinet? ¿Cómo ha podido vivir tanto tiempo con esa mentira sin confesársela al menos a su madre para que no llevara durante años el peso de una culpa que nunca tuvo? ¿Y qué me dice de todo lo que habrá sufrido a causa de las habladurías, los chismorreos? ¿Cómo pudo, señor Molinet, ocultarle lo que había hecho? ¿No le importó que la gente arrojara la responsabilidad sobre su madre? La gente habla tanto, la gente no para de hablar."

A partir de este punto dejé de parlamentar con las volutas de humo de mi amiga la rubia. Está claro que no entienden nada. Supongo que es una suerte el no haberle contado esta historia jamás a nadie pues sospecho que muy poca gente entendería que Ella lo supo siempre. Mi madre adivinó desde el primer momento que fue otro golpe el que mató a Bertie Molinet y un niño de quince años, su asesino. ¿Y qué fue lo que vio Gómez? Sólo lo que parecía evidente, es decir, nada. En cambio, los ojos desencajados de Bertie sí ven cómo el espejo de plata se alza mientras su luna dibuja en el techo un reflejo súbito que ilumina brevemente la cara de mi madre para caer luego con un golpe seco, sólo uno. Suficiente. No hicieron falta palabras pues bastó con ese minuto de luz repentina para que mamá adivinara lo que había pasado. Y yo *sabía* que ella *sabía*, aunque jamás consintió en que habláramos de ello. Estúpidas volutas de humo que no alcanzan a comprender que en la vida hay veces en las que a una persona le resulta harto más fácil cargar con la sombra de una sospecha que reconocer, incluso ante sí misma, un pecado mucho más atroz en un ser a quien ama por encima de todo.

Lo que no se habla no existe, por eso un secreto que nunca se comparte termina también por desvanecerse. Y el hecho de que yo hubiera matado a Bertie era *su* secreto, no el mío. ¿Comprenden ustedes? Yo hubiera preferido mil veces poder contárselo a alguien, incluso al doctor Pertini, ese médico tan elegante de Londres a quien debo el favor de tener en mi poder tres frascos de somníferos que muy útiles me serán uno de estos días. Pero el tonto de Pertini tampoco imaginó nunca la verdad y yo no podía contársela pues no se pueden traicionar los secretos ajenos; no, al menos, mientras de nada sirva. Ahora es distinto. Ella está muerta y delante de mí se reproduce de pronto una historia idéntica a la suya, ¿cómo iba a desaprovechar la ocasión de enderezarla esta vez?...

—Señor Moulinex...

"... Tantos años callando, tantos otros mintiendo sin poder hacer *nada*..."

—¿Me oye usted, señor Moulinex?

"Es una ocasión única diría yo."

—Yo diría que hace un frío peludo, esta brisita se está poniendo de lo más jodida, deberíamos entrar, ¿no cree?

La miré, me temo, como quien ve a un extraterrestre. La rubia clónica continuaba allí, era extraordinario, tantas y tantas ideas habían desfilado por mi cabeza en los últimos minutos que me pareció increíble que yo continuara frente a la chica escuchando (es un decir) toda una larga cháchara sobre su vida o la de sus hijos o quién sabe qué. Me volví entonces hacia la rubia, le sonreí muy atento y —un ejemplo más de cómo nada es lo que parece— ella se quedó agradecidísima por mi paciencia y el tiempo que le había dedicado a sus confidencias.

—Me han servido de mucho sus consejos —dijo entonces (¿consejos?, yo apenas había abierto la boca)—. Es usted un hombre muy inteligente, señor Moulinex. —Me pregunto cómo podía saber si yo era inteligente o un auténtico cernícalo juzgando sólo por las dos o tres palabras que, en total, le había dirigido, pero ya se sabe: es error muy común el confundir una oreja en apariencia solícita con una inteligencia preclara—. Ha sido estupendo cambiar impresiones con usted.

—Y con usted, *madame*, no se imagina cuánto —dije con el mismo aire atento con el que la había obsequiado todo aquel largo rato.

Luego, le tomé la mano a modo de despedida mientras le dedicaba otras amabilidades:

—Adiós querida, es usted realmente adorable ("¡matar a Sánchez!, evitar así que se extienda la sombra de una falsa sospecha."). Abríguese, *madame*, hace fresquito ("...cuarenta, ¡cuarenta años! más tarde lograré poner las cosas en su verdadero sitio..."). Permítame que le retire la silla ("...mamá prefirió el silencio pero ahora todo es distinto...").

—Coño, señor Moulinex, hace tanto viento que hasta se le caen a usted las lágrimas.

—¿De veras, querida?

—Venga conmigo, estaremos mucho mejor adentro.

Preparándose para un óbito

He aquí un capítulo bien triste mas ¡oh! no hay nadie que escape a la muerte, y la etiqueta, que no abdica de sus derechos en ninguna circunstancia, debe regular la forma en que ha de llevarse —o al menos demostrarse— la pena.

Usages du monde. Baronesa Staffe, 1890.

Cinco moscas azules

Veintiuna, veintidós, veintitrés..., ¿cuántas píldoras para dormir ha de ingerir un suicida que desee asegurarse de que no falla en su propósito?, ...veinticuatro, veinticinco, veintiséis..., ¿cuántas ha de utilizar un asesino si quiere acabar limpiamente con su víctima? He aquí dos incógnitas que se presentan delicadísimas cuando uno se encuentra casi al borde del desierto y a muchos kilómetros de toda civilización. Ni una farmacia en cincuenta millas a la redonda, ninguna manera de ampliar mi abastecimiento... Cuarenta y siete, cuarenta y ocho y... cuarenta y nueve píldoras en total de un producto altamente eficaz contra los problemas de insomnio, embotelladas en tres frasquitos con tapón a prueba de niños, me miraban desde la colcha.

Era la madrugada del 22 de octubre, faltaba escasamente día y medio —según pude enterarme— para que Sánchez y sus amigos regresaran a Madrid, y allí estaba yo contando grageas como un náufrago que calcula su ración de agua dulce en una isla desierta. Cuarenta y nueve píldoras a dividir por dos: veinticinco para matar a Sánchez y el resto para mí, ¿serían suficientes? En cualquier caso, era mejor pecar por exceso, de modo que esa noche no podía permitirme el lujo de malgastar siquiera media tableta para conciliar el sueño, así muriera de cansancio y maldito insomnio tan inoportuno.

Debían de ser alrededor de las cuatro de la madrugada, Gómez dormía tumbado junto a mi cama tan plácidamente como siempre que me abruman los pensamientos más complicados, ingrato perrito cuyas orejas extendidas en forma de blandas alas a cada lado de su cabeza siempre me producen enorme envidia, tan inocentes, tan ajenas a lo que ocurre a su alrededor; es seguro que todas mis maquinaciones de las últimas veinticuatro horas han pasado completamente inadvertidas para ellas. Las orejas inocentes —como los ojos— son siempre una puñalada dolorosa para las mentes atribuladas, puesto que nos recuerdan que hay aquí —en este mismo espacio y lugar— otra realidad serena que nos está vedada.

Durante las últimas veinticuatro horas me había dedicado a planear un asesinato. Y no es nada fácil, se lo aseguro, encontrar un modo limpio de acabar con un individuo en un hotel de las características de L'Hirondelle D'Or. Supongo que ya he mencionado en alguna ocasión que se trata de un edificio rojo y extravagante pero desprovisto de adornos de mampostería, muy liso en su exterior y de poca elevación, con escasamente dos plantas. Descartados quedaban pues los accidentes clásicos como una lamentable caída desde gran altura, un recurso tan simple para acabar con alguien molesto. Incluso el más ingenioso método de alcanzar a la víctima en la cabeza con un objeto contundente que se precipita desde una ventana contaba con pocas posibilidades de éxito: primero habría que presuponer que existiera en las inmediaciones un objeto lo suficientemente pesado que despeñar —un jarrón de alabastro o un trozo de cornisa— (no los hay) y luego, que mi puntería no desmereciera con la de Guillermo Tell (ni falta hace que comente sobre este punto: la única característica que tengo en común con héroe tan destrero es que odio las manzanas).

Por otro lado, mi naturaleza poco inclinada a la violencia innecesaria también desechó muy pronto los métodos, digamos, sucios, como recurrir a un enorme cuchillo de cocina o a algún utensilio de jardinería... si bien debo confesar que una guadaña que descubrí apoyada en la pared del patio me tentó durante unos minutos, pero no, su atracción se debía más a razones alegóricas —la vieja dama de la guadaña y todo eso— que a motivos prácticos.

Ahora que menciono los motivos prácticos me gustaría aclarar que, obviamente, en mi caso no me frenaban ninguno de los contingentes que han de contemplar los asesinos por una elemental prudencia, vamos, que jamás se me plantearon problemas logísticos del tipo "¿se descubrirá que fui yo?, ¿lograré escapar?, ¿me meterán preso?". Estos reparos no habían ocupado ni medio minuto de mi tiempo dadas las circunstancias, pero uno tiene ciertas preocupaciones estéticas y un asesinato, como todo en la vida, debe llevarse a cabo de un modo, si no bello, al menos imaginativo —creativo tal vez sea la palabra que busco—. Tenía, pues, que haber algún sistema un poco más glorioso de acabar con Sánchez que administrarle una sobredosis de somníferos, pero ni pensando todo el día en ello logré vislumbrar uno. Y fueron muchas horas de cuidadosa exploración del terreno, créanme; sin embargo, L'Hirondelle D'Or cerraba sus posibilidades: ni caídas desde una gran altura, ni golpes mortales en la cabeza, ¡fuera guadañas, fuera cuchillos...! Pasaron las horas, llegó la noche, acabó la jornada y con ella mis esperanzas estéticas: no parecía quedar más solución que las píldoras para dormir: ¿cuántas se necesitarían para mandarnos a los dos, a él primero y luego a mí, derechitos a la paz eterna? A uno nunca le explican estas cosas en las películas y sería de lo más útil..., tal vez con media docena bastaba y sobraba, quién sabe... y, en ese caso, yo podría premiarme con media tableta en esta noche de tribulaciones. Pero no. No era cuestión de arriesgarse en materia tan delicada: cuando uno se decide a cometer un acto de esta naturaleza, más vale que lo haga con todas las garantías de éxito. Nada de dispendios, y por eso, allí estaba yo en mi habitación de L'Hirondelle, a las cuatro de la madrugada del día 22 de octubre con tres frascos llenos de somníferos sobre la cama y más insomne que un búho.

La noche era clara, casi tanto como eso que en el cine llaman "noche americana", y la luna iluminaba una amplia porción del terreno ante mi vista. Yo no alcanzaba a ver el recinto de los barros que está en una hondonada, pero sí la parte izquierda del jardín, y había una luz tan nítida, que estoy seguro de que, si me hubiera decidido a estirar los dedos perezosos hasta la mesilla de noche para atrapar mis gafas de lejos, habría alcanzado a ver la piscina de invierno a través de las cristaleras que la engloban, incluso podría distinguir la mismísima superficie del agua, pues es costumbre en L'Hirondelle —derrochona costumbre— dejar encendida la luz de ese recinto para el disfrute visual de nosotros, los huéspedes.

"Tan tranquila la noche", pensé, "tan sin acontecimientos", e igual habían sido las últimas veinticuatro horas dedicadas a mi investigación logística. En reali-

dad, sólo el desayuno había resultado un poquito provechoso, y no porque me ayudara a encontrar alguna solución a mis problemas con el "cómo", "dónde"
y "cuándo", fue útil porque al mismo tiempo que me
afanaba en medir mentalmente la altura de las ventanas
y comprobaba el filo de los cuchillos de trinchar (no, no,
nada de sangre, *quelle cochonnerie*) también había tenido
ocasión de observar a mis espiados, ahora con un nuevo interés. Un interés... científico digamos, y caprichoso también, algo parecido, se me ocurre, al que experi-
menta un niño que mantiene atrapadas un puñado de
moscas gordas y azules en un frasco de vidrio. Están
ahí, son cinco o seis y él las mira a través del cristal, las
observa. De pronto supongamos que a una mosca le da
por intentar un vuelo dentro del frasco. "Tonta", sonríe
el niño, "muy pronto tú no tendrás alas", dice resbalan-
do un dedo por el vidrio hasta que la mosca se espanta
y prueba un corto aleteo inútil. A otra mosca, en cambio,
la espía acurrucada en un rincón, la mira desde arriba,
desde abajo, pega su cara al tarro pero al final sentencia:
"no te preocupes, chiquitina, tú saldrás de aquí porque
me gusta esa manchita que tienes en el ala derecha",
y todo es tan arbitrario, es un atributo tan deliciosamente... divino en el más literal sentido de la palabra.

Ya que el sueño no acudía, me entretuve en re-
pasar las primeras horas de la jornada que tocaba a su
fin, y recordé que esa mañana, cuando bajé las escaleras, apenas eran las ocho y media, tempranísimo.
Pero la hora del desayuno es un momento espléndido
para observar gente: las personas son más ellas mismas
a horas tempranas, pienso yo, tal vez porque las brumas del sueño aún no permiten que se instaure cierto
afán enérgico y pesadísimo que las hace ser ingenio-
sas, dicharacheras, sociables, encantadoras, magnéti-
cas, vamos, en pocas palabras, que uno no suele llevar

puesto el antifaz social a la hora del desayuno, de ahí que esa cara atónita y muchas veces desconocida que se refleja dentro de nuestra taza de té o café matutino es, siento comunicarles, el verdadero espejo del alma.

Aquélla iba a resultar una mañana especialmente pródiga en el número de huéspedes. Rara vez coincidimos todos en el comedor, pero por alguna razón, ayer (¿ayer?, claro, el día 21 ha terminado ya y muy pronto llegará una nueva mañana), ayer pues, y para mi disfrute, tuve un selecto desfile de personajes entrando y saliendo del comedor, a veces por la puerta del jardín, otras por la del vestíbulo... como cuando esta última se abrió dando paso a la rubia llamada Bea y a su acompañante Bernardo Salat. "¡Buenos días, buenos días!, señor MOULINEX", saludó ella al pasar justo por delante de mi mesa, pero no fue eso lo más irritante sino la nube de humo con la que me envolvió en medio segundo, francamente fuma demasiado esta chica, yo le había tomado una cierta simpatía desde nuestra conversación en la terraza, había sido agradable mantener una larga charla al aire libre, pero allí en el comedor... el humo... tan de buena mañana... era preferible no tenerla cerca.

Por suerte encontraron una mesa libre próxima a la puerta con una bonita vista sobre el jardín y bastante alejada de la mía. La ventana estaba abierta, cantaban los pájaros y la luz sonrosada de esa hora recortaba sus siluetas de un modo preciso, al tiempo que a mí me sumía en un recatado segundo plano, perfecto, eso me permitiría observarlos sin sufrir los trastornos que producen los fumadores a horas tan tempranas. Mientras me servían mi té con leche, me fijé un poco en él. Como todas las mañanas Bernardo Salat vestía de golf: niki verde nilo en esta ocasión, y unos pantalones... algo así como color piedra, me parece, aunque no es fácil precisar cuando se trata de colores tan indefinidos...

tenía, además, la escasa pelambrera algo revuelta, lo cual me hizo pensar que, tal vez, se habría asomado ya al exterior para una inspección rutinaria, fundamental —indispensable— diría yo, en todo buen jugador de golf. Porque los golfistas son como los sioux. Tienen un interés devoto por la meteorología (luego juegan bajo las condiciones atmosféricas más atroces: lluvia, frío polar, niebla incluso), pero aun así, antes de embarcarse en un partido, atisban, husmean el aire, humedecen su experto dedo de guerrero de las praderas para probar de dónde viene el viento o aventan diminutas briznas de hierba... Y todo este ritual calculé que ya debía de haberlo cumplimentado Bernardo Salat antes de aparecer por el comedor, muy temprano: aún no eran ni las nueve menos cuarto; innecesariamente madrugadora la maniobra, pues tengo comprobado que tanto él como Antonio Sánchez jamás comienzan su jornada golfística antes de las diez. Imposible: el locutor de masas aprovecha que la piscina de invierno está siempre vacía a esas horas para hacer unos largos a placer y preparar los músculos. Entonces suspiré. Había pedido unos huevos fritos con beicon que sin duda hubieran escandalizado a un personal más puntilloso que aquellos que forman el amable equipo de camareros de L'Hirondelle D'Or, y mentalmente le brindé a Sánchez el glorioso sabor a beicon churruscante, la suave delicia de un huevo en su justo punto, ni muy seco ni demasiado crudo: "qué agotadora la vida de aquellos que desean mantenerse jóvenes y elásticos", dije mirando hacia la puerta del jardín que es por la que suele aparecer él tras su ejercicio matutino. Por el momento, no se lo veía en las inmediaciones y lo imaginé entregado a la disciplina de surcar las aguas con todo vigor: veinte largos a braza, otros treinta a espalda supongamos, diez a mariposa (¡Dios mío!, qué martirio) y quizá también un largo por debajo del agua, todo ello rematado con una tanda de ejercicios estáticos de los que desarrollan lindamente los pectorales, y los abductores, y los músculos de la entrepierna: "pero qué innecesario trajín el del pobre tipo", pensé y me dio por reír igual que el niño que observa cómo a una de sus moscas azules se le ocurre la estúpida idea de emprender un decidido vuelo, izquierda y derecha, de un lado al otro del frasco. "Extenuante", añadí, y tonto, y agotador, "e inútil también", pensé, "mañana, a más tardar, estarás muerto".

Le Monde es el único periódico que recibimos a la hora del desayuno en este paraíso silente y tiene un formato perfecto para ocultarse tras él. Ni demasiado grande como algunos que conozco, ni demasiado pequeño como los tabloides —no es que yo me hubiera permitido hojear ninguna de esa basura—, ni siquiera para disimular que espiaba a Bea y a Bernardo, pero, como digo, *Le Monde* tiene un tamaño ideal y así, mientras esperaba la llegada de Sánchez (cómo iba a disfrutar observando de cerca a la más gorda y azul de mis moscas y ojalá al verlo se me ocurriera una idea brillante sobre cómo enviarlo al más allá) me entretuve unos minutos en ociosas consideraciones sobre la pareja Salat.

En tiempos más participativos de mi vida, en algunos amores o desventuras de los que me han tocado en suerte, recuerdo haber experimentado la misma sensación que me producía ver a Bea y Bernardo en su mesita junto a la ventana. Porque, en ocasiones, bastante a menudo me temo, y no sólo cuando los amores van camino ya de su fin, el compartir la mesa del desayuno con alguien con quien se ha compartido horas antes un lecho es un doloroso anticlímax, algo así como aterrizar sin paracaídas en la realidad tras un paseo por el paraíso, pienso yo. Ocurre que los ojos se vuelven suspicaces y uno se pregunta de pronto cómo esas manos que tan solícitas acariciaban, ¡Dios mío, pero si hace tan sólo unas horas...!, nuestro cuerpo, con dedos que parecían concebidos sólo para el amor, tan tiernos en sus recorridos sobre nuestra piel rendida, tan expertos en levantar secretos placeres, húmedos dedos que se hundían en exploraciones secretas, divinos dedos con los que uno vive mil deleites, pueden ahora, con idéntico apetito, dedicar los mismos afanes... a una tostada de pan de centeno, por ejemplo. Son ellos, no hay duda posible, sólo que nos traicionan en todos los flancos, como cuando barren sin misericordia esa mácula de mantequilla que al menos evocaría ciertas blanduras y se pasean por el mantel con total impudicia camino de un salero: dedos y manos mentirosas. Como lo es la boca. Igualmente farsante. Mírala, mírala adoptar de pronto la curvatura de un ósculo de amor sobre una pajita de refresco. O lo que es aún más humillante, aquellos mismos labios al cabo de un rato, igualmente húmedos, idénticamente solícitos que anoche, van de pronto y se juntan para entregar nuestro beso más privado a una cucharita de té.

Todo es tan desmitificador en el desayuno, porque ni una sonrisa, si es que la hubiera (y no la hay, demasiado temprano para usar máscara), logra que se aligere la angustia de la escena: "quita de aquí este plato sucio...", "pásame el azúcar...", "no me dejas leer el periódico...". ¡Oh atención!, aquí vienen sus labios esbozando otra vez nuestro beso preferido... sólo que en esta ocasión el destinatario acaba siendo un tenedor que porta media salchicha. Entonces es, maldita vida, cuando a uno le asalta la aterradora visión de lo que el futuro nos depara —o nos ha deparado ya— sin que nosotros queramos darnos por enterados.

Pero hay otros desayunos mucho más amables, donde las sonrisas no son máscaras que uno se calza por la mañana, sino movimientos reflejos, muecas inconscientes escapadas de las primeras noches de amor. Tal es el caso, por ejemplo, del desayuno que comparte a mi derecha otra pareja que me interesa mucho. Mercedes y Santiago Arce habían elegido una mesa cerca de la puerta del vestíbulo y muy lejos del resto de los huéspedes. La gente suele preferir las mesas próximas a las ventanas donde hay más luz, pero los desayunos que suceden a las primeras noches de amor tienen luz propia. Están iluminados por esas mismas sonrisas pánfilas y todo lo que hay en las inmediaciones se beneficia del resplandor; basta con observar las miradas tiernas con que se ven obsequiadas la cafetera o la jarrita de leche por parte de los amantes para comprender qué está pasando, o fijarse simplemente en esa caricia lenta y repetida con la que un dedo recorre la tibieza de una taza de café. Y es que, como en el caso de Bea y Bernardo, idéntico es el dedo del desayuno del que anoche recorría lugares íntimos y alisaba los pliegues de amor, sólo que los dedos —también los labios— de Arce y Mercedes aún ahora continúan prodigando esas caricias a sus auténticos destinatarios; por eso cuando lamen una cucharita de té es otra cosa lo que lamen, quizá un cuello tierno, igual que la mermelada, dulce como un beso, tiene también su dueño, y no hace falta que los enamorados se toquen ni se coman con los ojos para hacer el amor, porque ahí están las cafeteras, y las tazas, incluso los tenedores y las salchichas, y la mantequilla tan suave y también la miel: "toma, chupa un poquito que corre mucho, se escapa...".

Desde que decidí que iba matar a Sánchez, Mercedes Algorta y Santiago Arce han sido mi objeto de atención más interesante. Sobre todo ella. La he visto moverse por el hotel, y he admirado la forma tan educada con que evita todo contacto con el resto de los huéspedes madrileños. En realidad me fascina esa cualidad de ciertas mujeres de estar presentes sin hacerse notar, es una virtud inteligente y... exclusivamente femenina debo decir, porque ¿han conocido ustedes a un solo miembro del sexo masculino que *elija* estar presente sin que se note?, desde luego que no, ¿existe acaso un hombre deliberadamente invisible? Parece una contradicción en los términos.

Ella en cambio está y no está, la he observado mucho estos días y he visto cómo comenzaba, tan discretamente, su idilio con Arce, nunca un gesto externo, todo muy privado, y al decir privado no quiero decir que se dediquen a disimular, en absoluto, puesto que ellos no se esconden de nadie. "Tres días", suspiré, "tres días desde que comenzó este romance, viven los momentos más maravillosos de una relación y si la cosa prospera..." "... Si prospera me lo deberán a mí", pensé sin poder evitar otra vez la sensación del niño con su frasco lleno de moscas azules y a la vez bastante satisfecho. Qué extraña posición en la vida es ésta, pero tan sublime. Ser el dueño del frasco, estar ahí sin que se note... Casi podría decirse que empiezo a parecerme a una mujer con esa cualidad de invisible presencia. ¿Me creerán ustedes si les digo que aún no le he dirigido a la chica más palabras que los escuetos saludos que todos nos dirigimos varias veces al día en L'Hirondelle D'Or?, pues no sólo es cierto sino que constituye uno de mis mayores orgullos. Ella es mi criatura. Yo no sé quién es esta mujer, sólo que su historia se parece demasiado a la de mamá; por eso (añadí viéndola tan serena servir una segunda taza de té con mano firme, los brazos bien formados, fuertes, desnudos hasta un poquito encima del codo: forma una bella estampa una dama sirviendo el té, mamá también tenía mucho arte para ello), y sólo por eso me consta que es inocente de todas las estupideces que cuentan.

Fue entonces cuando recordé la pulsera. Sí, aquel brazalete grueso y ostentoso que Mercedes Algorta solía lucir incluso para ir a la piscina antes de que los huéspedes de Madrid aparecieran por L'Hirondelle D'Or. Ella no había vuelto a usarla desde entonces, pero hubo un tiempo (sobre todo las horas posteriores a que Fernanda me enviara por fax aquella foto borrosa en la que Isabella aparecía con una pulsera muy similar) en que el dato me inquietó: "quedarse con la joya de una amante en prenda o en venganza mientras un marido agoniza es tan audaz como...", recordé así de pronto y sin proponérmelo, pero, en ese mismo momento, Mercedes, dos mesas más allá, con sus brazos desnudos hizo un gesto rápido: se pasó la mano por delante de la cara como quien espanta una mosca muy molesta. "Hay que ver las majaderías que se le ocurren a uno por las mañanas", me dije entonces, "aquí estoy yo pensando en pulseras inexistentes cuando lo que debería hacer es ocuparme de encontrar un método limpio para acabar con Sánchez. Sánchez el chismoso, el autor de aquel artículo malintencionado sobre Mercedes Algorta que pensaba publicar a su vuelta a Madrid para ilustrar, según él, "los vicios de la sociedad actual". Es terrible la ligereza con la que la gente se dedica a poner en entredicho la vida del prójimo".

Tenía bonitas manos mi viuda. Aún pude apreciarlas más de cerca cuando Arce y ella pasaron junto a mi mesa una vez terminado su desayuno.

—Hasta luego, magnífica mañana, ¿verdad?

Bajé *Le Monde* y los saludé muy sonriente, como si en vez de haberlos estado espiando todo el rato hubiera estado inmerso en el problema del Extremo Oriente, interesadísimo en la cotización del dólar o en qué deparaba el parte meteorológico en nuestro rincón de África (esto al menos era medio cierto. Había buscado, en vano, entre sus páginas una previsión de alguna catástrofe natural, qué sé yo, un suceso inesperado que ayudara a mis intenciones con respecto a Sánchez: ¿qué tal una tormenta de arena?, ¿un tornado?). Vamos, Rafael Molinet, basta de imaginar majaderías.

—Adiós, adiós, amigos míos, que tengan un buen día —les dije a Mercedes y a Arce muy amable y con no poca envidia.

Por allá se alejó mi parejita, tan sonriente, incluso sus espaldas sonreían, aunque es bien sabido que las espaldas no sonríen, ni los brazos desnudos que se entrelazan por detrás ensayando acomodos en un cuerpo que empieza a ser familiar. Arce y Mercedes, Mercedes y Arce, ¿a qué dedicarían una mañana tan soleada?, a bañarse en la piscina cubierta quizá o a jugar al tenis. A mí, en cambio, me esperaba un día pesadísimo: tenía por delante veinticuatro horas para encontrar un modo imaginativo de acabar con Antonio Sánchez.

Para resumirles mis sucesivos fracasos diré que el resto del día se me fue en inspeccionar palmo a palmo el hotel y sus alrededores en busca de no sé bien qué. Y pasó la mañana (que fue cuando descarté las defenestraciones y caídas de media altura, también los golpes con un jarrón o cornisa inexistente). Y llegó la tarde. ("Veamos", pensé con la calma solitaria que da la hora de la siesta: "¿no habrá manera de encontrar algún veneno de ratas en este elegante hotel?... Es necesario que haga una excursión a la cocina y luego otra al cuarto de calderas a ver qué se me ocurre..."). Y en el más completo fracaso llegó la noche. La hora de la cena (también estéril) seguida del momento de retirarse a dormir.

Y es aquí donde me encuentro en estos momentos. En mi habitación "agujas de pino", contando píldoras sin permitirme desperdiciar una sola que me ayude a conciliar el sueño cuando ya son las cinco de la madrugada. Ahora sé definitivamente que no me quedará más remedio que recurrir a ellas como arma letal (gracioso lenguaje, ¿hablarán así todos los asesinos?), tendré que hacérselas tragar a Sánchez de alguna manera en las próximas horas, pues mi víctima y sus amigos tienen previsto marcharse pasado mañana.

Y ¿qué momento elegir?

Tal vez la hora del desayuno, o durante ese rato que todos dedican a tumbarse junto a las piletas de barro, quién sabe, alguna manera habrá de hacerle ingerir a Sánchez veinticinco (¿veinticinco?, *ciel, quelle besogne*) pastillitas disueltas ¿en el horrible zumo de zanahorias que es el cóctel favorito de L'Hirondelle quizá?, tanta verdura licuada debe de tener un sabor abominable, supongo que disimulará el de mis píldoras verdes. Sí, ¿por qué no?, era una forma de acabar con Sánchez, no muy brillante había que admitir, pero factible y fácil de llevar a término... Muy bien, está decidido, así se hará.

La primerísima luz del día aún muy tímida comienza a alumbrar por la línea del horizonte. Va creciendo pero de momento no es más que una raya roja y muy fina allá a lo lejos. Cada vez que Bertie Molinet veía una línea así decía lo mismo (con magnífico acento oxoniense, *bien sûr*) "*Red in the morning travellers warning, red in the night travellers delight*", y eso mismo digo yo casi con una carcajada... Rojo al amanecer indica peligro para los viajeros. Rojo a la puesta de sol asegura el deleite de esos mismos viajeros. Conozco un viajero al que deberían avisarle de tan premonitorio amanecer, pero de momento duerme su (pen)último sueño.

Yo en cambio no duermo nada de nada, y a eso de las seis menos cuarto decido levantarme unos minutos para estirar las piernas. Allá afuera todo sigue en penumbra excepto la línea del horizonte. Incluso está más oscuro que hace un rato pues la luna se ha ido a esconder tras las lomas del golf. Quizá porque la oscuridad es tan intensa, me sobresalta descubrir, muy claro, un foco que brevemente ilumina el hotel para luego torcer barriendo todo el jardín hasta alumbrar el recinto acristalado de la piscina de invierno. No veo nada sin gafas pero juraría que hay alguien allá abajo que se dirige hacia la piscina con un objeto voluminoso bajo el brazo. Un momento, momentito, dos dedos se extienden hacia la mesilla para hacerse con las gafas de lejos y cuando el foco de linterna rebota sobre las paredes de cristal, ya estoy en condiciones de descubrir que se trata de ese jardinero guapísimo que se ocupa de mantener impecables las piscinas, limpias, sin hojas, sin un mal insecto ahogado en sus aguas. Es tan cuidadoso en su trabajo. Lo conozco, ¿cómo se llama? Karim, sí, eso es, a veces he cambiado con él algunas palabras, un chico de lo más atractivo, tiene los ojos muy negros, parecidos a los de Reza, mi vecino en Londres. Claro que todos estos detalles no los distingo ahora en la oscuridad, sólo veo que lleva un gran rollo de cinta bajo un brazo, y que la cinta brilla de un modo peculiar como una serpiente verde. Ha dejado abierta la puerta acristalada de la piscina de invierno y por eso me resulta aún más sencillo ver cómo comienza a rodear con la serpiente verde todo el perímetro del foso, veo incluso cómo la sujeta una y otra vez a unos postes que hay en cada una de las cuatro esquinas. Desde aquí arriba yo diría que se trata de una esas cintas fosforescentes que los policías utilizan para evitar que los curiosos se acerquen al lugar de un accidente: "Aléjense, zona acotada". "Aléjense, zona peligrosa". Qué guapo es el jardinero, qué temprano empieza su trabajo, con qué cuidado extiende la cinta antes de vaciar la piscina porque ¿para qué otra cosa se usa una especie de serpiente luminosa alrededor del agua, díganme ustedes?, está clarísimo. Tarda horrores en vaciarse una piscina, incluso tarda horrores en que se *note* que se está vaciando, por eso es tan importante poner un aviso claro, una serpiente verde que alerte a esas personas *très sportives* que aprovechan lo solitario que está el recinto a primera hora para hacer sus largos: veinte a *crawl*, otros tantos a braza, qué sé yo cuántos a mariposa. Unos tipos atléticos que van y se tiran de cabeza sin pensárselo ni un poquito ni nada. "Atención, prohibido bañarse", "Atención, peligro", hay que avisar a los nadadores, es indispensable porque se expone uno a accidentes de lo más estúpidos en los hoteles. Incluso en L'Hirondelle D'Or, un establecimiento que parece tranquilo, muy tranquilo, en el que no pasa nunca nada... Dios mío, pero... ¡qué idea tan magnífica!

Mientras tanto, amanece
(Un recorrido silencioso por el hotel)

1. *El cuarto amarillo*

La fina raya roja que marca el comienzo de un nuevo día entra en la habitación por la única rendija disponible.

La señorita Wasp es muy partidaria de la ventilación, la considera una medida higiénica indispensable para un buen sueño, y por eso mantiene abierta la ventana. Pero no así las persianas, espléndido invento mediterráneo que en su educación calvinista y estricta ha supuesto un descubrimiento tardío: es posible airear una habitación sin que el primer rayo de sol le taladre a uno la retina; de ahí que la señorita duerma aún envuelta en un edredón amarillo salpimentado aquí y allá con margaritas también amarillas; un merecido descanso para el motor secreto de L'Hirondelle, cuyo reloj despertador suena puntualmente a las siete menos cuarto.

Sin embargo, todavía, las agujas avanzan lentas hacia las seis y diez, de ahí que los sueños de la señorita Wasp aún la lleven de gira por gratísimas e impecables situaciones oníricas. Buena señal. Cuando la señorita Wasp sueña con orden, todo será perfecto en la jornada venidera, de ahí que la siguiente ensoñación le dibuje esa sonrisa serena.

Ve un montón de toallas. Toallas grandes, pequeñas, de bidet y de baño, rizo americano de la mejor calidad en tonos pálidos, casi todas amarillas, suaves toallas que se amontonan en el enorme recinto acristalado de la piscina. El aire es tibio gracias al primer sol de la mañana, y la señorita ve ahora entre la suave esponjosidad de una gran toalla, la silueta de un cuerpo masculino pequeño pero bastante bien hecho por cierto, fuertes los pectorales, húmedos aún, y recias las piernas dotadas de un vello viril. El hombre está boca arriba y casi desnudo, la señorita Wasp siente la necesidad de ir hacia él, a taparlo, por supuesto, a qué otra cosa iba a ser, cuando un clic mental muy pragmático borra inmediatamente toda la escena. No es que el sueño anterior le resultara poco agradable, al contrario, pero hay unos clics que una tiene muy arraigados en la cabeza y la preservan de ciertas visiones poco adecuadas para una dama soltera. Aun así, el repertorio de sueños continúa y sigue siendo generoso, pues regala a la señorita otra agradabilísima visión. La piscina llena de gente. Una animada charla, bla bla de esto y aquello, hay señoras en traje de baño, con sombreros de paja y caballeros vestidos de golf que incluso han olvidado quitarse sus zapatos de clavos (eso está muy mal, pequeño fallo del sueño perfecto, los zapatos de clavos destrozan el suelo de barro cocido del recinto, pero bueno). Aun así, la escena agrada mucho a la señorita. Anoche mismo había ordenado a Karim el jardinero que vaciara la piscina de invierno a toda prisa, utilizando la bomba de extracción en la potencia máxima. Es fundamental la premura ya que, por la tarde, la idea de la señorita es volver a llenarla aplicándole un producto que acaba de recibir de Zúrich, una sustancia deliciosa con un leve tono aguamarina que sin duda incitará a muchos huéspedes a bañarse temprano en la mañana, pues está francamente desaprovechada la piscina hasta el mediodía y este defecto debe ser corregido cuanto antes. El sueño vaticina claramente que su maniobra será bien acogida: así lo atestigua tanta gente congregada alrededor del agua, tan animada la charla... Perfecto, justo lo que ella desea: torcer sin violencia los hábitos de sus huéspedes es su forma habitual de proceder: maniobras casi invisibles, insinuaciones sutiles, he ahí el método clásico de la señorita Wasp que aún duerme plácidamente pero muy reconfortada por su sueño premonitorio. Son las siete menos veinte.

2. *La habitación* pistache *y la habitación* muguet

Pistache y *muguet* se encuentran una frente a la otra pero en ninguna de ellas hay un despertador molesto que amenace con saltar de un momento a otro. La primera habitación da al este y la otra al oeste; por eso, una se ve favorecida por la luz del alba que apunta roja, mientras que la segunda continúa en una agradable penumbra. La cama de esta segunda habitación es grande, super *king size*, y dos cuerpos dormidos que respiran a la vez son aún casi invisibles, tan escasa es la luz; pero los durmientes buscan uno en el otro los huecos que sólo logran encontrarse después de siglos de compartir amaneceres. Bea y Bernardo respiran al unísono. Se infla y desinfla la chaquetilla del pijama varonil con dos letritas bordadas sobre el bolsillo izquierdo, e igual hace un camisón corto, no precisamente sexy sino más bien cómodo, conyugal, mientras el brazo de él descansa sobre las caderas de ella. Arriba y abajo con el pacífico sueño de los despertares perezosos mientras que, en la oscuridad, resulta muy difícil distinguir dónde empieza la piel de Bea que se confunde con la de Bernardo. También sus caras tienen expresiones muy parecidas. Idénticos movimientos. Incluso idénticos suspiros: es una suerte que uno no pueda verse mientras duerme pues se llevaría tantas sorpresas... como, por ejemplo, el descubrir que el sueño es un gran bromista y un celestino caprichoso que lo mismo se ocupa de distanciar aquellos cuerpos que despiertos desearían comerse a besos, como le da por acurrucar a otros que creen que ya no se necesitan en absoluto.

Por eso, ahora, de momento, Bea y Bernardo se abrazan, sin saberlo: aún prevalece el reino de los cuerpos dormidos. Ya más tarde llegará la Tía Vigilia con la rebaja. Apenas son las siete y cinco.

En la habitación *pistache*, en cambio, todo es mucho más claro. Sus ocupantes tienen el sol de cara al día que comienza. De ahí que el rayo rojo del amanecer, convertido ya casi en una franja amarillenta, no encuentre dificultad en pasearse por la habitación y se entretenga más de lo normal en delatar un brazo femenino extendido sobre la almohada ajena que apunta muy claramente hacia la sien de Santiago Arce, el hombre de moda, el cineasta que todas admiran. Él tiene la cara vuelta hacia la luz, los ojos cerrados no notan el reflejo rojo como tampoco su piel es consciente de la presión que el índice de Mercedes Algorta ejerce sobre su sien. Sus cuerpos están desnudos pero separados, ambos miran hacia la luz que crece, como dos viajeros desconocidos en un vagón de tren, uno detrás del otro.

Anoche, con los trajines del amor, han debido de olvidar cerrar bien las persianas, pues un resplandor logra colarse, tan persistente que obliga a Mercedes a abrir los ojos por unos segundos. Es entonces cuando su dedo se encoge, o mejor aún, busca rápidamente a sus hermanos para regresar veloz a la sien de Arce convertidos ahora en suave caricia. Y mientras tanto, al contacto de la mano, Arce también ha abierto los ojos, pero sólo para mirar el reloj: "Vaya, pero si es tempranísimo". Ahora son los dos cuerpos los que se acercan y se buscan y se unen en caricias nuevas: "Quedémonos otro poquito más en la cama, se está tan bien aquí juntos, ¿verdad, amor mío?" "Nunca he estado mejor, Santi, ¿sabes que te adoro?"

No son más que las siete y media.

3. El cobertizo del jardín

Hello, my name is Karim... I come from Morocco.
Hello, my tailor is rich... My mother is in the kitchen.
Las 7.45 suelen encontrar a Karim en el cobertizo de las herramientas rodeado de utensilios de jardinería. Mientras limpia unos y afila otros, el muchacho acostumbra a cantar algunas suras muy particulares con la ayuda de un librito:
My brother is tall. Is your brother very tall?
Yes, very tall, and very fat too.
Hay días, como hoy, en los que Karim se levanta aun antes de la salida del sol para terminar pronto con sus obligaciones y aprovechar mejor el tiempo. Esta mañana, por ejemplo, debía ocuparse de vaciar la piscina de invierno y señalizarla con la cinta verde fosforescente; muy bien: misión cumplida. Hace ya un rato que ha terminado su tarea y puede entregarse a otros quehaceres más placenteros.

Karim afila las tijeras especiales para cortar rosas mientras lee:
Do you like bananas? No, but my sister likes bananas very much.

El muchacho sueña con prosperar. Por eso pone gran atención en su trabajo y se esmera en hacerlo todo a la perfección. Con un poco de suerte además, muy pronto dominará el inglés y entonces quién sabe. Tal vez la cadena de hoteles a la que pertenece

L'Hirondelle D'Or lo recomiende para un empleo en otro país, en Europa a ser posible.

Does your uncle like bananas too?

Yes. But my uncle is a tailor.

Un hotel en Europa es un paso muy importante. Karim tiene un primo que ahora vive en Liverpool. Él dio el salto precisamente así. De jardinero de un hotel en Casablanca a lavaplatos de otro muy famoso en Londres, y ahora ya es propietario de toda una lavandería en Liverpool. Qué listo, Mahomet. Mahomet de Liverpool.

Yes, madam, my uncle is a tailor and my tailor is rich.

Karim elige entre todos los utensilios una rasqueta con la que limpiar el azadón pequeño y el recortador de boj. Aún sobran cincuenta y cinco minutos hasta que le toque hacer la primera ronda por la piscina para asegurarse de que todo está en orden. Sólo será una inspección rutinaria destinada a comprobar que el agua se evacua sin problemas y que cada cosa sigue bajo control: la rejilla del desagüe que hay en el fondo de la piscina expedita, la bomba de extracción en marcha, la cinta verde perfectamente atada a lo largo del perímetro de la piscina con su inscripción muy visible: "Atención, peligro", "Atención, prohibido bañarse". Karim rasca ahora el utensilio de podar el seto mientras continúa practicando su inglés.

Hello, what time is it?

It is eight o'clock.

Son las ocho en punto.

4. Por los pasillos de L'Hirondelle D'Or

Swuuush swuuush es un sonido muy habitual en los pasillos del hotel a estas horas de la mañana.

Swuuush: así suenan al andar las chinelas de plásti- co amarillas a juego con las batas igualmente ama- rillas que todo el mundo usa en L'Hirondelle. Y los "swuuushs" más tempraneros del día pertenecen hoy a uno de los huéspedes alemanes, el llamado Friedrich, que realizan el siguiente recorrido: asoman de una puerta, la de la tercera habitación según se mira a la derecha, llamada *chambre des lilas*. Adentro, en la cama correspondiente, ha quedado un cuerpo dormido ape- nas cubierto por una sábana de suave color malva. Swuuush. Los pies de Friedrich doblan una esquina camino de su propia habitación que está al final del pasillo, la *chambre des pétunias*. Abre y cierra con sumo cuidado la puerta, todo es silencio: se han detenido, descansan ya las chinelas junto a la cama, Margaretha, que es la única ocupante del gran lecho, duerme aún con la cara vuelta hacia la pared, pero Friedrich, que acaba de recostar el dolorido cuerpo sobre el colchón, vuelve a erguirse con un juramento: *verdammt!* Se ha olvidado de algo. Tiene que regresar a la habitación de las lilas sin pérdida de tiempo, swuushswuush, aún es muy temprano, no se ve a nadie por el pasillo. Frie- drich extrae del bolsillo de su bata amarilla un duplica- do de la llave de la habitación en la que ha pasado la noche, en silencio entra, da diez o doce pasitos sigilo- sos hacia la cama... y allí, sobre la mesilla está lo que ha venido a buscar: su reloj Audemars Piguet junto a otro idéntico. Tan iguales son que Friedrich debe dar- les la vuelta a ambos para identificar el suyo: "Para Fri Fri de su Margaretha, mayo 1994", bien, todo en or- den, ya puede volver a su cuarto pero... antes de reco- menzar los cautos swuushswuuushs hacia la puerta, la luz de las ocho y pico que ya es muy clara se extiende sobre el rostro que hay allí entre las almohadas y Frie- drich no puede evitarlo: deposita un último besito sobre el cuerpo dormido que en ese mismo momento se despierta: "... *Guten Morgen*", y luego se estira descolocando toda la sábana color malva antes de decir algo completamente ininteligible. Entonces Friedrich hinca una rodilla sobre el colchón para preguntarle muy cerca de la oreja: "¿... A las diez en el tenis, *liebling*?". "Diez y cuarto, *mein schatz*", le responde Franz Johann aún medio dormido... Otro besito, esta vez sobre el fuerte hombro desnudo del amigo y Fri Fri y su reloj Audemars Piguet desaparecen camino de la puerta.

Es al abrirla precisamente cuando casi choca con un huésped ataviado con idéntica bata de felpa amarilla y chinelas a juego.

—¡Oh! Buuuenas días.

—Muy buenos...

—Adííos, signorr Sánchez.

—Hasta luego querrá usted decir...

Hay un breve momento de desconcierto antes de que ambos comiencen de nuevo a andar. Por fin Sánchez endereza sus pasos hacia el ascensor. Antonio S. va delante. Friedrich detrás, los dos en la misma dirección en fila india, al menos durante una veintena de metros, swuuush, swuuush. Los dos con paso sonoro y rápido, pero, al detenerse ante la puerta de su habitación de petunias, mientras mantiene un pequeño forcejeo con la llave para abrir sin hacer ruido, a Friedrich aún le da tiempo a preguntarse qué será esa especie de sustancia brillante que se observa en la coronilla del huésped que le precede, un producto untuoso y de color amarillo, impermeable tal vez, especial para piscinas con cloro quizá.

Swuush swuuush, "Adiós", "adiós..., que tenga un buen día".

Ya se aleja Sánchez camino del ascensor. Ya apenas alcanza a verse la lejana coronilla pelona, pero el rayo de luz tempranero, el mismo que ha alumbrado tantos otros rincones de L'Hirondelle esa mañana, aterriza sobre ella en el último segundo, justo antes de que se cierre la puerta del ascensor. "*Verdammt noch mal und verflixte Kiste!*", dice entonces Friedrich, "¿qué será esa porquería amarilla y brillante?, el tipo parece haberse untado con los santos óleos".

5. *En la piscina de invierno*

Madrugar es muy desagradable. Interrumpir el sueño en un momento antinatural es como arrancarse un esparadrapo despacito, descuajando al pasar un montón de pelos inocentes. Al menos eso piensa Rafael Molinet. Un trance penoso en su opinión, molesto, horrible, de ahí que inevitablemente uno se levante de un humor pésimo.

En cambio, pasar toda la noche en blanco tiene otro repertorio de sensaciones mucho menos desagradables. Es cierto que el insomne se siente algo lánguido y sin fuerzas, pero a cambio adquiere una clarividencia distante sobre aquello que ocurre a su alrededor.

Todo se vuelve muy nítido y remoto a la vez: y esa sensación exacta es la que siente Molinet en estos momentos mientras observa la punta de sus babuchas de piel color caramelo. Las ve lejanísimas, a mil millas más o menos, allá por los confines de sus piernas extendidas sobre una de las tumbonas de la piscina de invierno. El tronco reposa leve sobre el respaldo pero los pies se encuentran allá, allá, tras una considerable porción de cuerpo envuelto en el mejor de sus caftanes, el más blanco de todos.

Gómez, a su lado, ha elegido tumbarse en un parche de terreno tibio donde uno de los primeros rayos de sol entra oblicuo hasta aterrizar sobre el suelo de barro de la piscina. Tiene las orejas bien extendidas en forma de biplano, las patas gruesas cruzadas bajo la quijada y dormita como siempre en los momentos más trascendentes, inocente perrito. Molinet mira el agua. Nadie diría que la piscina se está vaciando, no sólo porque no se ve ni rastro de la cinta fosforescente que avisa "¡prohibido bañarse!", sino porque el nivel del agua parece el mismo que hace un buen rato cuando comenzó el proceso de vaciado. Sólo unas onditas diminutas delatan cierta actividad diferente dentro del agua. Eso y un remolino muy amplio y por tanto imperceptible que apenas se adivina sobre la zona sur en cuyo fondo se encuentra el agujero del desagüe indican que la bomba está abierta al paso del agua. ¿Qué tamaño tendrá la trampilla? ¿40x40? ¿30x30 centímetros quizá? Molinet no alcanza a ver bien esa esquina, pero sabe que, unos metros bajo el agua, existe una penumbra hueca e invisible que se abre como una boca...

Quince largos a braza y el resto a diversos estilos, en eso consiste, Molinet lo sabe, el ejercicio matutino de Antonio Sánchez López. En eso, y en un largo deportivo, canchero, muy varonil que inaugura tirándose de cabeza desde el borde norte para recorrer los veinte metros de la piscina a vigorosas brazadas.

Molinet se hunde un poco más en su tumbona. Decididamente las noches en blanco otorgan una clarividencia especial, él no lleva reloj de pulsera en estos momentos, no entona nada bien con el caftán, pero hay uno muy visible en la pared, que señala las ocho y cuarto... Una hora espléndida, a nadie más que a Antonio Sánchez se le ocurriría bajar tan temprano a la piscina; es una suerte que el gran hombre sea tan original en sus gustos y tan madrugador, porque, con un poco de fortuna, después de que ocurra *un petit accident* lo más seguro es que a Molinet aún le dé tiempo a recolocar la cinta fosforescente alrededor de la piscina como estaba antes de que él la retirara. Las agujas del gran reloj se mueven a saltitos lentos: las ocho y veinte. Perfecto. Si Antonio Sánchez no se retrasa, él tendrá tiempo de sobra para dejar todo en su lugar, pues no sería justo que culparan a ese joven tan cumplidor con su trabajo de lo que pueda ocurrir... El gran reloj da otro saltito: las ocho y media en punto y *"le voilá..."*, se dice Molinet al ver aparecer como Tarzán entre las plantas la figura de Antonio Sánchez en persona, "qué puntualidad admirable la suya", afirma muy complacido Rafael Molinet Rojas que siempre ha sido un verdadero entusiasta de tan gran virtud.

—Buenos días, señor Sánchez.

—Buenos días.

—Buenos días —repite Molinet acercándose al borde donde el nadador se prepara para su baño—. ¿Le importa que mire un ratito? —Sánchez se extraña, en los rituales de L'Hirondelle D'Or basta con un saludo y nadie se mete en las actividades del prójimo, pero qué más da, si el viejo estrafalario ese quiere mirarlo mientras hace su ejercicio matinal, que lo haga, él no tiene inconveniente.

—Qué, ¿a nadar un poco?

"Qué pregunta más gilipollas", piensa Sánchez mientras se despoja del albornoz amarillo y comienza a realizar unos lentos ejercicios moviendo los brazos en forma de aspas.

—Sí, ya ve, a nadar un poco.

—Y ¿nada usted por encima del agua, señor, o por debajo?

(Más ejercicios a modo de aspa, más vigor en los movimientos), qué sabrá ese viejo mamarracho de lo que es necesario para estar en forma. Lo mira. Ciertamente su admirador no tiene un aspecto muy atlético, pero nunca se puede estar seguro, quizá se trate de un entendido, se engaña uno tanto con las personas que conoce en los hoteles, quién sabe...

—Pues nado de las dos maneras —dice Antonio S.—, hoy comenzaré con un poco de *crawl*, más tarde algo de braza..., luego mariposa y por fin acabaré haciéndome un larguito bajo el agua.

—Entiendo. La piscina es demasiado grande para bucearla más de una vez, quince metros son muchísimos metros y después de tanto esfuerzo ya los pulmones están hechos polvo, me imagino..., claro, que si fuera al revés, primero buceo y luego lo otro, apuesto a que casi sería usted capaz de hacerse dos largos submarinos.

(Aún más movimientos de aspa, Sánchez se quita de dos pataditas las chinelas amarillas.)

—Pues sepa usted que muchas veces lo hago así, en ese orden quiero decir, empiezo buceando, me sirve para abrir bien los pulmones.

—A mí me encanta ver nadar a *crawl*, el buceo me produce cierta angustia, creo que la gente no resistirá tanto tiempo sin respirar, es larguísima esta piscina, además con lo temprano que es..., tirarse al agua así de pronto..., todo por debajo del agua..., y el salto, porque también hay que saber saltar de modo especial para bucear, un salto profundo, muy difícil.

(Los dedos de los pies de Sánchez se han curvado sobre el borde de la piscina.)

—Un salto de carpa —dice Molinet con aire entendido—. Hop, arriba hop, se toca uno las rodillas en el aire y luego cae suave, hasta el fondo... En fin, perdone, son cosas de viejo, me recuerda a mí con unos cuantos años menos, nunca fui un nadador sobresaliente, en cambio los saltos... no había nadie que hiciera mejor la carpa..., claro que a continuación lo elegante es bucear un poco aunque no es estrictamente necesario, faltaría más.

Será tal vez la charla, será tal vez que Sánchez empieza a estar un poco harto de Molinet, la cuestión es que los nudillos de los dedos curvados sobre el borde de la piscina comienzan a blanqueársele.

—Perdóneme —dice—, se me hace tarde, tengo el tiempo medido al milímetro, con su permiso.

Sánchez estira los brazos, se prepara para una zambullida convencional, de ésas con las que se inaugura una natación vulgar y corriente, se dispone a tirarse cuando... Será quizá la pequeña gloria de tener delante un entendido en saltos de carpa. Será quizá el calor del tibio sol de la mañana o, simplemente, que le apetece comenzar su baño con un buceo largo y deportivo, pero la cuestión es que en el último momento el nadador se vuelve hacia Molinet para decir:

—Conque carpa, ¿eh? ¡Mire una carpa!

Allá va el cuerpo de Sánchez perfecto hacia arriba, perfecto el movimiento con el que sus manos tocan las rodillas y cae al agua, también perfecto con los pies muy juntos; hay un momento en que la espuma lo envuelve y lo hace invisible..., ¿qué ocurrirá?, ¿reaparecerá o no reaparecerá?, ¿subirá a la superficie o se alejará buceando hacia el otro lado de la piscina muy pegado al fondo? Y Antonio Sánchez López no emerge, lo que hace que Molinet felicite entonces a la figura azul y submarina que se aleja ya hacia la esquina sur, la zona más profunda, donde jamás oirá su admirativa exclamación:

—¡Qué espléndido *plongeon*, señor Sánchez, realmente *mag-ni-fi-que!*

Son las 8.45.

Rizo americano

—Hay gente de lo más estúpida —dice la señorita Wasp— y lo que es aún peor, sin la más ínfima consideración por el prójimo —añade antes de embarcarse en una larguísima conversación telefónica que tiene lugar casi toda en francés.

—¿Y no hubo testigos? —inquiere una voz al otro lado del hilo telefónico.

—¿Testigos, *monsieur*? Cree usted que si hubiera habido algún testigo, no habría alertado al huésped de que es una locura bañarse en una piscina cuando la están vaciando, cuando hay, además, una cinta fosforescente rodeándola atada a las cuatro esquinas, ¡a las cuatro esquinas! (remacha la señorita Wasp, que no es nada partidaria de las repeticiones verbales, pero por todos los diablos, hay ocasiones en las que la economía semántica resulta imposible)... una cinta que avisa muy claramente "Peligro, NO bañarse".

(Un silencio al otro lado del hilo.)

—Pero es lo que yo digo, *monsieur* Pitou, la gente, además de estúpida, no tiene ninguna consideración por el prójimo, figúrese en qué situación quedamos nosotros ahora.

Al otro lado del teléfono *monsieur* Pitou fuma. Original, tratándose de un gerente general de hoteles internacionales que vive en Nueva York, pero eso hace exactamente el señor Pitou, fuma.

—¿Quién lo encontró? —pregunta al cabo de unos minutos—. ¿Fue alguno de los huéspedes?

—Afortunadamente no —suspira la señorita Wasp con gran alivio—, lo encontró Karim, un empleado excelente, adiestrado por mí (que, dicho sea de paso, le recomiendo sin reservas en el caso de que necesite alguien de sus características); este muchacho era el encargado de vigilar que la piscina se vaciara con toda normalidad. Él hizo su ronda a la hora convenida, llegó al recinto y, al verlo allí entre dos aguas, al principio creyó que el hombre estaba buceando, porque cómo va uno a imaginarse que un huésped será retenido, ¡chupado, *monsieur*!, de tal modo inmovilizado por la fuerza del agua hasta ahogarse como si se tratara de una... (rata iba a decir la señorita Wasp recordando un incidente anterior pero prefiere pasar por alto la comparación; a los señores Pitou de este mundo es mejor evitarles detalles desagradables y en todo caso inútiles).

—Al menos habrá sido una muerte rápida —comenta Pitou, y a Wasp le parece superfluo ahondar en los detalles más escabrosos, resulta más útil hablar de cómo funcionó en la adversidad la maquinaria perfecta de L'Hirondelle D'Or.

—Karim, el muchacho del que antes le hablaba, reaccionó con toda celeridad y, siguiendo las normas de la organización para casos de emergencia, cerró la bomba de vaciado. Acto seguido, avisó a dos compañeros que con bastante dificultad lograron izar al huésped. Karim entonces corrió a llamarme mientras los muchachos tendían al hombre al borde de la piscina por si podían reanimarlo: demasiado tarde, me temo.

Acto seguido la señorita Wasp explica al señor Pitou cómo, al cabo de escasos minutos, ella y Karim llegaron al recinto provistos de gran cantidad de toallas de todos los tamaños, toallas grandes y pequeñas, de rizo americano, todas de gran calidad, con las que arropar al huésped. La señorita habla siempre de "el huésped". "El huésped esto", "el huésped aquello", mientras informa al señor Pitou de cómo lo envolvieron en una amplia toalla amarilla: "aún tenía un aspecto de lo más atlético", no puede menos que comentar Wasp recordando los sólidos pectorales del huésped, y a continuación se siente en el deber de relatar a su jefe cómo, pese a sus esfuerzos, le fue imposible evitar que el resto de los clientes del hotel se enterara de lo ocurrido, por lo que, una vez que el huésped fue envuelto en la toalla amarilla, empezaron a congregarse en el recinto de la piscina de invierno, señoras en traje de baño con grandes sombreros, caballeros que, debido al desconcierto, llegaron incluso a entrar allí sin haberse quitado sus zapatos de golf, todos hablando y hablando, comentándose unos a otros lo sucedido...

—Muy desagradable —dice Pitou—, pero al menos habrá quedado claro que el accidente no tiene nada que ver con nuestra organización, un huésped que no hace caso de las indicaciones de seguridad, las más claras advertencias de peligro, no puede esperar...

Y la señorita Wasp procura tranquilizarlo en ese aspecto, aunque Pitou, con la mano que el teléfono le deja libre y apagando a toda prisa su cigarrillo, empieza ya a garabatear en un bloc de notas algunas ideas de cómo se dará la noticia a la prensa, mientras dice:

—Calma, querida amiga, sobre todo cal-ma, yo me ocuparé de todos los detalles externos, pero dentro del establecimiento, cuento con usted para que este lamentable accidente pase lo más inadvertido posible: ¿qué-solemos-hacer-en-los-casos-de-incidentes-de-este-tipo? —inquiere como si repitiera pala-bra por palabra una pregunta del manual del perfecto gerente de hotel.

—Nor-ma-li-dad —responde la señorita Wasp con idéntica entonación—, nor-ma-li-dad. Déjelo de mi mano, *monsieur* Pitou, los clientes de L'Hirondelle dentro de un rato creerán que aquí no ha pasado nada, se lo aseguro, ésa es una de las grandes virtudes de nuestro establecimiento, aquí nunca pasa nada.

—Excepto, me imagino, para los amigos del "huésped" —objeta Pitou.

—A ellos les daremos toda clase de facilidades para que nos dejen cuanto antes —(y creo que estarán muy contentos de irse discretamente), está a punto de añadir la señorita Wasp, pero su economía verbal le impide explicarle a su jefe que los amigos del "huésped" tienen todos ellos unas relaciones personales bastante... complicadas, digamos, lo que ayudará a que desaparezcan sin armar innecesario alboroto: los tres de vuelta a Madrid en un periquete.

—En sus manos encomiendo L'Hirondelle D'Or, Wasp —dice el señor Pitou.

Y al responder "descuide, señor", la señorita Wasp mira por la ventana de su cuarto amarillo tan serena como siempre.

La historia según Mercedes III

Hace exactamente diez días, lo recuerdo muy bien porque fue un día trece, aquí estaba yo, en esta misma tumbona, junto a la piscina de invierno, intentando escribir unas cuantas ideas en una cuartilla. Del otro lado de la piscina, igual que ocurre ahora mismo, se encontraba ese extraño individuo al que me dio por llamar el marqués de Cuevas acompañado de su perrito, con el que, tonta de mí, intenté hacerme la simpática ofreciéndole un trozo de pepino de los que nadaban dentro de mi cóctel de Pimm's. Ahora sé que mi marqués de Cuevas se llama en realidad el señor Moulinex (la información se la debo a Bea), que a Gómez, su perrito, no le interesa nada ni nadie que no sea sestear al sol, y sé que bajo la apariencia sedante y perfecta de este hotel han ocurrido muchas cosas, alguna bastante trágica, aunque así, a simple vista, nadie lo diría: ni el decorado, ni el ambiente, ni la actitud de las personas han variado en nada. Como dice su eslogan publicitario, L'Hirondelle D'Or sigue siendo sinónimo de dos cosas: "silencio, reserva..., todo va bien, estamos de vacaciones".

No hay nadie más en el recinto, salvo el señor Moulinex, el perro y yo que me estoy tomando un Pimm's n.º 3, es decir, un cóctel especialidad de la casa, con mucho Ginger Ale: todo igual que aquel primer día, todo tranquilo. Aún faltan veinte minutos para que empiece mi diaria sesión de barros, que por cierto está resultando de lo más eficaz. He adelgazado dos kilos y medio, tengo cuatro centímetros menos de cintura y casi me han desaparecido las pecas del escote, lo cual es una bendición: las he odiado toda mi vida, feas manchas crecientes que proclaman —proclamaban— mis cuarenta años confesos. Jaime solía reprocharme que yo tenía una forma francamente indignante de enfocar la vida, como si me negara a ver aquello que me resulta feo: "tú siempre te engañas, incluso con el pensamiento, no encaras los problemas, los esquivas sobre la marcha y así te va, jamás conseguirás llevar las riendas de tu vida pues sólo te dejas arrastrar por la corriente... incluso la más imprevista que pasa por tu lado". Eso decía mi pobre Jaime, pero él está muerto y yo estoy aquí en L'Hirondelle D'Or tomándome un Pimm's con Ginger Ale.

—Buenos días, ¡buenos días! —le digo al señor Moulinex—, ¿durmió bien?...

—Como los ángeles, querida, ¿qué tal está su encantador amigo el señor Arce?

Es natural que después de vernos diariamente y a todas horas, los huéspedes que aún quedamos en L'Hirondelle D'Or hayamos ampliado un poquito nuestro repertorio de conversación banal, ahora incluso intercambiamos una o dos frases, aunque la mayoría de las veces sin esperar respuesta, como ocurre con los ingleses y sus preguntas rituales: "*how do you do?*", "*how are you?*". ¿Quién contesta a cosas así? Nadie, no viene a cuento, y lo mismo ocurre en nuestro hotel. Yo sé, por ejemplo, que el señor Moulinex se quedaría chocadísimo si tras su amable pregunta yo me trasladara al otro lado de la piscina para darle un parte completo de las actividades de mi atractivo amigo Santiago Arce. Estaría muy fuera de lugar que me levantara de mi tumbona para decir algo así como: verá usted, señor Moulinex, Santi (con el que he pasado una noche de amor maravillosa, no se imagina qué noche, qué despertares, qué arrebatos) ha alquilado un coche con la idea de ir a Fez. Estamos tan bien juntos, que Santi ha decidido cambiar su billete para quedarse unos días más, hasta la semana que viene, probablemente. No regresará hasta la noche así es que he decidido pasar el día sola disfrutando de la piscina. ¿Se ha fijado en lo diligentes que son en este hotel? Mire el agua, bonito color, ¿no cree?, se trata de un nuevo producto emoliente de tono turquesa con el que la señorita Wasp ha llenado la piscina después de la muerte de Sánchez. No, no, como es lógico el señor Moulinex no espera que yo le cuente nada de todo esto, ni mucho menos que nos pongamos a hablar como dos cotorras del terrible accidente ocurrido ayer aquí mismo. Moulinex es un hombre de pocas palabras, incluso entonces, en medio de todo el lío que se organizó cuando encontraron ahogado a Sánchez, lo único que me comentó al pasar (y además al oído, como si se tratara de un secreto) fue: "no sufra, querida, son cosas que ocurren, terribles accidentes que suceden en los hoteles sin que nadie pueda evitarlos. Mire para otro lado y sea feliz".

Ignoro por qué dijo eso, yo no me considero una persona a la que le guste regodearse en los detalles morbosos, es más, siempre me ha resultado incomprensible la actitud habitual de las personas cuando ocurre un accidente. Como en la carretera, por ejemplo, cuando tantos coches se detienen sólo para ver los cuerpos mutilados que un alma caritativa ha semicubierto con alguna prenda, un chaquetón, quizá con una camiseta, y luego están los charcos de sangre, y los zapatos abandonados junto a una pierna lívida...; tal vez la muerte tenga algo de fascinante pero yo prefiero pasar de largo, procuro no ver nada, ¿de qué serviría?

Por eso, ayer ni siquiera intenté acercarme al recinto de la piscina como hizo el resto de los huéspedes, me fui al jardín y allí encontré a Moulinex muy atareado en buscar una ramita de menta con la que adornar su caftán blanco. Fue entonces cuando me hizo el extraño comentario: "Mire para otro lado y sea feliz", eso dijo en medio de todo aquel caos: unos corrían, Bea fumaba, Bernardo había desaparecido camino de un teléfono mientras que Ana Fernández de Bugambilla lloraba recostada en una de las columnas, aunque resulta difícil creer que llorase la pérdida de un amante tan reciente. Y a todas éstas, Moulinex, paseando por el jardín con su caftán blanco y ese perrito que lo sigue a todas horas como una sombra alargada, volvió a susurrarme las mismas palabras mirando, primero a Arce (que se encontraba allá lejos, junto a los otros) y luego a mí, como si en vez de ser un caballero desconocido hubiese sido una vieja tía cariñosísima que acabara de obsequiarme con algo muy hermoso, yo qué sé, un camafeo recuerdo de familia, por ejemplo; no, mejor aún, yo diría que Moulinex me miró con un aire... artístico, eso es, como admiraría un escultor una de sus obras, de una manera realmente extraña, que no entendí, aunque tampoco era cuestión de hacer preguntas, el momento era tensísimo y la gente en circunstancias delicadas a veces hace o dice cosas sin sentido, bien podría ser ése el caso de Moulinex, ¿cómo adivinarlo? A pesar de ser un señor tan amable, Moulinex sigue siendo un perfecto desconocido sin ninguna relación conmigo o con mi vida. Lo único que sí sé es que me repitió dos veces su deseo en medio de aquel guirigay inicial —gente que iba y venía, huéspedes nerviosos, policías marroquíes de bigote, mucha confusión, mucho desconcierto, tanto que las buenas artes de la señorita Wasp y su competente equipo aún tardaron largo rato en serenar los ánimos.

Ahora, por suerte, ya todo está tranquilo. La mañana ha amanecido preciosa, y volvemos a estar solos los mismos huéspedes que cuando llegué a L'Hirondelle con ánimo de olvidarme de tantas cosas, de no pensar en Jaime o en su desgraciada muerte, y también para alejarme un poco de los cotilleos de Madrid. Una vez más noto esa tranquilizadora sensación de soledad que se produce al estar rodeada de desconocidos, pues ni siquiera Santi Arce se encuentra ahora aquí. "Mi encantador amigo Arce", como dice el señor Moulinex. Aún no sé qué ocurrirá con nuestro... ¿romance? (¿debería llamarlo así?, nunca me ha gustado exagerar, incluso creo que trae mala suerte); no sé qué pasará con nosotros, de momento nos hemos reído juntos, nos hemos convertido en amantes, y planeamos vernos a menudo cuando regresemos a Madrid... Pero él es un hombre demasiado atractivo, y yo sé muy bien lo que es convivir con un hombre que gusta y a quien gustan en exceso las mujeres (¡vamos, Mercedes!, ¿en qué habíamos quedado? La primera promesa que te hiciste al llegar a L'Hirondelle fue no pensar en el pasado, aquello acabó, etapa cerrada..., censurada...). No sé si será el efecto del Pimm's o tan sólo la tranquilidad del lugar, pero me siento muy bien aquí y no tengo ningunas ganas de volver a casa. Me gustaría que el tiempo se detuviera ahora, en este momento, aún hay cosas en las que debo pensar, muy despacio, tal como estoy haciendo ahora, con calma, midiendo las palabras. Cuando uno está lejos puede permitirse estos lujos, la distancia tiene la misma cualidad que el tiempo, hace que todo parezca remotísimo, casi irrelevante, y lo prefiero así, como decía mi pobre Jaime; yo no llevo las riendas de mi vida, me dejo arrastrar (¡a tu edad, Mercedes!, parece mentira...), tonterías, no me ha ido mal con ese sistema: dejarse llevar por el destino, no hacer *nada*... ver qué ocurre, como... como en lo que respecta a mi amistad con Santi Arce me refiero; yo no la planeé, simplemente sucedió, o, mejor dicho, comienza a suceder, de modo que no tengo ninguna razón para mirar atrás, hay muchas y muy interesantes perspectivas en el futuro, intuyo. Otra cosa buena que me ha ocurrido en L'Hirondelle D'Or es que, en estos pocos días, he aprendido a disfrutar de mi libertad. El decorado ayuda, qué duda cabe, aquí nadie interfiere en la vida de los demás, y espero que con este aprendizaje, cuando regrese a Madrid, me sea más fácil olvidar lo que opinan otros y, por tanto, afrontar mi vida de manera muy distinta a como lo hubiera hecho de no haber venido nunca a este hotel. Creo que me tomaré las cosas con mucha calma. Por ejemplo: en esta semana me ha dado tiempo a vislumbrar que ser viuda tiene incluso sus ventajas (siempre que una sea rica, siempre que una sea joven, justo es decirlo), aún no sé exactamente en qué consiste la ventaja y quizá se trate sólo de una intuición sin fundamento (pero qué horror, yo no debería permitirme ni pensar en estas cosas. Me paso la vida diciendo que no me gusta exagerar y luego, en cuanto me bebo medio Pimm's aunque sea con mucho Ginger Ale, parece como si haberme quedado sin marido, y todo lo sucedido a raíz de su muerte, me importara ya un pito, como si me tomara la vida en broma, sobre todo los sentimientos; la gente no es como yo, es más consecuente con su pena, con sus amores...). ¿Y Arce?, ¿dónde encaja él en medio de tanta lucubración desordenada? Santi es adorable y exitoso y guapo... pero yo ya he tenido un marido así y conozco el precio. Conclusión (Pimm's en mano, con la piscina de L'Hirondelle D'Or al fondo y mi marqués de Cuevas por toda compañía); la vida es muy corta, Mercedes, y, no te engañes, es mucho mejor tomar sólo lo bueno: la pasión y no la entrega..., la crema y no la leche —o lo que es lo mismo— el amor sin ataduras y no el "cielo, esta sopa está fría", "cielo, esta noche no me esperes, llegaré muy tarde, lo siento, tengo trabajo". Basta, aquello se acabó para siempre. Bas-ta. Hay que ver lo mucho que una aprende en estos hoteles solitarios con tantas horas muertas, donde se tiene montones de tiempo para pensar, pues parece que nunca pasa nada.

Por cierto, ¿será verdad lo que decía Jaime de que yo me engaño incluso sola, sin testigos, simplemente con mi modo de pensar o, mejor dicho, de evitar pensar? Si no es así, en buena lógica debería dedicar unos minutos a recordar la muerte del pobre Antonio Sánchez, creo que he descartado el tema con injusto despego, es muy terrible lo que le ocurrió al pobre, nadie espera encontrar la muerte en plenas vacaciones y menos cuando uno está por ahí en compañía de una señora que no es la suya (vamos, Mercedes, ya sabes en lo que hemos quedado, nada de mirar al pasado, aunque sea por alusiones)... Está bien, sólo digo que es muy desagradable, impresiona mucho que ocurran estas cosas tan embarazosas aunque yo apenas lo conocía. Antes de coincidir con él y sus amigos aquí, había oído hablar de Sánchez, claro está, quién no, era un hombre famoso con un programa de radio muy influyente de esos que todo el mundo comenta. Dicho esto, si yo fuera una persona que realmente me mintiera a mí misma, añadiría que lamento su muerte, que siento su desgracia (al fin y al cabo, se parece muchísimo a la que he vivido yo). Es falso. Mentira, no lo siento en absoluto. Me impresionó su accidente, fue terrible y nos alteró a todos, pero una pequeña mezquindad hace que el revuelo que ha provocado me venga de perlas: cuando vuelva a Madrid todo será distinto. Ya nadie recordará lo ocurrido con Jaime, él y yo quedaremos trasnochados como tema escandaloso, adiós a las mil interpretaciones que sobre su muerte se hacían, adiós especulaciones, conjeturas, adiós fantasías, se acabó: qué alivio, el viejo tamtam de la selva ya no sonará por mí.

El tam-tam de la selva. Así llama mi amiga Fernanda a lo que chismorrea la gente, y en especial a los comentarios que suscita una habladuría en concreto, *esa* que es indispensable conocer, "te lo juro, te lo juro, lo sé de muy buena tinta". Me refiero a El Chismorreo del Momento, aquel que alegrará tantísimas conversaciones en los próximos días, o meses, o el tiempo que tarde en producirse otro escándalo más caliente. Hace poquísimo, el tam-tam se ocupaba de nosotros, se decía cualquier disparate; ahora en cambio, los tambores sonarán por Sánchez.

¿Y qué dirán? Pues no resulta muy difícil de imaginarlo: dirán de todo, no se hablará de otro tema, porque la gran ventaja que tiene este asunto del tamtam de la selva es que sólo admite un escándalo a la vez. Un pecado... Un delito imperdonable... Una historia de cuernos..., lo que sea, pero *uno solo* y la percusión del nuevo acalla el anterior. Tam-tam que tapa a tam-tam, y en este redoble dedicado a Antonio Sánchez hay habladuría para rato. ¿Qué dirán los escandaleros diplomados cuando se enteren de su muerte? Aquí estoy yo a mil kilómetros de Madrid tomándome un Pimm's con Ginger Ale mientras los tambores deben de estar que echan humo con tanto redoble, y no me refiero a que comenten la forma en la que murió el pobrecillo, al fin y al cabo, su accidente, por muy llamativo que sea, pudo haberle ocurrido al más ejemplar de los maridos, me refiero al "dónde" y en especial al "en compañía de quién". Ésa es la otra parte terrible de la muerte, la que nadie calcula. La muerte es como una fotografía que congela la realidad en un determinado instante, y hay realidades que uno no querría ver congeladas ni a tiros. Como la que vivían aquí en L'Hirondelle Antonio S., Bea, Bernardo, Ana... Peor aún, no sólo la congela sino que, para los que sobreviven, la convierte en borrón indeleble. Tal como ocurrirá, no hay duda, en el caso de Ana Fernández de Bugambilla, la pobre. No es que yo crea que Ana sea una santa, pero aunque lo fuera, aunque éste fuese su primer patinazo con un hombre casado, quedará ya para siempre convertida en aventurera de fin de semana, porque la muerte tiene esa cualidad, la de fijar lo casual y convertirlo en permanente.

Y luego existe la historia de Bea con Bernardo, otra delicia para los bongoseros más frenéticos; la noticia no es nueva, los amores de Bea y Bernardo son *vox populi* desde hace años, seis o siete, por lo menos, y lo sabe todo Madrid. Pero una cosa es que *se sepa* y otra muy distinta que una muerte inesperadísima te deje —como diría la propia Bea— con el puto culo al aire.

Con el culo al aire..., yo debo de ser tonta de remate pero siempre me sorprende comprobar una y otra vez cómo lo que la gente llama "un escándalo" no es más que la constatación inapelable de algo que todo el mundo sabía desde hace siglos. Porque es entonces, en el mismo momento en que se descubre el pastel y ni un minuto antes, cuando las buenas gentes dan la espalda al pecador y le hacen ¡FU!... No por sus faltas o pecados, supongo (al fin y al cabo éstos eran de sobra conocidos), sino "¡Fu!, ahí te pudras y ni siquiera recuerdo muy bien tu nombre, por ser tan estúpido de haberte dejado pillar".

El señor Moulinex me mira, parece que, en contra de todos sus hábitos, ha pedido algo de beber a un camarero; supongo que será un Pimm's, lo conozco poco pero lo imagino fiel a los ritos mundanos y ¿qué toma uno a estas horas del día en L'Hirondelle D'Or?:

un Pimm's, claro está, a nadie se le ocurriría pedir otra cosa, ya veré si acierto cuando vuelva el camarero, seguro que acierto, vamos, incluso haré una apuesta conmigo misma a que no fallo: un Pimm's.

"Las que realmente me dan pena por todo lo que ha pasado", me digo, "son Ana y también Bea, sobre todo Bea", lo pienso, así, de pronto, mirando al señor Moulinex y recordando el día de ayer. Qué situación para ellas, fue todo tan horrible y no me refiero sólo al accidente sino también al modo tan precipitado en el que Bernardo y ellas tuvieron que marcharse; a la hora de la cena ya no estaban, pero aun así me dio tiempo a acercarme a la habitación de Bea para hablarle un momentito, al fin y al cabo, de todo el grupo era mi única amiga y quería decirle que lo sentía de veras, sobre todo por lo que van a decir de su relación con Bernardo. Y Bea se rió. Ella siempre se ríe cuando no fuma y cuando fuma, ríe y fuma a la vez. "Chica, quién sabe" (eso me dijo como quien se encoge de hombros), "...quién sabe, los hombres jamás se divorcian cuando se lían con una tía, ni siquiera se divorcian cuando se enamoran de ella, pero, tal vez ahora, con todo el follón público que se va a armar, a la mujer de Bernardo le dé por ponerse digna, amenace con las penas del divorcio, le plante las maletas en la puerta... y entonces yo tenga una oportunidad".

"Fue el escándalo el que los unió...", ¿no había una película que se llamaba algo por el estilo?, sí, "Unidos por el escándalo", añadió con una carcajada que más parecía una plegaria.

Me cae bien Bea, y creo que al señor Moulinex también. No alcancé a oír lo que se dijeron anoche, casi en el momento de la partida, al despedirse en el vestíbulo del hotel, el señor Moulinex siempre tan ceremonioso le besaba la mano, pero luego se acercó para darle lo más parecido a un abrazo que un personaje como él puede permitirse. Quizá le haya dicho lo mismo que a mí en el jardín: "sea feliz, querida". Qué hombre tan extraño es el señor Moulinex, habla como si nos conociera de algo. Quizá con Bea le haya dado tiempo a intimar un poco, charlar de esto o aquello, en cambio conmigo apenas ha intercambiado un puñado de palabras. Sin embargo, pienso que conoce toda mi vida..., pero qué bobada, nadie la conoce, nadie en absoluto, imposible..., no vale la pena dedicar a ese temor ni un segundo de mi tiempo, silencio... ¡Ah! pero mira quién viene por aquí..., si es el perrito del señor Moulinex el que se acerca ahora, exactamente igual que aquella primera mañana cuando nos conocimos y yo le ofrecí una lasca de pepino de mi copa de Pimm's: "ven, perrito, esta vez no quiero darte nada de comer, sólo hacerte unas cosquillitas en las orejas, ven, no tengas miedo".

Dry Martini
(Una receta para preparar el perfecto
Dry Martini según Luis Buñuel)

Sólo hay una manera de lograr un Martini seco de verdad y consiste en lo siguiente: deben colocarse los elementos del cóctel frente a una ventana en un mediodía soleado. En ese momento, debe exponerse la botella de ginebra a la luz. Ahora cogemos la de Martini y la luz que atraviesa una y otra nos garantiza el dry Martini más extraseco del mundo.

Mi último suspiro, Las memorias de Luis Buñuel.

Dry Martini

A pocos metros de donde se encuentra Mercedes, Rafael Molinet acaba de incorporarse en su asiento para hablar con un camarero joven, que, algo nervioso, sostiene una coctelera.

—No. No. *Pas du tout!* Tira esta porquería, Hassem, hazme el favor. Dásela a beber a las hormigas, emborracha con ella a las salamandras, al fin y al cabo *eso* es lo que se merece este brebaje infecto. Tendremos que comenzar de cero. Por amor de Dios, llévatelo de mi vista y regresa aquí con una libretita, vamos a anotar la receta punto por punto, y esta vez prestarás mucha atención, Hassem, te lo ruego.

El camarero joven se retira confuso, mientras que él vuelve a recostarse en su tumbona, alisa el caftán blanco de modo que quede bien extendido y sólo entonces junta las yemas de los dedos como quien se dispone a terminar de contar una larga historia.

—Ya ven —dice—. Esta historia acaba exactamente donde comenzó: en la piscina de invierno de L'Hirondelle D'Or diez días más tarde de aquella mañana en la que vi a Mercedes Algorta por primera vez; ahora pues, sólo me resta contarles su desenlace.

Si hubieran llegado ustedes dos minutos antes, sólo dos minutitos de nada, la escena que habrían presenciado sería la réplica exacta de la vivida el trece de octubre: Gómez y yo cómodamente instalados en el rincón más cálido del invernadero, él sesteando, mientras yo me dedico a observar a mi viudita que está al otro lado de la piscina, igual que si no la conociera de nada, tal como si ésta fuese la primera vez que reparo en su cara ancha, en su pelo rubio adornado con mechas finitas y también en ese aire indefinible que ya entonces me hizo pensar: el estado ideal de la mujer es viuda.

Claro que, como han llegado ustedes dos minutos tarde, la escena es ligeramente distinta a la del día trece. Es cierto que estamos solos y que Mercedes se encuentra al otro lado de la piscina, aunque muy cerca en línea recta, entregada a largas —y no sé por qué se me antoja que filosóficas— cavilaciones. Cierto es también que, como aquel primer día, hace mucho calor y ella se está tomando algún refresco muy despacio... a sorbitos..., lo que la obliga a elevar el brazo de vez en cuando para llevarse la bebida a los labios. Yo la miro, me gustaría pensar un poco en ella, fijarme en algunos detalles de su porte, en algo que brilla en su muñeca... pero en ese preciso momento (y aquí viene la diferencia entre hoy y nuestro primer encuentro) Hassem ha venido a estropearlo todo: primero porque ha despertado a Gómez que se altera y decide dar un paseíto hacia el otro lado de la piscina. Y segundo, porque acaba de traerme, tras larga espera, un brebaje abominable que él llama dry Martini.

En este punto exacto nos encontramos, aquí comienza el último capítulo de la historia de una chica mala que prometí contarles hace diez días: henos aquí los dos, Mercedes a pocos metros cavilando quién sabe qué, mientras yo la miro de vez en cuando. Tiene mucho de divino el saber que uno ha hecho algo importante por otra persona sin que esa persona llegue a saberlo nunca, pero no es en ello en lo que pienso. Tampoco en lo agradable que me ha resultado saldar una vieja deuda con mi pasado... ni en el magnífico *plongeon* de mi amigo Sánchez (que, para más satisfacción, ha pasado por un lamentable accidente). No. Ninguna de estas reflexiones me interesan en este momento, en realidad sólo pienso en una cosa: en mi cóctel favorito.

El dato es importante, no crean que se trata de un capricho ni una banalidad, hoy es sábado veintitrés de octubre, queda pues día y medio para que acabe el plazo que me había marcado de estancia en L'Hirondelle D'Or: pasar aquí dos semanas, ni un día más ni uno menos, ése era mi plan desde el principio, y luego, si ustedes recuerdan correctamente: *adieu, ciao, au revoir* y todos esos eufemismos que tanto me gusta usar cuando hablo de mi decisión de tomarme de un golpe los tres frascos de pastillas del doctor Pertini mientras contemplo el maravilloso paisaje de tierras marroquíes. Y lo haré, créanme. Sin embargo, los detalles hay que cuidarlos con esmero, dedicarles tiempo y planear todo bien. Por eso, hace un ratito, mientras dormitaba aquí junto a la piscina, se me ocurrió de pronto que un espléndido dry Martini sería la bebida ideal para acompañar las píldoras de Pertini; y he aquí la razón por la que pedí al camarero que preparara uno de muestra. Es mi primer ensayo, pero el plan está aún muy verde, este camarero, que es muy atento e incluso posee unos ojos divinos, en lo que se refiere a cócteles es una perfecta nulidad. De todos modos hay tiempo de sobra para perfeccionar la receta, así que paciencia, todo puede mejorarse y aquí vuelve ya el muchacho con una libretita para apuntar mis instrucciones, tal como yo le he pedido que haga. Muy bien, estoy dispuesto a seguir probando cócteles la mañana entera si es preciso, de todos modos no hay mucho más que hacer...

—Veamos, Hassem, ahora presta mucha atención a lo que voy a decirte, apunta y repite conmigo: Para hacer un buen dry Martini necesitaremos y por este orden: una medida de ginebra, a ser posible Beefeater.

—Unah medidah de jinebra Biifiteh —corea entonces Hassem—. Muy bien siñoh.

No me gustaría nada que ustedes, que han seguido conmigo esta historia desde su comienzo, me tomen por una persona descuidada ni descortés, de modo que quiero que sepan que, como en las mejores historias de suicidas, antes de acabar con mi vida (Martini con Pertini en grandes dosis), también tendré en cuenta otros detalles que son muy importantes, por ejemplo: primero me entretendré en contarles dos o tres puntos insignificantes que faltan para redondear mi relato y después sólo me resta dejar a los responsables del hotel una nota explicando mi decisión, nota que aún no tengo redactada pero que estoy seguro será un prodigio de sencillez y belleza. Al fin y al cabo ¿qué puede escribir un hombre más trascendente que una carta de suicidio o su propio epitafio...?

—Ahora apunta, Hassem, necesitaremos unas gotitas de Martini seco, muy se-co.

—Una ghotitas de martini se-coh muy se-coh.

Al pensar en la redacción de una carta de este tipo, uno siempre se imagina que debe acometerse como algo sublime. Yo no sé en qué términos la voy a escribir, pero de lo que sí estoy seguro es que será muy convencional e irá dirigida a la señorita Wasp; lo clásico siempre está más indicado en estos casos, supongamos que diga así:

"Distinguida señorita... que no se culpe a nadie de mi muerte..." Por cierto, ahora que lo pienso, creo que no tendré más remedio que añadir algo respecto a Antonio Sánchez... Desde luego me parece lo más correcto. Ya sé que su muerte pasó por ser un accidente... pero conviene despejar de un golpe cualquier suspicacia que pueda surgir, dos fallecimientos seguidos, tantos cadáveres así de pronto, en un hotel encantador... no, no es nada bueno para su reputación, de modo que es preferible que la carta sea en estos términos:

"Distinguida señorita, por favor, que no se culpe a nadie de mi muerte, ha sido mi voluntad, así como también me responsabilizo de la muerte..." (¿o debería poner asesinato?), tal vez asesinato sea mejor..., muy bien, "del asesinato de Antonio Sánchez López". Perfecto, es un buen comienzo, de este modo el caso quedará totalmente claro y transparente.

—Ahora necesitaremos el vaso mezclador de cristal trans-pa-rente.

—Apunto —dice Hassem—, vhaso quistal trasssparente.

A continuación creo que lo oportuno sería añadir unas breves líneas elogiosas sobre las excelencias de este magnífico hotel, al tiempo que me disculpo por dejarlos colgados con la factura. *Ce n'est pas très gentil* de mi parte, claro, por tanto, es una regla de cortesía mínima el mencionarlo. En cambio lo que no pienso explicar es por qué maté a Sánchez, lo siento, eso no, de ninguna manera.

—¿Lo tienes todo, Hassem? Muy bien, pues ahora, y ya no hace falta que repitas conmigo, sólo anota: primero, llenas el vaso mezclador con una cantidad considerable de hielo, ¿lo tienes?, bien, a continuación bendecirás los cubitos con una gota, ¡una gota, Hassem!, de Martini, añades entonces la medida de ginebra y luego, esto es muy importante, nada de innovaciones, por favor, el líquido SE AGITA, NO SE REVUELVE, ¿está claro? Luego sólo hay que servirlo evitando que el hielo caiga dentro de la copa. Un buen dry Martini, Hassem, es algo difícil, aunque estoy seguro de que si sigues mis instrucciones punto por punto...

Es lo menos que puedo hacer por este magnífico hotel, me refiero a dejarles una nota aclaratoria, pero una cosa es segura, en ella no diré ni media palabra de por qué maté a Sánchez. (Entonces miro a Mercedes Algorta y le sonrío.) Ahí está, solitaria, como el primer día, con ese aire indefenso y a la vez tan seguro, hay personas que ni aun leyéndoles el pensamiento llega uno a comprenderlas del todo, "como mamá", es mi instantánea reflexión, pero no, no es de ella ni tampoco de Mercedes de quienes quiero hablarles en estos momentos, sino de mi idea de no revelar a otros por qué maté a Sánchez. Nadie lo sabrá y menos que nadie mi viudita. Tal vez pocos entiendan el gesto, pero así ha de ser, el viento nunca le explica a las cometas por qué a unas las hace volar y a otras las estrella contra el suelo, ¿verdad?, simplemente *lo hace*... ¿Qué grandeza tendría de otro modo?

Pero, de momento, aquí estamos Mercedes y yo como el primer día, solos y en silencio, cada uno a lo suyo, ella tomándose un cóctel con quién sabe qué pensamientos ajenísimos a mi pobre persona, y yo relatándoles en directo mis últimas reflexiones sobre todo lo ocurrido en L'Hirondelle D'Or mientras intento lograr de este camarero tan duro de mollera un Martini perfecto.

—¡Ah! aquí estás por fin, veamos, Hassem, cómo ha ido este segundo ensayo.

Lo pruebo y prefiero ahorrarles a ustedes los detalles. Vuelta a empezar, el experimento ha sido un segundo desastre. Otra vez las recomendaciones precisas, primero el modo como se ha de perfumar el hielo con el Martini (¡una lágrima, Hassem, sólo una lágrima por lo que más quieras!), luego se añade la ginebra y ahora...

Es justamente cuando vamos por la tercera prueba, es decir por mi tercer medio Martini, cuando alguien me acerca un abultado fax de mi sobrina Fernanda. Tal vez sea por efectos del alcohol tan temprano en la mañana, pero se me antoja larguísimo: un rollo kilométrico, algo así como un *scroll* del Mar Muerto, sólo que de papel térmico, en el que se adivinan dibujos, enormes cantidades de texto además de algún recuadro que no logro distinguir, enrollado como está sobre la bandejita de plata que sujeta otro silencioso servidor de L'Hirondelle de ojos profundos.

Entre todos los cócteles, el dry Martini tiene fama de producir los efectos más contradictorios, es algo de sobra conocido. De ahí, supongo, que no sea extraño que todos los héroes de películas policíacas los consuman en cantidades considerables antes de hacer el amor, matar a un tipo con una cicatriz en la oreja, hablar con su corredor de apuestas por teléfono, jugarse hasta los menudillos en una mesa de póker, y en ocasiones logran hacer todas estas cosas de modo simultáneo, virtuosismo que, a mi juicio, sólo se debe a la ingestión de tan prodigioso bebedizo. Y no es que mis tres medios Martinis comiencen (espero) a tener tan extraordinario efecto sobre mí, pero lo cierto es que de repente tengo la impresión de que los minutos se ensanchan, se estiran como un chicle o transcurren muy despacio de modo que me da tiempo a hacer dos o tres cosas distintas a la vez. Por un lado amonestar a Hassem. Por otro, echar de vez en cuando un vistacito sentimental a Mercedes Algorta que nunca sabrá lo que he hecho por ella. Y al mismo tiempo desenrollar unos centímetros el fax de Fernanda... aunque en realidad no siento la menor inclinación a leerme todo este pergamino térmico, sólo unas líneas pues imagino perfectamente su contenido: muchas preguntas, mucho bla, bla: "¡Pero, tíííoo, cómo es posible!, tú estabas allí cuando ocurrió el accidente... Por Dios, cuéntamelo todoooo, estoy deseando conocer los detalles, no me lo puedo ni cre-er, cuando me lo dijeron casi me caigo de espaldas: Antonio Sánchez nuestro héroe, el mismo del que te he venido hablando todos estos días en mis faxes. ¡Muerto! en comprometedoras circunstancias, qué te parece... ¡Antonio S.!, un gran hombre como él, el vigía de occidente, un (tachadura nerviosa que borra "un" y pone "el", el adalid de la *verdaz*...), resulta que va y se lo traga un desagüe ¡JUSTO cuando estaba poniéndole cuernos a su santa! No te i-maginas las cosas que se cuentan por aquí, ¡todos estamos a-pa-sionados con el chismorreo! Qué colo-saaal...".

Sí, algo por el estilo dirá el fax de Fernanda en su comienzo, estoy seguro, de ahí que me sorprenda tanto ver, leyendo en diagonal y saltándome los dos o tres párrafos iniciales, algo completamente ajeno a todo el *affaire* Sánchez. Se trata de la reproducción de un recorte de revista inglesa de cotilleos mundanos y dice así:

Drones, el famoso restaurante que marcó toda una época en Londres, ha cambiado de dueño. Worrall Thompson es su resucitador. Su ya mítico decorado kitsch]
a base de antiguas fotos de niños hollywoodienses

(horrible a gusto de muchos) será sustituido por un estilo emporio latino con café y delicatessen en el que las paredes lucirán un color naranja estrepitoso digno de Cutex.

Sigo leyendo en diagonal (ya tendré tiempo de dolerme más tarde por la desaparición de uno de mis restaurantes favoritos, la vida es así) y me encuentro con algo mucho más interesante en este *scroll* del Mar Muerto. Tengo buen cuidado de volver a enrollar las partes ya leídas para no verme envuelto en un caos faxístico, al tiempo que reparo en que, diez o doce kilómetros más allá de su comienzo, Fernanda se detiene en algunas consideraciones sobre cómo afecta la muerte a aquellos que aún están vivos:

"... ya sé, tío, que tú no tienes mucha simpatía por la gente que exterioriza sus sentimientos, supongo que te parece un poco 'de medio pelo' todo eso de perder el control, lamentarse en voz alta y llorar convulsamente en los entierros, pero tendrías que haber visto a la mujer (¿debería decir compañera sentimental?, no estoy muy al tanto del apelativo correcto en la jerga progre, 'compañera', 'amante fija', no sé cómo calificar a la mujer de Sánchez; después de todo, no me tomes por antigua, pero ellos no estaban casados); en fin, a lo que iba: deberías haber visto lo destrozada que parecía la mujer de Sánchez en el entierro..., mi conclusión filosófica es que, o bien la chica está desolada por perder los espónsores que su relación con Antonio S. le procuraba para su negocio de bisutería "artística" o, como dice la canción: la vida te da sorpresas, sorpresas te da la vida, y nunca sabes cómo va a reaccionar una viuda ante la muerte de un marido. Esta pobre estaba hecha viruta, en serio, y parecía sincera su congoja, en cambio, no es por comparar, pero a nuestra amiga Mercedes Algorta no se le movió un pelo en el funeral de Valdés, creo que ya te lo conté en su momento: era tal el temple y la elegancia que, para algunos, se confundía con pura indiferencia."

"Igual que mamá en el funeral de Bertie Molinet", pienso con orgullo. "A ella, la de los ojos lila, tampoco nadie la vio llorar, mucho menos esquivar una mirada, pese a todo lo que acababa de sucederle y a los comentarios más odiosos de la gente que pocos se molestaban en disimular."

—¡Brindo por eso! —digo alargando mi vaso hacia Hassem para que me sirva otro poco de ese brebaje que él llama dry Martini, y el ojo se me escapa con el mismo orgullo hacia el lado opuesto de la piscina donde está mi viudita, "nadie la vio llorar". Y en ese momento ella, al verme con el Martini en la mano, tiene el gesto amistoso de alzar hacia mí su copa:

—A su salud, señor Moulinex —la oigo decir, pues mi oído es bastante mejor que mi vista. Es entonces cuando un rayo de sol atrapa su muñeca de modo que brilla más de la cuenta y yo supongo que se debe a esa pulsera ancha, tan poco indicada para un hotel de campo que no se había vuelto a poner desde el primer día en que coincidimos aquí mismo. "Qué curioso", pienso, pero se trata sólo de un instante de reflexión ociosa, pues lo cierto es que de lejos y sin las gafas apropiadas no veo nada de nada, ciego como un topo, y es mucho mejor que vuelva a la lectura del fax de Fernanda.

¿Por qué será que da tanta pereza leer una carta cuando es larga? Yo comprendo que los enamorados devoren con pasión los folios y folios de letra picuda, tachaduras, exclamaciones y faltas de ortografía que inevitablemente forman una misiva, pero pasado el período de entontecimiento transitorio que supone un amorío las cartas deberían ser cortitas, más aún los faxes que se enroscan y —pese a que uno tiene muchísimo cuidado— amenazan con caer y desbaratarse a los pies del aturdido lector. Fernanda en sus elucubraciones suele ser muy entretenida, pero el engorroso sistema de lectura hace que me salte varios tramos hasta que mi vista tropieza con una palabra que me resulta familiar, la palabra es "Borrioboola-Gha" y entonces vuelvo atrás, hacia el comienzo del párrafo anterior para leer:

"Y como soy mucho más generosa que tú con las informaciones sobre la gente que conocemos, te diré que hay noticias frescas sobre Isabella Steine que *tengo* que contarte con pelos y señales... porque lo suyo, de verdad, ¡es como para hacerle vudú por las noches!" (*Bon Dieu*, espero que los pelos sean cortos y las señales breves, realmente temo las explicaciones de Fernanda cuando se trata de vapulear a la *petite* Isabella). "¿A que no sabes la última, tío?, resulta que la chica (supongo que la recuerdas, aunque tu memoria con los nombres es un de-sastre, me refiero a la guapísima que conociste en el restaurante Drones y que fue el comienzo de nuestra conversación sobre la muerte de Valdés) se ha consolado muy pronto de la muerte de su casi-amante y ahora tiene otro que es todo un poema. A ella le parece el no va plus porque está en todos lados, lo invitan aquí y allá, se lo rifan en los cócteles (en Madrid hay tan pocos solteros disponibles que se rifarían hasta un burro cojo), pero bueno, a lo que voy, el tío en cuestión se llama J. P. Bonilla y a ti te habría rechiflado hacerle la radiografía."

Aquí debo confesar que me salto la descripción de J. P. Bonilla, mi memoria de los nombres no es tan floja como supone Fernanda y recuerdo una conversación reciente con Bea en la terraza mirando al golf en la que me contó una larga historia sobre el tal Bonilla, un editor "muy *réussi*" según pude deducir, de esos prosélitos de las técnicas de márketing a la americana que siempre logran que cualquier dato o anécdota de sus autores se convierta en noticia destacada. Un caradura, según Bea, que había estado a punto de utilizarla para un trabajo que le sonaba a engaño. Si no recuerdo mal, se trataba de agasajar, fotografiarse y acompañar a todas partes a la autora de *El ombligo azul*, una novela erótica escrita por una nativa de Borrioboola-Gha, donde quiera que quede ese lejanísimo país (y ahora, al pensar en distancias geográficas, no puedo menos que hacer la consabida reflexión de que el mundo es un pañuelo y Madrid ni siquiera eso, tal vez tan sólo sea un minúsculo *kleenex*, pues da la casualidad de que, sin moverme de L'Hirondelle, conozco a *tout le monde*... a Bonilla... a Isabella... a Bea, pero tampoco me sorprende, todos los mundos cerrados son minúsculos *kleenex*, no sólo en Madrid sino en cualquier parte, las sociedades elegantes siempre están formadas por cuatro gatos y se conocen todos). Me salto pues uno o dos párrafos de explicaciones del tipo *Who is Who* para aterrizar en otro punto del fax que a continuación reproduzco:

"Como comprenderás me importa un bledo la vida sentimental de Isabella, por mí como si quiere liarse con todos los Bonillas de este mundo, pero lo que me tiene fumando en pipa es que la muy mosquita muerta viene de fastidiarme un trabajo fantástico que me había prometido Bonilla. Él estaba buscando a una señora conocida para un trabajo que ahora te explico, un chollo dadas mis circunstancias (ya sabes cómo andamos Álvaro-marido y yo de dinero, lo difícil que resulta ganar un duro), bueno, pues Bonilla me había elegido para un trabajito estupendo, incluso con cierto lustre cultural, no te creas; se trataba de pasear a una famosísima autora islámica que se llama algo así como

Harpic o Sidol o un nombre que suena a limpia *toilettes*, pero no importa, es famosísima. El plan era de lo más apetecible porque durante unos días te invitan a todas partes, sales en el *¡Hola!* lo cual está muy bien... aunque nada de todo esto es lo que a mí más me interesa, lo bueno del asunto es que Bonilla pagaba un pastón por sólo tres días de trabajo, no me preguntes por qué tanta generosidad pues muchas de mis amigas estarían como locas de hacerlo gratis: es divertido, conoces gente diferente, estás en todos los saraos, vamos, que tiene su *glamour* y así debió de parecérselo a Isabella, porque con un batir de pestañas me ha dejado sin Harpic, sin fotos en el *¡Hola!* y sin trabajo chollo, ¡ella!, que encima está forrada; la vida es muy injusta, Rafamolinet."

(Borrioboola-Gha, pienso yo. Isabella, sin saberlo, metida en líos con Borrioboola-Gha, no está mal: quizá la vida, después de todo, no sea tan injusta como piensa Fernanda, pero ella evidentemente no es de la misma opinión, pues dos o tres párrafos más abajo me encuentro con otro testimonio de lo que Fernanda llama "el rostro pétreo de Isabellita Steine".)

"...Mira, te prometo que ya no te hablo más de esta bruja, pero no puedo menos que mandarte un testimonio inapelable de la horterez de Bonilla mezclada con la de nuestra amiga."

Desenrollo un poco más el fax y he aquí a Fernanda en todo su esplendor descriptivo:

"Para que veas cómo son las cosas, te mando a renglón seguido un recorte y foto de revista del *cuore* en la que ya se anticipa que: '...la conocida y bella dama de nuestra sociedad Isabella Steine', bla, bla, bla... '...será la amiga y anfitriona de una famosísima autora islámica con nombre de limpia-*toilette*' (esto lo añado yo). Como verás la foto no es nueva, está tomada el mismo día que la otra que te mandé hace poco en la que se veía a Valdés (q.e.p.d.) flanqueado por Mercedes e Isabella en una fiesta. ¿Que cómo lo sé? Tío, un devorador de revistas ilustradas como tú no se debería hacer esas preguntas, ¿no ves que la chica va vestida igual?, ¿no ves incluso que lleva la misma pulsera antigua de Cartier que tanto le gustó a Mercedes en un catálogo de Christie's y que Isabella consiguió que papá Steine se la comprara a ella por Navidad? Está clarísimo, han utilizado una foto antigua, pero ilustra el texto divinamente. Como la foto es de medio cuerpo, en esta ocasión podrás estudiar con todo detalle los bonitos rasgos de nuestra querida Isabella, mírala, la postura está muy bien elegida, incluso parecería que, previendo la cosa, se le hubiera puesto cara de intelectual con una mano apoyada en la mandíbula anticipando el deleite de leer *El ombligo azul*, la muy farsante. Lo único que para mi gusto desentona un pelín en la pose intelectual es el brazalete: un poco *too much*, ¿no crees?, fíjate en el leopardo de oro que tiene en relieve, Cartier de los más caros, nadie se pondría semejante pulserón para leer un libro, ¿no te parece? ¿Se distingue bien en el fax? He tenido buen cuidado de ampliarte la foto un poquito esta vez, pues sé cuánto te gustan los detalles precisos, eres tan esnob, Rafamolinet..."

¿Qué hace uno cuando *cree* que ha terminado de contar la historia de una chica mala en la que todo encaja como un guante? En la que, al final, debía descubrirse que no había tal chica mala, o acaso subrayar a los lectores más despistados que hubo una, sí, pero muy, muy atrás en el tiempo, una que ni siquiera pertenecía al sexo femenino y que, cierta noche, con un espejo de plata cometió un crimen por el que jamás sintió el menor arrepentimiento. En cuanto a los otros personajes de la historia, los que han conocido ustedes en L'Hirondelle D'Or, no habría ni que explicar que tras un *petit accident*, la chica buena queda redimida y libre de toda sospecha, el malo paga caras sus mentiras, y por último, el tercer hombre (o para ser más precisos, *yours truly*, yo, Rafael Molinet), que tenía con el pasado una deuda imposible de saldar, logra, al cabo de cuarenta años, una pequeña pero deliciosa revancha sobre los chismosos. ¿Qué hace uno, digo, cuando piensa que ha terminado de contar una historia redonda, perfecta... y, de pronto, se da cuenta de que se le acaba de colar una piedra en el engranaje?: beber otro Martini, naturalmente.

—Hassem, deja sobre esta mesita la coctelera llena y retírate, tesoro.

—¿Le hah gustado este último cóctel, jefe?

—Es tan horrible como todos los otros, pero creo que voy a necesitarlo. Éste, y uno o dos más, me temo.

Y todo por culpa de una foto demasiado nítida que aparece en el fax de Fernanda.

Desde que comencé a contar mi historia hace diez días y en este mismo escenario, vengo vanagloriándome de que todo lo aquí expuesto se había ido desarrollando delante de mí como si yo fuera un espectador en su butaca. Incluso he llegado a asegurar muy ufano: "voy a contar esta historia sobreponiendo unas situaciones con otras y casando las escenas nuevas con trozos de mi pasado, como hacen los escritores. Ellos son unos grandes tramposos pero yo también puedo serlo, ellos juegan con ventaja pues conocen el final de las historias que quieren contar. Y yo también sé el fin de ésta, por eso me resulta muy fácil encajar todas las piezas sin que sobre ni una". ¡Sin que sobre ni una!, ello era ciertísimo pero sólo hasta hace unos segundos, ahora con el fax de Fernanda viene a desbaratarse todo.

Vuelvo a mirarlo y allí está la foto de Isabella, precisa hasta en sus detalles más molestos, sin dejar un resquicio a la incertidumbre. No es que yo anteriormente no hubiera señalado que existía un dato discordante en la historia de cómo murió Valdés, me refiero a la dichosa pulsera de Cartier que ya ha aparecido tres o cuatro veces a lo largo de mi narración, pero el dato era sólo una anécdota pasajera imposible de verificar... Sin embargo, ahora su imagen en la foto que envía Fernanda resulta tan nítida que parece estar ordenando: "miradme". Y ¿quién desea que las notas discordantes de una historia le salten a la cara del modo más inopinado cuando todo lo demás casa tan lindamente?

"Una pulsera de Cartier inconfundible... una joya que desaparece la noche en que murió Valdés y que, en consecuencia, sólo alguien que en aquellos momentos debería haber estado ocupada en labores más samaritanas pudo quedarse en prenda o en venganza..."

Sí, esta joya se ha entrometido saltando aquí y allá a lo largo de todo mi relato como si quisiera comprometer la sintonía que existe entre la historia de mi madre y la de Mercedes Algorta; pero yo la he descartado como una pequeñísima nota desacompasada y no del todo falta de intención: al fin y al cabo, también en aquel lejano día, me refiero a la noche en que murió Bertie Molinet, hubo una pulsera que fue a quedar abandonada, inútil y sin consecuencia, junto al reloj del salón. Una pequeña nota tramposa, pues, un truco de escritor o, mejor aún, de violinista, ya que esa joya saltarina no pasaba de ser, en mi relato, la disonancia ideal que sirve para resaltar toda la armonía mágica del resto, tal como ocurre en las más bellas piezas de música.

Y es que me encanta esa sensación tranquilizadora de que en la vida de cada uno existe una suerte de orden musical, un espejeo, o lo que es lo mismo, que toda campanada tiene su eco, siempre que se sepa escuchar con atención: dos historias idénticas, dos maridos infieles, dos pulseras anecdóticas, dos esposas inocentes acusadas sin pruebas, y yo aquí, tantos años más tarde, logrando evitar que un mercader de habladurías propague algo que es falso: dulce venganza.

(Doy un largo sorbo a este Martini que incluso empieza a parecerme bebestible.) ¿...Pero qué ocurriría si de pronto se me despertara la duda de que una de las chicas buenas de la historia, me refiero a mi viudita, esa que tanto se parece a mamá, no es en realidad inocente sino culpable como pretendía destapar Sánchez...?

Eso merece otro trago de Martini antes de responder. Y la ginebra, un licor tan sensato, hace que se me apacigüen inmediatamente dos o tres tripas levantiscas que se habían puesto de punta ante la mera idea. No me extraña nada que todos los tipos duros, todos los detectives de las novelas beban "gimlets" o "martinis", son cócteles tan razonables: la primera idea horrible que el alcohol pone en su sitio es la posibilidad de que este Philip Marlowe, servidor de ustedes, haya mandado injustamente al infierno al noble Sánchez que estaba a punto de desvelar a bombo y platillo no una calumnia sobre Mercedes Algorta sino una horrible *verdaz*. Sin embargo, el líquido amable me trae inmediatamente a la memoria el retruque perfecto a este temor: "escucha, encanto, y no te preocupes en absoluto: en esta vida equívoca resulta que hasta un reloj parado da la hora exacta dos veces al día". Bonita frase, ¿verdad? No, no es de Philip Marlowe, tampoco de James Bond, ni de ninguno de los bebedores de ginebra más famosos de la literatura aunque bien pudiera serlo: es de mamá, siempre lo decía y es más cierto que el Evangelio. Sánchez iba a poner en evidencia a Mercedes —no porque conociera algún dato sospechoso como pueda, quizá, tener yo ahora merced a la maldita pulsera— sino así por las buenas, simplemente por escribir un artículo escandaloso basado en dos o tres casualidades estúpidas: acepto que los relojes rotos acierten a dar la hora exacta dos veces al día, pero ésa no es razón para que no se los tire a la basura...

Miro otra vez la foto de Isabella y, en efecto, el brazalete de Cartier se ve en todos sus detalles: una banda de oro sobre la que se destaca un leopardo rampante, rechoncho y con manchas oscuras, uno de los símbolos más conocidos de la marca. ¿Es la misma joya que lleva Mercedes esta mañana aprovechando que estamos solos y que no hay nadie de Madrid que pueda identificarla? Sería tan fácil acercarme al otro lado de la piscina, ponerme las gafas, mirarla bien y decir: "perdone, querida, ¿me permite que le eche un vistazo a ese hermoso brazalete que lleva?". Sería tan fácil asegurarme de una vez para siempre de que "eso" que veo brillar en la muñeca de Mercedes Algorta no tiene nada que ver con la joya desaparecida la noche en que murió Valdés; aun así no pienso hacerlo. Se trata de temores míos, bobadas, demasiada ginebra...

Sin embargo, lo malo de una duda es que siempre nos conduce a otra sospecha aún peor: dos historias idénticas alejadas en el tiempo —la campana y su eco—, dos chicas buenas acusadas injustamente... Así ha de ser: todo igual, así *tiene* que ser porque si no significaría que mamá...

Una corteza de limón es parte primordial de un buen Martini, posee un punto de amargor muy agradable de modo que, una vez llegado al fondo de la copa, me gusta recogerla con el dedo, mordisquear un poquito, también doblarla en *ese* para que libere unos minúsculos puntos de jugo sobre la superficie; y la mejor manera de ver cómo brotan de cada poro de la fruta unas diminutas gotas doradas es levantando la cascarita hasta el nivel de mis ojos, así, de esta manera... (*Bon Dieu*, pienso entonces, espero que a la chica no se le ocurra venir hacia aquí en este preciso momento: puedo verla caminando justo por encima de mi cascarita de limón, allá, al otro lado de la piscina, ¡pero que no venga!, que ni se le ocurra acercarse a mí con su muñeca brillante, con su pulsera, que se quede donde está; yo, como toda persona civilizada, prefiero la duda a determinadas certidumbres.)

Dos historias idénticas, dos mujeres iguales, vuelvo a decirme y lo he repetido tantas veces que resulta irritante la machaconería, incluso en alguien tan entregado al dry Martini como yo esta mañana... la historia vieja y la nueva..., la campana y su eco...; así ha de ser, todo simétrico, y si no, es mejor no enterarse... "Como hizo mamá con lo ocurrido aquella noche en la casa del Prado, por ejemplo", salta la inoportuna comparación, "ella vio, naturalmente, cómo yo bajaba las escaleras para acercarme a mi padre y vio después el resplandor del espejo atravesar veloz el techo: un golpe seco... y ya está, se acabó Bertie Molinet, pero jamás lo hablamos, ¿para qué?, hay verdades que es mejor que se queden siempre en incertidumbres".

La pulsera de aquella chica al otro lado de la piscina tiene la mala fortuna de atrapar uno de los rayos de sol para brillar de un modo indecente, entonces yo pienso:

"¿Y si las cosas no sucedieron como yo he creído siempre?, ¿y si el resplandor del espejo pasó inadvertido en medio de tanta confusión?" "En ese caso muchas cosas no encajan...", me digo de pronto, con la corteza de fruta aún a la altura de mis ojos (Mercedes Algorta está allí, también está Gómez, los puedo ver a los dos juntos haciendo equilibrios sobre tan frágil cascarita, y ella va y viene recogiendo sus cosas, buscando sus zapatillas, su sombrero, como quien se dispone a marcharse... Supongo que no se le ocurrirá acercarse para devolverme el perrito o cosa parecida, no hay ninguna necesidad de pasar por aquí para salir de la piscina, que siga de largo, por Dios, como hace todos los días), "... claro que las cosas encajan", me digo, y el Martini entonces me obliga a repetir, con la nítida memoria de los borrachos, exactamente las mismas palabras con las que expliqué a la rubia de nombre Bea mi historia aquella tarde junto al campo de golf: "Ella lo supo siempre, querida, mamá adivinó desde el primer momento que no fue la escalera ni su decisión de apartarse en el último instante lo que mató a Bertie Molinet, fue otro golpe mucho más intencionado y un niño de quince años su asesino. ¿Qué me dice?, ¿de veras le sorprende que mi madre nunca luchara contra las habladurías que la señalaban como culpable? Vamos, querida, no me mire así, intuyo que esta tarde va a aprender usted mucho acerca de la naturaleza humana, escuche: hay veces en la vida en las que a una persona le resulta mucho más fácil cargar con la sombra de una sospecha que reconocer, incluso ante sí misma, un pecado atroz en un ser que ama por encima de todo..."

"Es cierto, fue exactamente así; mamá inmediatamente imaginó lo que yo había hecho gracias al resplandor del espejo, lo sabía y prefirió ignorarlo: de ahí su silencio de tantos años...", me tranquilizo pensando, "pero...".

(Son los clic, clics de las uñas de Gómez sobre el suelo de barro cocido del invernadero los que ahora me desbaratan toda la línea de pensamiento, inoportuno perrito, puedo verlo allá junto a la chica, sacude las orejas como si se dispusiera a echar a andar) "pero...", vuelve la duda, "¿y si me engaño?; al fin y al cabo, ¿cómo estar seguro de lo que mamá vio o no vio?, nosotros nunca hablamos".

En este momento el alcohol (no tan amable como en las ocasiones anteriores) me trae a la memoria otro retazo de aquella noche turbia: Bertie derrotado sobre el suelo del vestíbulo, yo acercándome al herido al pie de la escalera mientras mi madre, que nos mira a los dos desde arriba, exclama: "Dios mío, Rafaelito, ¿qué he hecho?, ¿qué acabo de hacer?".

"Imposible", rebato, qué disparates se me ocurren, "no puede ser, mamá no hizo nada censurable, fui yo pocos segundos más tarde con un espejo de plata..., estoy convencido de lo que digo, no puede haber dos culpables de un mismo hecho ni dos verdades paralelas, ella sabía...".

¿Pero... y si mamá no vio el resplandor aquella noche y, por tanto, jamás conoció mi pecado?, ¿y si su mutismo de tantos años se debió a otra razón muy distinta de la que yo he supuesto siempre?, ¿a otra realidad que desconozco: por ejemplo a un remordimiento propio, y por tanto a una falta que no era precisamente mía...? Imposible, impensable y en todo caso inútil preguntármelo a estas alturas: siempre es mejor *no saber*.

Mercedes Algorta se ha puesto su sombrero. Las mujeres acostumbran a ponerse los sombreros para irse de la piscina, lo cual es una solemne idiotez: no es a la salida sino durante el asoleamiento cuando uno necesita cubrirse la cabeza, sin embargo eso exactamente es lo que hace la chica, está lista para marcharse (¿no vendrá hacia aquí, verdad?, éste no es el camino más corto hacia la puerta ni mucho menos pero...), clic, clic, clic..., aun sin alzar la vista siempre es posible saber cuándo se aproxima Gómez gracias al claqué de sus uñas sobre el suelo de barro del invernadero.

("Aquello de lo que no se habla no existe y un secreto que jamás se comparte acaba por desvanecerse", ésa fue nuestra consigna durante todos estos años, mamá nunca consintió en hablar de lo sucedido aquella noche, pero en concreto, ¿de qué evitaba hablar?) Dos mujeres iguales, dos situaciones gemelas, el eco de una campanada ha de ser necesariamente idéntico al sonido original, por tanto las dos son inocentes. Mercedes Algorta se ha puesto su sombrero pero, por el amor de Dios, que no se acerque.

Un caballero de mi edad estudiando detenidamente una cascarita de limón compone, cuando menos, una escena extravagante; sin embargo esta actitud tal vez me evite mirar hacia otro lado, no levantaré la vista, no pienso mirar, por todos los diablos, es lema del hotel que los clientes hablen lo menos posible, esta chica debería marcharse en vez de dirigirse hacia mí con esa sonrisa con la que intuyo me mira, claro que yo, llegado lo peor, me quitaré las gafas y sin ellas no veo nada, no veo los detalles.

—¿Me permite?

—¿Cómo, cómo dice, querida? —pregunto, y, en efecto, me quito las gafas.

—Hace un rato he hecho una apuesta conmigo misma y vengo a comprobarla, déjeme ver: eso que está usted bebiendo ¿es un Pimm's?

Está delante de mí. Gómez también, los clic clics de sus uñas sobre el barro cocido han acercado a ambos hasta mi tumbona muy a mi pesar.

—¿Cómo dice, querida?

—¡Qué tonta!, debí imaginarlo por la forma de la copa, usted está disfrutando de un Martini no de un Pimm's, ¿le importa si pruebo?

Hay momentos en los que uno se ve frente a la certidumbre aun sin haberla buscado nunca. La chica alarga el brazo sin esperar respuesta, relampaguea ante mí una muñeca borrosa pero demasiado chillona con piedritas turquesas y rojas y verdes.

—Siempre me ha encantado el Martini dry, hasta ahora lo tenía prohibido, cosas de la maldita dieta, pero de pronto, al marcharme de la piscina, y al verlo a usted... ¿me permite?

("Piedritas turquesas, rojas, verdes, esto no puede ser una pulsera de Cartier con un leopardo, imposible... La duda, mantener la duda, siempre más ambigua, más tranquilizadora que la verdad..., si me pusiera las gafas saldría de la incertidumbre para siempre..., casi estoy seguro, esas piedritas de colores..., qué alivio, no puede ser, no es lo que yo me temo.")

Ella se ha servido lo que queda de Martini, así, como si nos conociéramos de toda la vida, alza el brazo, vuelve a brillar su muñeca, y entonces yo hago algo que no había hecho en toda mi vida.

—¿Cartier, querida? —pregunto. No me he puesto las gafas, queda aún un minúsculo resquicio para la duda si deseo refugiarme en ella una vez que oiga la respuesta.

Ella se ríe. Alza otra vez la mano y su muñeca brillante al beber, dice:

—¿Cartier? ¡Vaya idea! Cheap & Chic que no es lo mismo. Se refiere usted a esta baratija, ¿verdad?

(Sonrío)

—¡Claro! —(respiro)—, es que no veo bien sin gafas, por eso, al observarla de lejos, con su muñeca tan brillante se me ocurrió que podía usted lucir una de esas pulseras anchas, ya sabe, estilo años cuarenta, con un leopardo y todo, muy Cartier, ¡qué tontería!

Ella bebe. El Martini dry tiene otra cualidad que yo ahora no puedo ver pero de la que estoy muy seguro: hace que los ojos de los bebedores titilen como centellas.

—Lo siento pero no es Cartier sino un diseño de Moschino de los más baratos. Se trata sólo de una fantasía, lamento desilusionarlo, señor Moulinex.

—Molinet, querida, mi nombre es Rafael Molinet.

—Uh, perdone.

—No importa. Se lo aseguro, no importa en ab-so-lu-to. ¡Todos nos equivocamos tanto!... por fortuna.

Ella vuelve a reír al tiempo que empina su brazo para que brillen una vez más esas divinas piedritas falsas, esa baratija maravillosa que todo lo desmiente y el mundo vuelve a ser perfecto: la campana igual que su eco, la nota discordante de mis temores sólo un truco de violinista hábil, nada más. Entonces yo me recuesto en mi hamaca con la tranquilidad que da el saber que uno se ha equivocado tontamente; y es en ese momento cuando la oigo decir...

—Qué ideas tiene usted, amigo mío, ¡Cartier con un leopardo, aquí y a estas horas!, imagínese, quedaría muy fuera de lugar, sería una horterada incluso. ¿No pensará que yo me iba a poner una pulsera de esas características para bajar a la piscina?... aunque la tenga... ¿verdad, señor Molinet?

Otros títulos de la colección